Избранное

М. ВЕЛЛЕР

НЕ *ножик*
НЕ *Сережи*
НЕ *Довлатова*

ИЗДАТЕЛЬСТВО

МОСКВА
2006

УДК 821.161.1
ББК 84 (2Рос=Рус)6
     В27

Подписано в печать 25.04.06. Формат 84×108$^{1}/_{32}$.
Усл. печ. л. 16,8. Тираж 7000 экз. Заказ № 1100.

Сборник избранного «Не ножик не Сережи не Довлатова» включает в себя необыкновенно точные и глубокие описания как трагедии эмиграции советской литературы, так и фигур и судеб самих писателей в широком диапазоне от сарказма до романтизма. Первое появление романа в печати вызвало памятный литературный скандал, отголоски которого не утихли и сегодня.

ISBN 5-17-038568-4 (ООО «Издательство АСТ»)
ISBN 5-9713-2870-0 (ООО Издательство «АСТ МОСКВА»)

КАК ВЫ МНЕ НАДОЕЛИ

1. НОЖИК СЕРЕЖИ ДОВЛАТОВА

Литературно-эмигрантский роман

В Копенгагене я сделал сделку. Заработанные лекциями деньги сунул в свою книжку, а книжку подарил журналистке из газеты с трудновоспроизводимым названием. После чего пошел по магазинам.

Одна из кожгалантерейных лавок прогорала в дым, судя по ценам. Роскошный кейс с номерным замком, стоивший напротив полторы тысячи крон, здесь предлагался за сто пятьдесят. Я вспотел, час пытаясь обнаружить суть подвоха. Жалко тратиться на подарок себе самому, разве что ты на этом здорово экономишь. Бедный пластмассовый дипломат мне омерзел. При малейшем недосмотре он вдруг делал «Сезам, откройся!», вытряхивая барахло под ноги прохожим. В Венеции он раскрылся на мосту, и фотоаппарат прыгнул из него в канал, только булькнул. Ненавижу Венецию.

Магазин закрывался. Я принял решение. Продавщица сломала ноготь, выставляя мои любимые числа. После чего я достал бумажник и показал ей, что там пусто. В более темпераментной стране меня бы убили.

Вялый народ эти датчане. Недаром викинги перед дракой нагрызались мухоморов.

Редакцию все давно покинули. Журналистка отправилась проводить уик-энд на яхте. Вы видели фильм «Торпедоносцы»? Так яхт там чертова прорва, все берега заставлены.

Пароход у меня уходил в восемь утра! А через наш банк получишь лишь соболезнование о валютных трудностях державы. В кармане брякала мелочь, сигареты кончались. Хотелось жрать. Хотелось выпить и отвести душу.

Я побрел найти немного понимания к московской знакомой, недавней эмигрантке. Она жила в центре, зато без горячей воды. Мы выпили водки, закусили бананом и обматерили Данию. Одна из образцовых...

Последним ее впечатлением о родине было знакомство с Александром Кабаковым. Это сильное и приятное впечатление еще не изгладилось, оно подпитывало ее интеллектуальный патриотизм.

Пока она по частям мылась холодной водой, я стал читать «Сочинителя». Автор наслаждался мужской любовью интеллигента к женщине и оружию. «Он с треском вспорол брезент швейцарским офицерским ножом с латунным крестом на рукояти».

Если швейцарские офицеры соответствуют своим ножам, то их можно ловить сачками. Я начал открывать дипломат, и меж блокнотов и книг вылетел под ноги замерзшей хозяйке именно швейцарский офицерский нож. Он размером в палец. Со множеством складных штучек для облегчения офицерской службы. Им можно нарезать колбасу, открыть бутылку, провертеть дырочку для ордена и вырвать волосок из носу.

Случайно, стало быть, на ноже карманном найди отметку дальних стран.

Этот ножик подарил мне Довлатов. В таллинском журнале «Радуга» мы напечатали впервые в Союзе его рассказы, и он переслал редакции подарки: пробный флакончик французских духов, что-то пишущее и складной ножик с латунным крестиком на вишневой пластмассовой щечке. Редакция была дамская, ножик взял я. Приложенная в футляре инструкция на пяти языках, включая китайский, просвещала: «Швейцарский офицерский нож! Из наилучшей стали!» Китайский язык объяснялся местом изготовления: там дешевле.

Теперь-то мы изведали качества дешевых китайских товаров. Возможно, оно основано на надежде свести продолжительность, и без того краткую, нашей жизни, и без того горестной, к веку воробья, истребленного рисоводческим кооперативом. Страдающие недостатком жизненного пространства китайцы умны, терпеливы и настойчивы. Их зоркие, прицельной суженности глаза вежливо смотрят через Амур. Восток научился проницать удаленность времени и пространства задолго до скудоумных итальянцев с примитивом их линейно-геометрической перспективы. И в дальней перспективе, где держава перетекает и делится, как амеба, никуда мы не денемся от передела территорий. Пьеса о территориальном суверените написана давно и называется «Собака на сене».

Когда-то я жил на китайской границе, на Маньчжурке. Рубежная станция Забайкальск называлась тогда Отпор! Доотпирались.

И китаец звучало у нас символом честности и трудолюбия. Несравненное качество китайского ширпотреба памятно старикам. Равно как и победоносная борьба с мухами, воробьями и гоминдановцами. Смелый, как тигр. Двадцатизарядный маузер Ли Ван-чуня не могло заклинить.

Восторгающие «Пионерскую правду» любовь и уважение к братским китайцам не мешали пацанве травить бурятов. То, что буряты жили в этой степи спокон веков, было их личным и никого не колышащим горем. Бурят было словом ругательным. Синонимом его было слово дундук.

Много лет спустя, студентом ленинградского университета, практикант в журнале «Нева», я с недоверчивым удивлением узнал от завпрозой, покойного Владимира Николаевича Кривцова, писавшего тогда роман о первом российском после в Китае отце Иакинфе Бичурине, что до революции, при изрядной малограмотности в России, мужчины — монголы и буряты были грамотны поголовно и весьма. Мальчиков отдавали на воспитание в дацаны, откуда они возвращались обученными и причастившись восточных мудростей. Это мы им потом дацаны закрыли, лам перешлепали, а прочим ввели кириллицу: Маша мыла раму.

Вот в том же отделе прозы я впервые услышал фамилию Довлатова. Я вообще услышал там много нового и интересного. Например, что Октябрьская революция — ну и что, сделали лучше? Я клацнул от неожиданности своими белыми комсомольскими зубами; что же касается ответа, так это сейчас, двадцать три года спустя, все стали умными и храбрыми.

За эти двадцать три года задавший мне этот вопрос с ехиднейшей и ласковой улыбкой Самуил Аронович Лурье, старший (и тогда единственный) редактор отдела, ах Джон, а ты совсем не изменился. Неизменно — худ, лыс, сутул, узкоплеч и очкаст: гуманитар-интеллигент, разве что зав в том же отделе. Нужно было пережить застой, перестройку, распад, полдюжины главных и ответсекров, непотопляемо пройти скандалы и суды, сдать роскошные покои фирмам нуворишей и ужаться в боковые комнатки, обнищать и уменьшить формат на скверной бумаге, чтоб открылось: что сутулость скрадывает высокий рост, из растянутых рукавов свитера торчат ширококостные волосатые запястья, в объятии Саша Лурье жилист и тверд на ощупь, и хорошо познается в способности твердо принимать любое количество спиртного, отличаясь изящнейшим умением по мере возлияния интимно изливать гадости тому, кто платит за выпивку. Учитывая должность и реноме лучшего ленинградского критика, поставить ему хотели многие. Справедливость требует отметить, что из этих многих у очень малых доставало умственных способностей вычленить суть витиевато-иронических фраз, которые с тонкой ухмылкой накручивает им на уши поимый собеседник.

Лурье и пересек меня с Довлатовым забавным образом. Это образ всех его действий.

Я был старательным практикантом. И мою старательность решили поощрить материально. Возможно, к тому отдел прозы подтолкнула совесть. В течение месяца всю работу в охотку делал я один, освободив зава и редактора для их собственных творческих нужд. Я не перенапрягся. В числе непонятого мною в литературой жизни осталось, чем могут заниматься в ежемесячном журнале больше трех человек. Некрасов был вообще один, не считая как раз Авдотьи Панаевой и ее мужа Панаева: их функции изучены литературоведами и понятны. Мое непонимание встречает у тружеников редакций раздраженный протест.

Меня решили оплатить посредством редакционного гонорара за отшибную внутреннюю рецензию, из расчета три рубля за авторский лист рецензируемой рукописи.

— Миша,— сказал Лурье, вручая мне папку с надписью «Сергей Довлатов.— Зона.»,— пусть совесть вас не мучит. Напечатать мы это все равно не можем. Увидите: там зэки, охранники, пьянки, драки — Попов (главред) этого не пропустит в страшном сне. А если чудом решил бы пропустить — снимет цензура. А если не снимет — то снимут нас всех. Но этого, к счастью, произойти не может, потому что Попов дорожит своим креслом, и если встречает в тексте слово «грудь», он подчеркивает его красным карандашом и гневно пишет на полях: «Что это?!». И это после нашей редактуры. А если он увидит слово, например, «сиськи», его просто свезут в сумасшедший дом. Так что — пишите. Сами понимаете. Обижать человека не надо, хороший парень, я его знаю, в общем, все равно это не литература... сочините что-нибудь такое изящное, отметьте достоинства, недостатки, посетуйте в заключение, что «Нева» не может это опубликовать. И обязательно пожелайте творческих успехов автору. Страниц пять, больше не нужно. Дерзайте: я не сомневаюсь, что у вас получится.

Вспоминая о Хемингуэе, Джек Кейли пишет: «При первом знакомстве Хемингуэй произвел на меня впечатление туповатого парня, и не раз производил такое же впечатление впоследствии». Таким образом, «Зона» не произвела на меня впечатление литературы. К моему облегчению, не пришлось даже кривить душой. Я всего лишь подошел к решению задачи с предварительным умыслом и готовым ответом. Позднее я узнал, что это называется журналистским профессионализмом.

И все-таки «Зона» без нажима запоминалась. Она была не похожа на прочее, идущее в журналах.

Первая в моей жизни рецензия была лестно оценена талантливым ленинградским критиком и редактором Лурье и принесла мне тридцать рублей. Именно и ровно. Первый в жизни гонорар памятен, за что получен — памятно менее, а уж ничего не значащая фамилия автора, послужившая лишь предлогом к гонорару, изгладилась из воспоминаний быстро и начисто за событиями более интересными и значительными. С утра до ночи один в отделе я сортировал рукописные завалы, писал письма, правил гранки и в пределах малых полномочий дипломатично беседовал с посетителями, принимая свежие рукописи и уклоняясь решительных ответов. Предмет моего злорадного торжества составило редактирование идущей в набор повести великого письменника Глеба Горышина про то, как он поехал на Камчатку, землепроходец. На Камчатку двумя годами ранее я на спор добрался за месяц без копейки денег от Питера, и цыдулю Горышина, пользуясь анонимной безнаказанностью внутриредакционной машины, перередактировал вдрызг. Опасался, что маститый автор возбухнет по ознакомлении с публикацией, но позднее не воспоследовало ни звука. Цимес был в том, что проходивший в Ленинградской писорганизации под кличкой «Змей Горышин», обликом более всего напоминая сподвижника Карабаса-Барабаса пьявколова Дуремара, а бездарностью казеиновую сосиску, являлся вышеупомянутой организации третьим секретарем, то есть имел довольно власти испортить кровушку любому.

За этим самозабвенным бесчинством и застал меня друг-однокашник Серега Саульский, трепетно донесший в редакцию свое первое прозаическое произведение. Заготовив фразы к беседе, он постучал под табличкой «Отдел прозы» и водвинулся с почтительным полупоклоном.

— Присаживайтесь, добрый день,— казенно-приветливо бросил я, не отрываясь от художественного выпиливания по тексту.

— А... э...— подал ответный звук посетитель, и я узрел выпученные саульские глаза и отпавшую челюсть. За двухметровым редакторским столом сидел я без пиджака, и смотрел вопросительно.

С полминуты Саул напряженно соотносил визуальный ряд с семантическим. Потом выматерился и закрыл рот.

— Сука,— сказал он.— Пришел на хрен в святая святых. Молодой автор, тля, с трепетом. Первый рассказ на суд толстого журнала. А там Мишка Веллер в домашних тапочках.

— Гадская жизнь,— согласился я.— Когда кадет Биглер становится генерал-майором и лично является беседовать с Богом, то Богом уже работает капитан Сагнер.

— А ты кем здесь работаешь?

— Практикуюсь.

— Я вижу. Так рассказ-то есть кому дать прочесть?

— Есть.

— Кому?

— Мне.

— Тебе-то на хрена?

— Прочту.

— Спасибо. Большое спасибо.

— Пожалуйста. Это наша работа.

— А дальше?

— Могу написать на него рецензию,— предложил я.

— Зачем?

— Для гонорара.

— И много ты уже написал?

— До фига. Одна под рукой — хочешь прочитать?

«Я иногда думаю,— признался Саул много позднее,— что вот это несовпадение ожидаемого и встреченного так на меня тогда подействовало, что именно поэтому я в „Неву" ничего больше не носил. И никуда не носил. И вообще писать прозу бросил. К счастью. А вдруг, думаю, там опять какая-нибудь знакомая падла сидит. Разрушил ты, Михайло, хрустальную мечту юной души о храме высокой литературы.»

Мы с ним нажирались тогда в Париже, куда он переселился давным-давно, перебирая славные воспоминания.

— Ты писал хорошо,— сказал я.— Как, впрочем, и все, что ты делал. И бросал. Зря. Жаль.

Эта была правда. Боксеры завидовали его боксу, барды — песням, журналисты — статьям, и все вместе и люто — его успехам у баб.

— Да ну, Михайло, какая на хрен литература,— сплюнул он с гримасой суперменистого киноактера в роли неудачника.— Кому, зачем... Когда Кортасар работал здесь в ЮНЕСКО, коллеги в комнате не подозревали, что он чего-то там пишет. Было время Солженицына всюду продавали на килограммы — его знали. Вот Лимонов надрывался шокировать, как он негру минет на помойке делал — ошарашил: уровень откровенности непривычный; у всех метро продавали. Европейская культура... Хотя французскую любовь придумали, сами они полагают, французы, но если бы Бодлер описал на уличном арго, как он делает минет Рембо, французы бы сильно удивились.

Еще в СССР еще в миллионнотиражных журналах еще шумела дискуссия о праве на литературную жизнь табуированных слов. С ученым видом поднимаясь над интеллигентской неловкостью, полумаститые писатели и доктора филологии защищали в печати права мата на литературное гражданство, светски впиливая в академические построения ядреный корень. Сыты лицемерием, хватит, свобода так свобода. Урезать так урезать, как сказал японский генерал, делая себе харакири. Уж отменять цензуру — так отменять, значит.

Из скромности я помянул, что первым в СССР табуированные, они же неприличные, нецензурные, матерные, грязные, площадные, заборные, похабные, слова напечатал ваш покорный слуга зимой 88-го года в таллинском журнале «Радуга». Мы в трех номерах шлепнули кусок из аксеновского «Острова Крыма» и, балдея от собственной праведности, нагло приговорили: мы не ханжи, из песни слова не вырубишь топором, автор имеет право. В набранном тексте матюги торчали дико. Глаз на них замедлялся и щелкал. Главный скалил зубы и подначивал: «Давай-давай!». Союз трещал, Эстония уплывала в независимость, главный был из лидеров Народного фронта, уже никто ничего не боялся — с на полгода опережением российских событий, свобод и самочувствий: мат был волей, реваншем, кукишем. В этом опережении России скромная «Радуга» первой в Союзе дала и Бродского, и Аксенова, и «Четвертую прозу», и до черта всего. Смешное время; веселое; знали нас, знали, в столицах выписывали. Что мат.

Материться, надо заметить, человек умеет редко. Неинтеллигентный — в силу бедности воображения и убогости языка, интеллигентный — в неуместности статуса и ситуации. Но когда работяга, корячась, да ручником, да вместо зубила тяпнет по пальцу — все фонемы, что из него тут выскочат, будут святой истиной, вырвавшейся из глубины души. Кель ситуасьон! Дэ профундис. Когда же московская поэтесса, да в фирменном прикиде и макияже, да в салонной беседе, воображая светскую раскованность, женственным тоном да поливает — хочется послать ее мыть с мылом рот, хотя по семантической ассоциации возникает почти физическое ощущение грязности ее как раз в противоположных местах.

Вообще чтобы святотатствовать, надо для начала иметь святое. Русский мат был подсечен декретом об отделении церкви от государства. Нет Бога — нет богохульства. Алексей Толстой: «Боцман задрал голову и проклял все святое. Паруса упали.» Гордящийся богатством и силой русского мата просто не слышал романского. Католический — цветаст, изощрен — и жизнерадостен. «Ме каго эн вейнте кватро кохонес де досе апостолес там бьен эн конья де ля вирхен путана Мария!» Вива ла република Эспаньола.

Экспрессия! Потому и существует языковое табу, что требуются сильные, запредельные, невозможные выражения для соответствующих чувств при соответствующих случаях. Нарушение табу — уже акт экспрессии, взлом, отражение сильных чувств, не вмещающихся в обычные рамки. Нечто экстраординарное.

Снятие табу имеет следствием исчезновение сильных выражений. Слова те же, а экспрессия ушла. Дело ведь не в сочетании акустических колебаний, а в информации, в данном случае — эмоционально-энергетической, которую оно обозначает. Дело в отношении передатчика и приемника к этим звукам. Запрет и его нарушение включены в смысл знака. При детабуировании сохраняется код — информация в коде меняется. Она декодируется уже иначе. Смысл сужается. Незапертый порох сгорает свободно, не может произвести удар выстрела. На пляже все голые — ты сними юбку, обнажи жопу в филармонии. Условность табу — важнейший элемент условности языка вообще. А язык-то весь — вторая сигнальная, условная, система. С уничтожением фигуры умолчания в языке становится на одну фигуру меньше — а больше всего на несколько слов, которые стремительно сравниваются по сфере применения и выразительностью с прочими. Нет запрета — нет запретных слов — нет кощунства, стресса, оскорбления, эпатажа, экспрессии, кайфа и прочее — а есть очередной этап развития лингвистической энтропии, понижения энергетической напряженности, эмоциональной заряженности, падения разности потенциалов языка. Обогащаясь формально, язык обедняется по существу. Дважды два. Я так думаю, сказал Винни-Пух.

Ладно: писатели неучи, филологи идиоты,— обратились бы к Лотману за разъяснениями; сдались они ему все, у него жена болеет...; Зара была еще жива, и Лотман был жив.

Ага; вот поэтому в самых половых сценах писаний Лимонова или его жены Медведевой эротического чувства, со-возбуждения для читателя не больше, чем для старого гинеколога — в сотой за прием раскоряченной на кресле старухе. Ну, есть такое место, такие движения, и что. Обыденность слова сопрягается с обыденностью фразы и сцены. Возникает импотенция текста. Что связано с импотенцией, кстати, телесной, это вполне испытали на себе просвещенные раскрепощенные французы. Чего волноваться — обычное дело кушать, выпивать, зарабатывать деньги и совмещать свои половые органы. А волнение — это избыток чувства, энергии, а если ничем никогда не сдерживать — не будет избытка, а отсутствие избытка — слабосилие, упадок, конец. Вам привет от разврата упадшего Рима. Закат Европы. Смотри порники: там же никогда ни у кого толком не стоит. Работа такая.

Сим макаром к концу второй бутылки обнаружив, что литературная тема беседы естественно и плавно перетекла в сексуальную, мы ностальгически посмаковали приключения ленинградской молодости, помянув и лихой заезд с портфелем «Рымникского» к двум красивым подругам, оказавшимся ночью злостными лесбиянками, чему предшествовала та встреча в редакции.

— Читаю я твою рецензию: ни хрена себе, думаю, сидит Мишка тут и решает, кого печатать, а кому отказать, а ему еще деньги за эти отказы платят! И только собираюсь предложить — напечатай, мол, а гонорар вместе пропьем, как он и говорит: будь моя воля, я бы это, конечно, из интереса напечатал. Эге, думаю, парень, да тебе печататься легче чем ему ровно на одну инстанцию — на себя самого. Так что теперь — настала твоя воля?

— Воля моя, воля... Наливай да пей.

— Сейчас тут Довлатова всего издали. Вижу — «Зона»: вспомнил, дай, думаю, куплю — о чем хоть речь-то шла. Ты его знал? — спросил Саул.

— О, провались он пропадом,— сказал я.— И в Париже, в Венсеннском лесу, под луной, нет мне покоя!

Много лет Довлатов был кошмаром моей жизни.

Кто ж из нынешней литературной братии не знал Сережи Довлатова? Разве что я. Так я вообще мало кого знаю, и век бы не знал. Он со мной общался, как умный еврей с глупым: по телефону из Нью-Йорка. То есть просто все мои знакомые были более или менее лучшими его друзьями: все мужчины с ним пили, а все женщины через одну с ним спали, или как минимум имели духовную связь. Большое это дело — вовремя уехать в Америку.

Он сыграл в делах моих, этом дурном сне, большую роль. Ее нельзя назвать слишком позитивной. Это была роль шагов Командора за сценой. Хотя сам он о том не мог предполагать. Когда я узнал о нем, он уже никак не мог знать обо мне: он уже свалил. Чем еще раз подчеркивалось его умственное превосходство.

В ту эпоху звездоносный генсек Брежнев придал новое и совершенно реальное значение метафоре «ни жив ни мертв». Реанимация напоминала консилиум над телом Буратино. С неживой невнятной речью и неживыми ошибочными движениями он выглядел кадавром столь законченным, что из года в год представлялся все более бессмертным. То есть разум понимал, что ему полагается умереть, но эта в любой момент возможная и ожидаемая, но никогда не наступающая смерть в конце концов стала столь же неопределенно-отдаленной абстракцией, как тепловая смерть вселенной. Его состояние на грани иного мира стало константой общественного бытия.

В этом общественном бытии моим рассказам места не было. На чем настаивали все известные мне журналы и издательства. Мое сознание не хотело определяться бытием. Сделай или сдохни.

Эстония в Ленинграде славилась изобилием и либерализмом. Бытие и сознание здесь были подточены поздним приходом советской власти и приемом финского телевидения. Ветерок дотягивал в щель форточки забитого окна, которое Петр прорубил в Европу. Светил какой-то шанс.

В издательстве «Ээсти Раамат» рукопись одобрили в принципе.

— Но есть одно условие. Мы издаем книги только местных авторов, живущих здесь постоянно.

Ясно. Естественно. А то поднапрет разных, захлестнет вал. Да я буду жить в Кушке, в Уэллене, в Дудинке, только оставьте шанс. Не уверенность, не гарантию: хоть запах реального шанса.

— Таллинн режимный город,— сказали в паспортном столе.— Для прописки нужно ходатайство с места работы, оно будет рассматриваться. А на какую площадь вы хотите прописаться?

В республиканской газете «Молодежь Эстонии» посмотрели мои старые вырезки из многотиражек:

— Мы вас возьмем. Есть штатная вакансия. Но, конечно, нужна прописка. Вы уже переехали в Таллинн?

И я проволокся сквозь все круги обыденного бюрократического ада, коридоры, очереди, заявления, выписки, справки, резолюции, подписи, печати, милиции, паспорта, жилконторы, очереди, записи, очереди, и переехал в Таллинн.

И первое, что меня спросили в Доме Печати:

— А Сережку Довлатова ты знал?

— Нет,— пожимал я плечами, слегка задетый вопросами о знакомстве с какой-то пузатой мелочью, о ком я даже не слышал.— А кто это?

— Он тоже из Ленинграда,— разъяснили мне. Я вспомнил численность ленинградского населения; три Эстонии с довеском.

— Он тоже писатель. В газете работал.

— Где он печатался-то?

— Да говорят же: вроде тебя.

Это задевало. Это отдавало напоминанием о малых успехах в карьере. Я не люблю тех, кто вроде меня. Конкурент существует для того, чтобы его утопить. Я не интересовался салонами, компаниями и «внутрилитературным движением рукописей»; слово андеграунд еще не употреблялось, как и слово тусовка.

— Серенька был, можно сказать, первое перо Дома Печати.

Мое перо, трудолюбивый и упрямый ишак, не хотело писать для Дома Печати. Мне было тридцать, и пять лет я не делал для заработка ни строчки. Халтура — смерть. Но для книги требовалась прописка, а для прописки авторитетная работа. В детстве доктора говорили, что у меня повышенный рвотный рефлекс.

Над первым материалом, заметкой о знатной учительнице, я потел и скрежетал неделю. Я добивался глубин мысли, блеска стиля и изысканной лаконичности — при сохранении честности. Я был ишак.

В результате истачал маленький газетный шедевр. Главный редактор, человек добрый настолько, что редакция жрала его поедом, не давясь отсутствующим хребтом, Вольдемар Томбу, тактично подчеркнул несколько строк:

— Вот вы пишете: ибо во многой мудрости много печали... Разве на самом деле это так? Вы правда так думаете?..

— Э...— замялся я.— Но ведь это, в общем... фраза известная, расхожая, так сказать... из классики.

Томбу помолчал. Спросить откуда не позволяло его положение. Про Экклезиаста я, по понятным причинам, акцентировать не стал. Склонность к цитированию Священного писания не могла быть поощрена органом ЦК комсомола, хотя бы и Эстонии.

— Ну,— мягко улыбнулся Томбу,— мы ведь с вами понимаем, что в общем это же не так?.. Давайте лучше напишем: «Ибо во многой мудрости много пищи для размышлений». Согласны? Вот,— добрым голосом заключил он.

Драли с тех пор меня многочисленные редакторы, как с сидоровой козы семь шкур, но и поныне пикантнейшим из воспоминаний остается первое сотрудничество с эстонской прессой: как редактор «Молодежки» отредактировал царя Соломона.

Да. Оптимизм — наш долг, сказал государственный канцлер.

Через месяц, поставив руку, я строчил, как швея-мотористка. В работе газетной и серьезной плуг ставится на разную глубину. Наука это нехитрая: как оперному певцу научиться снимать голос с диафрагмы, чтоб тихонько подвывать шлягер в микрофон. По мере практики голос, без микрофона, начинает «срываться с опоры», «качаться» — и оперному певцу хана. Писание на Бога и на газету — при формальном родстве профессии принципиально разные, смешивание их дает питательную среду для графомании и алкоголизма.

Однако в штат меня ставить не торопились. Говорили комплименты, с ходу печатали все материалы, исправно выдавали гонорар, а вот насчет штата Томбу уклончиво успокаивал, просил обождать недельку. Шли месяцы.

Много лет спустя я узнал, что добрый и честный Томбу раз в неделю ходил в ЦК и устраивал тихий эстонский скандал.

— Человек специально приехал из Ленинграда,— разъяснял он.— Журналист высокой квалификации. Была предварительная договоренность. Я сам его пригласил на место. Обещал. Место пустует. Брать некого.

— Что значит некого. Почему же вы не готовите кадры.

— У нас не журфак и не курсы повышения квалификации. У нас республиканская газета. Вас волнует уровень вашей газеты?

— Нас волнует истинное лицо сотрудников нашей газеты. Просто так из Ленинграда не уезжают, знаете. Чего он уехал?

— Полмиллиона русских приехали сюда из России,— кротко отвечал Томбу.— Вы хотите поднять вопрос, почему они уехали из России?

— Он нерусский,— сдержанно напоминали в ЦК.— У нас в русских газетах и так работает половина евреев.

— Так что мне теперь, в газовую камеру его отправить? — не выдерживал Томбу.

— Не надо шутить. А если он возьмет и уедет в Израиль?

— Если бы он хотел поехать в Израиль, то почему он поехал в Эстонию? Перепутал билетную кассу?

— Вы можете ручаться, что он не уедет?

— Да,— говорил Томбу.— Я ручаюсь.

— Толку с вашего ручательства. А историю с Довлатовым вы помните? — приводили решающий аргумент в ЦК.— Тоже ручались: прекрасный журналист, все в порядке, надо взять,— а чем это кончилось?.. Нам второй раз такой истории не надо.

— При чем здесь Довлатов? — не соглашался Томбу.

— Как при чем? Тоже: писатель, талантливый, из Ленинграда... а потом — скандал, КГБ, рукописи, и эмигрировал в Америку!

— Он его вообще не знал! — отмежевал меня Томбу от бывшего замаскированного врага.

— Одного поля ягоды,— реагировали в ЦК.— Точно тот же вариант. А не знать его он не мог — вы посмотрите, ведь все совпадает, как у близнецов. А он продолжает настаивать, что не знает. Значит, скрывает. Значит, есть что скрывать. Вы понимаете?

Эта майская песня кончилась в сентябре: меня взяли временно на место, как водится, ушедшей в декрет машинистки. Она уже родила, и теперь по утрам тошнило меня. Бессмысленность работы убивала. Какая «вторая древнейшая»! по сравнению с советским газетчиком проститутка вольна, как Ариэль, и богата, как министр Госкомимущества. Я понял, что такое фашизм: это когда добровольно и за маленькую зарплату пишешь обратное тому, что хочешь. В пыточные камеры мне был определен отдел пропаганды. Над столом я прилепил репродукцию картины Репина «Арест пропагандиста». Глядя на живопись, я поступал в жандармы, крутил руки за спину завотделом пропаганды Марику Левину и, тыча ножнами шашки под ребра, гнал его в сибирскую каторгу. Я стал нервным.

— А вот Серега Довлатов, он запивал иногда, что ты,— поведывали коллеги.— Потом однажды похмелялся, садился с утра, и т-такое выдавал — пачками! Для газеты одно, для себя другое.

Мое для себя другое тем временем тащилось сквозь издательские шестерни. Мельница Господа Бога мелет медленно, успокаивал редактор. История повторялась, как кинодубль с другим составом статистов. Закулисная механика от меня скрывалась.

Умный главный редактор издательства ознакомился с рукописью сам и пошел в ЦК. Пуганая ворона хочет выжечь кусты из огнемета. Или старается договориться с ними лично.

— А почему он уехал из Ленинграда? — спросили его.

— А почему не спросить об этом четверть миллиона русских, которые приехали в Таллинн из России? — спросил Аксель Тамм.

— Это хорошая книга?

— Я бы пришел из-за плохой книги?

— Так почему ее не издали в Ленинграде?

— Я не заведую Лениздатом. Я работаю в «Ээсти Раамат». Кто-то мной недоволен?

— У него были там неприятности? Трения, инциденты?

— Что вы имеете в виду?

— Перестаньте. Вы понимаете, что мы имеем в виду.

— Ничего не было.

— Откуда вы знаете? Вы проверяли?

— Нет. Если бы что-то было, я бы знал.

— Это еще надо проверить.

— Проверяйте.

— А почему он приехал именно к нам? Он эстонец?

— Нет, он не эстонец.

— А кто?

— Еврей.

— Так почему он не поехал издаваться куда-нибудь в свою Россию, в Сибирь, в Томск, в Омск?

— Он еврей. Кто его там будет издавать?

— Так почему он не поехал издаваться в свой Израиль? А если он уедет в Израиль?

— Зачем ему ехать в Эстонию, если бы он хотел уехать в Израиль?

— Как знать. Точно так же вы тут несколько лет назад выступали насчет Довлатова. Кого защищали? Алкоголик, диссидент, антисоветчик, арест, посадили: теперь в Америке. Хватит с нас одного.

— Он не имеет никакого отношения к Довлатову.

— Что значит не имеет. Точно то же самое. Не следует ошибаться еще раз.

Машинистка вернулась из декрета. С облегчением и ненавистью я навсегда распрощался с газетной работой. И тут издательство вернуло мне рукопись, сопроводив похеривающей рецензией. Я впал в непривычную растерянность. Совсем не то обещал мне ярл, когда приглашал в викинг.

Я лишился ленинградской прописки. Поменял комнату в суперцентре, Желябова угол Невского, на хибару таллиннской окраины. Дама ваша убита, ласково сказал Чекалинский. Корнет Оболенский, дайте один патрон. Мне было решительно обещано место в республиканской газете. Редактор уверял, что книга прекрасная и проблем с выходом не будет. В итоге я получил полную возможность поведывать за злым зельем свои печали эстонской кильке пряного посола, закусывая ею из разбитого корыта.

Проклятый мифический Довлатов заварил мне ход. Он выработал Таллинн и свалил. Я шел по его следам, и вся малина на тропе была обгажена. На тропе был насторожен капкан, и я вделся. Я бы его повесил.

— Ну разве не стоит ему за это когда-нибудь въехать? — жаловался я в ответ на очередные легенды о Довлатове. Теперь я помнил хорошо, кого читал и рецензировал в «Неве».

(Ах не фраер Боженька: всю правду видит, да не скоро скажет. Ко мне вернулся мой камушек, из пращи да булдыган в лоб. Много, много лет спустя посетила меня эта суеверная мысль. А вот не шейте вы ливреи, евреи.)

— В нем было два метра росту,— снисходительно говорили мне наши общие приятели.

— Если б во мне было два метра, я бы вообще всех убивал,— злобно цедил я. В боксе есть присказка: длинного бить приятнее — он дольше падает.

Моя биография вдруг стала укладываться в его колею, как складная головоломка, которую мне было не решить.

Куда податься. Для тебя, Веллер, Монголия заграница, сказали когда-то на филфаке, не понимая, за каким хреном и благами я-то влез в комсомольскую работу. Велика Россия, а отступать нам приходится на запад. Некуда мне было ехать. Приехал.

Во-первых, подача заявления на выезд уже автоматически означала, что отец мой вышибается без пенсии из армии, а брат — с волчьим билетом из института. Во-вторых, эмиграция была уже как раз только прикрыта, все, олимпиада прошла, выезд кончился.

А главное — я не мог уехать побежденным. Вот не мог — и хоть ты тресни. Они меня достали. Обложили со всех сторон. Прижали к стенке. И я должен был сделать свое. Не можешь — делай через не могу. Или сдохни. Смысл жизни был прост, как гвоздь в мозгу. Я должен был издать эту книгу здесь, в Союзе. А потом можно валить куда угодно к чертовой матери. Потом точно свалю. Женюсь, сбегу. Но не потому, что они меня победили и заставили. А потому что я сам так решил. Иначе я дерьмо, и так мне и надо. Я не буду неудачником.

Воспитание в далеких гарнизонах и мордобой в хулиганской юности способствуют целеустойчивости.

Оставалось одно. Сидеть на месте и тихой сапой рыть траншею вперед и вверх. А там — хоть это не наши горы, но тихо-тихо ползи, улитка, по склону Фудзи вверх, до самой вершины. Хэйко банзай!

Но раздражение мое нетрудно себе представить. Мало мне своих бед — так еще тень довлатовских подвигов простерлась на меня.

Летом я отправился на Таймыр и завербовался на промысловую охоту. Работа жестокая и грязная, усталость и недосып, гнус жрет, и все переживания мельчали и утрясались: а нет причин для тоски на свете, слушай, детка не егози.

Вот когда в пустыне меня, ловца-салагу, гюрза ударила — о, это было переживание. Ни водки, ни сыворотки, и дневной переход до лагеря. Укус был под локоть, а его накося выкуси, сам себе не отсосешь. Выдавливай надрез да чиркай в него спички.

Я просыпался до срока от наработанной зимней бессонницы, крутил приемник у костерка, вылавливая музыку далеких цивилизаций, ребята постанывали во сне, дергая изрезанными руками, и я в привычный за которое уже лето раз ощущал себя на самом краю земли, и из этого далека все эти несмертельные мои проблемы казались простыми и ясными: есть шанс? паши и не дергайся.

Заработка должно было хватить на прокорм до следующего лета. Вернувшись, я переложил печку в камин, колол дрова, гулял по взморью, писал рассказы; готовил сборник. Сдав его в издательство, спокойно ждал, что и его выпнут, я составлю следующий и принесу его, и в конце концов протаранится, в жизни нужна тактика бега на длинную дистанцию, не рви со старта, не суетись, и удача благосклонна к тем, кто твердо знает, чего хочет.

Пытка неизвестностью придумана давно и действует исправно. Тихо-тихо тянула из меня все жилы издательская машина. Я мог лишь ждать и не сорваться — никто, ничто и звать никак. Пассивный залог в русском языке называется страдательным.

На выход книги я поставил все. Больше у меня в жизни ничего не было. Я покинул свой город, семью, любимую женщину, друзей, отказался от всех видов карьеры, работы, жил в нищете, экономил чай и окурки, ничем кроме писания не занимался.

Никогда не бывает так плохо, чтоб не могло быть еще хуже.

Год шел за годом. Ночами я детально обдумывал поджог дома рецензента, убийство редактора, самосожжение в издательстве. Я бы спился, но пить было не на что. А зарабатывать деньги на пропой, тратя необходимые на писание время и силы, было идиотством.

Позднее вскрылись и донос в КГБ — на что живет? тайные деньги с Запада! — с последующей годичной проверкой, и письмо в Госкомиздат СССР — вредная, чуждая рукопись! — и внутренние счеты и интриги: штатные доброжелатели из литературно-осведомительских структур бдели.

Пронеслось четыре года... Это ново? так же ново, как фамилия Попова, как холера и проказа, как чума и плач детей.

И когда вышла «Хочу быть дворником», клиент был готов. Я лежал. Разделить радость мне было не с кем, да и не было никакой радости. Он один был в своем углу, где секунданты даже не поставили для него стула. Вставал я для того, чтобы поесть, выпить и дойти до туалета. Бриться, мыться, чистить зубы — энергии уже не было. Когда кончались еда и водка, раз в несколько дней брал пару червонцев из гонорарной пачки и плелся через дорогу в магазин, дрожа от слабости, оплывший и заросший. Я мечтал, чтобы вдруг приехал кто-нибудь бодрый и сильный, поднял меня за уши, выполоскал в горячей ванне с мылом, выбрил, переодел в чистое и отнес лежать на берег теплого моря. Там через месяц я бы оклемался. Но уши мои так и остались невостребованными.

Кончилась зима, прошла весна, и в нежном трепете июньской листвы я ощутил прилив активной злобы к жизни и презрения к себе. Чувства эти были вызваны голодом. Голод объяснялся невозможностью выйти за жратвой. На мне не сходились штаны. Это были мои единственные штаны. Я попал в западню, как Винни-Пух в норе Кролика.

Я належал килограммов двадцать. Зеркало пугнуло распухшим бомжем. Портрет на фоне Пушкина, и птичка вылетает. Фоном служила ободранная ханыжная хавера, набитая окурками, стеклотарой и грязным тряпьем. Ситуация достигла исчерпывающего предела.

Винни-Пух торчал в норе, пока не похудел до диаметра выхода. Мне повезло больше.

Меня посетила знакомая. Знакомая — это неполная характеристика; неточная. Это был танк, который гуляет сам по себе. По приезде в Таллинн я был взят ею на абордаж с той жесткой стремительностью, которую требовал от своей команды кэптэн Джон Морган.

Чудо, праздник, тайфун. Она распечатала окно, за час привела в чистоту и порядок мою скверную обитель и мерзкую плоть, плюхнула коньяку в сияющие стаканы, перелистнула еще пахнущую краской книжку из штабеля у стены, объявила меня свершившимся гением, расширив влюбленные глаза, и в качестве высшего признания произнесла голосом, в котором пело эхо горних высот:

— Знаешь, я вдруг подумала, что тебе сейчас столько же лет, сколько было Сереже Довлатову, когда он приехал сюда.

Выздоровление произошло сразу. Взрыватель щелкнул. Я взвился, как пружинная змея из банки.

— Почему Довлатов?! — вопил я, швыряя стаканы в унисон внутреннему голосу, который норовил заглушить меня грохочущим водопадом матюгов.— При чем здесь Довлатов!! Что знал ваш Довлатов?! Он родился на семь лет раньше, мог пройти еще в шестидесятые, было можно и легко — что он делал? груши и баклуши бил? А мне того просвета не было! Он Довлатов, а я Веллер, он не проходил пятым пунктом как еврей, ему не был уже этим закрыт ход в ленинградские газеты, и никто ему в редакциях не говорил: знаете, в этом номере у нас уже есть Айсберг, Вайсберг и Эйнштейн, так что, сами понимаете, не можем, подождем более удобного случая; ему не давали добрых советов отказаться от фамилии под «приличным» псевдонимом! Мать у него из театральных кругов, тетка старый редактор Совписа, литературные связи и знакомства со всеми на свете, у классика Веры Пановой он литсекретарствовал, друзья сидят в журналах! а у меня всех связей — узлы на шнурках! И всюду я заходил чужаком с парадного входа, откуда и выходил, и нигде слова замолвить было некому. Он пил как лошадь и нарывался на истории — я тихо сидел дома и занимался своим. Он портил перо херней в газетах, а я писал только свое. Он всю жизнь заботился о зарплате и получал ее — я жил на летние заработки, на пятьдесят копеек в день. Он хотел быть писателем — а я хотел питать лучшую короткую прозу на русском языке. Что и делал! торжествующе завопил внутренний голос. И он приехал сюда на чистое место — сохранив питерскую прописку и жилье, взятый в штат республиканской газеты, сразу приняли две книги в издательстве,— а я отчалил с концами, влип в его след, годами доказывал, что я не верблюд,— и он провалил все, а я в конце концов издал эту книгу! Которая в принципе — теперь уже можно не бояться сглазить! — выйти не могла! Читай: «Свободу не подарят!» «А вот те шиш!» Не могла! И вышла!

27

Павлина ранили стрелой. Дополнительным оскорблением воспринимался тот тонкий штрих, что Довлатову она досталась на пять лет моложе: и здесь я был как бы опережен и унижен. Жизнь — борьба, а не магазин уцененных товаров! Мне подсунули биографию б/у.

То есть наши заочные отношения с Довлатовым превратились уже в некий поединок судеб и заслуг; и к моему совершенному бешенству публика из таллиннской русской творческой интеллигенции (такой русской, хучь в рабины отдавай: Скульская, Аграновская, Штейн, Тух, Рогинский, Малкиэль, Ольман и еще пара-тройка столь же отпетых славян; правы, правы были в ЦК — ишь свилось тут сионистское гнездо из недодавленных в Киевах и Ташкентах) — публика отдавала предпочтение в этом поединке ему. А вот он был им ближе: родственнее; понятнее. А вот он более импонировал, стало быть, их представлениям о настоящем писателе и литературе. Он пил, загуливал, язвил окружающим и был своим. Будь проще, и люди к тебе потянутся. Я не пил, был вежлив, замкнут, а окружающих мало замечал. И никому не давал читать своих рукописей. Их мнение меня не интересовало: без надобности. Меня интересовало мнение истории. И то лишь в той мере, в какой оно совпадет с моим собственным.

По мере лет, как принято, добрея и глупея, я поддался успокоениям внутреннего голоса, что победил все-таки я, просто читатель у нас, возможно, разный. И еще одно: он был в ореоле запрета. В венце побежденного Роком и Режимом. В нимбе гонимого. За победителя боги, побежденный любезен Катону. Я бы этому Катону прищемил дверью. И еще одно. Его тут не было. Была легенда о нем. А кто ж живой может соревноваться с легендой. И еще одно. Ах, ты много о себе мнишь? Так не мни много: вот Довлатов, он-то, понимаешь...

— Сергуня Довлатов, он-то, понимаешь, никаким диссидентом, никаким антисоветчиком не был,— объяснял наш опять же общий приятель Ося Малкиэль, еще не съехавший на социал в Германию, еще макетчик и замответсекра «Молодежки», еще терроризировавший коллег любовной готовностью при малейшем несогласии провести хук правой в печень и прямой левой в челюсть. Ося знал все и затыкал всех, этих всех этому всему уча. Он не принадлежал к породе слушателей, зачисляя в нее всех видимых в зоне досягаемости, по причине несогласия с чем на дружеской пьянке довлатовская гражданская жена по Таллинну и мать довлатовской дочери Тамара Зибунова на правах хозяйки и именинницы после тысяча первого предупреждения треснула таки Осю бутылкой по голове, ибо во всех прочих способах прикрутить фонтан его красноречия уже отчаялись. Я был не в курсе. Ося пришел ко мне поболтать за чаем, небрежно пояснив повязку ранением в афганской поездке. Он был романтик.

— Вот у тебя, Мишка, выходят книжки, тебя приняли в Союз писателей, где-то там печатают, переводят... то есть ты добился статуса нормального советского писателя.

— Какой у нас статус, змеиное молоко, мы сами-то еле живы. И где мне этим статусом статусировать...

— Не скажи. Это все-таки. Официальная печать. Издаваться легче. То-се. Вот Сергуня хотел того же самого: просто писать, печататься, жить на литературные заработки, быть писателем. Но тебе, понимаешь, повезло, а ему вот нет.

— Мне — повезло? — взрыднул я.— Это кто ж такое оно, которое меня везло?

— Какая разница... И вот теперь он в Штатах, все его книги опубликованы, издает газету «Новый американец», известный американский русский писатель. Но там это... В общем, пишет, никому он там не нужен. Жалко его.

Я сидел не в Штатах, а в Эстонии, и тоже был никому на хрен не нужен, как, впрочем, и сейчас. Зеленовато-желтый и непривычно-миролюбивый, тихий Ося осторожно потрогал повязку. Бывают моменты, когда достает слеза: что бы ни делал человек в России, а все равно его жалко. И мои родственные отношения с Довлатовым приобрели вдруг сочувственный характер. Никому мы не нужны по обе стороны океана, и нет для нас другого глобуса.

Хотя Штаты были как раз другой планетой. Туда брали билет в один конец, прощались навсегда, и улетали, чтоб уже никогда не возвратиться на родную землю, как космонавты на Андромеду.

Это антиподство сыграло с нашими эмигрантами известную шутку. Кухонный вольнодумец — призвание экстерриториальное. Штаты были анти-СССР. Все, что здесь глупо и плохо, там было разумно и хорошо. Уезжантов допекло до невроза: здесь было плохо все — следовательно, там все было более-менее хорошо. Приписывая большевикам эксклюзивное право на все гадства мира, диссиденты тем самым возвеличивали их до бесконечной степени негативной гениальности. Обнаружив имманентность глупости и порока на другой планете, диссиденты впадали в свое естественное состояние — депрессию на кухне. Поистине, стоило влезать в торговлю камнями, ходить с вальтером-ПП подмышкой, трястись с контрабандными изумрудами через таможни, лететь в Штаты, чтобы в Денвере у газетного киоска напороться на одноклассника Юру Дымова, рассматривающего мою рожу над рассказом в журнале «Алеф», приходить в себя за бутылкой от сюрреализма ситуации, и ночью на его кухне выслушивать эти открытия.

— Вольному воля,— заключил Юра, разведя руками и кренясь с табуретки, как перегруженный альбатрос.

Воля моя пресловутая и мое открытие Америки настали гораздо раньше: когда я, в эйфории наглой безнаказанности, заказал с редакционного телефона Нью-Йорк, и через пятнадцать минут меня спокойно соединили с другой планетой: намертво невыездной, еврей беспартийный разведенный образование высшее безработный всю жизнь, я испытал нереальное, неземное чувство, уже забытое бывш. сов. людьми: чувство первого шага за границей... О... Хрен ли ваши цветущие яблони на Марсе. Кэптэн Блад ошень любиль как это? яблонь в цвету. Это ошень романтишно... ха-ха!

— Слушаю,— ответил мрачный и сиповатый русский голос без всяких признаков американской гнусавости и картофельного пюре во рту.

— Сергей Донатович? — осведомился я.

— Совершенно верно.

— Эстония беспокоит. Таллинн.

— Хо-о! — сказал Довлатов.

— Такой русский журнал «Радуга».

— М-угу.

— Мы тут хотим напечатать ваши рассказы. В общем просто обязаны. Как-никак Таллинну вы человек не вовсе чужой.

— Уж как же!..

— Так если вы не против...

Ответ был в том духе, что не против. Кто б мог подумать.

— Чувствую, что у вас перестройка.

Я назвался. Он ответил, что слышал и читал. Это было приятно. Хотя неясно, чего он мог слышать и откуда читать. Я подрос в своих глазах. Все-таки он жил в Америке.

— Откуда у вас мой телефон? Хотя — у нас наверняка должны быть в Таллинне общие знакомые.

В Таллинне все знакомые — общие. На протяжении ста рублей (восемьдесят седьмого года) я рассказывал, как они (список см. выше) живут. Злорадно глядя на часы. Фирма заплатит. Наш главный с международного телефона не слезал, бешеные тыщи без звука списывались издательством как издержки международной поддержки Народному фронту в борьбе за независимость.

— Да, но возникает вопрос, как я перешлю вам тексты. У вас есть мои книги?

— Сергей Донатович...

— Просто Сергей.

Ну слава те Господи. Я с самим маршалом Фрагга разговаривал, не тебе чета, и тот с третьего раза велел: без званий и на ты, курсант. Я имел дело с интеллигентным человеком. Вопрос обращения по отчеству заслуживает отдельного социопсихолингвистического изучения. Русско-советское хамство начиналось с комсомольского свойского «ты» и сквозь все слои и структуры общества восходило к публичному «тыканью» Генсека членам Политбюро. Но снизу вверх полагалось на «вы» и по отчеству. Это было самоутверждение холопов во князьях. У лакея свое представление о величии. В офицерском корпусе разграничивалось просто: на звездочку старше — «вы», на звездочку младше — «ты». В российском, даже купринском «Поединка» захолустном армейском полку — представьте «тыканье» штабс-капитана поручику. Среди «интеллигенции» задействывалось различие в должности и возрасте. К редактору, скажем, книги или публикации автор даже постарше и помаститее его обращался взаимно по отчеству. Автор моложе и немаститый отчества в ответ не получал. А уж в неформальном общении десять лет разницы казались старшему полным основанием обращаться к младшему по имени, слыша в ответ свое имя-отчество. Это вошло в естество, иное представлялось даже и странным, как бы искусственным, наигранным: обращаться по отчеству к младшему, пусть даже немного младшему, пусть даже под пятьдесят, если только он не был значительной, влиятельной фигурой. Это способствовало самоуважению старших. И не могло зачастую не унижать младших. Поразительно, что в «интеллигентах»-шестидесятниках почти поголовно отсутствует само ощущение того, что неравенством обращения он унижает собеседника, тем самым унижая некоторым плебейством манер себя. Хомо советикус.

— Ваши рукописи есть у Тамары Зибуновой. Если такую помните,— добавил я, тут же ощутив глупость своего комментария: не то укор мужскому равнодушию, не то комплимент донжуанству старого рубаки.

В трубке помолчали в веселой тональности.

— Как же,— согласился он.— Ну, тогда хорошо.

— Мы можем отобрать по своему усмотрению, или у вас есть пожелания?

— Пожалуйста — можете выбрать сами.

— Встает вопрос об оплате. С долларами здесь напряженка.

— Кажется, я еще помню.

— Но гонорар в рублях — гроши, конечно, полтораста за лист,— это дело святое.

— А вы это можете заплатить Тамаре?

— Без проблем.

— Нужно какое-то письмо от меня, доверенность?

— Ничего. Так сделаем. Никаких сложностей.

— Прекрасно.

— Когда мы отберем — я вам позвоню. Через недельку.

— Буду очень рад. И вообще звоните. Да... немало воспоминаний с Таллинном связано.

Мы расшаркались с нежными нотами в голосе.

Здесь полагается расписать, что идея печатать Довлатова принадлежала всецело мне одному: восстановление
справедливости, отдать долг прошлому, братское сочувствие, возвращение большого писателя; тому подобное.
У успеха много отцов. Нет: идея была не моя, ее родили
редакционные дамы, а я так, сбоку сидел. Гордо заведовал
отделом русской литературы, состоящим из меня одного.
В этом есть свои преимущества: когда хоть где-то русская
литература состоит из тебя одного. Хотя, если знакомые,
большого ума благородные доны, желая отрекомендовать
меня лестным образом, представляли как «лучшего русского писателя Эстонии», мне оставалось только раздраженно
пояснять, что, конечно, в любой луже есть гад, между иными гадами иройский.

Вообще журнальчик «Радуга» мог издавать один человек, по первым понедельникам месяца, перед обедом,
под холодную закуску. Но редакционные дамы, как свойственно всем дамам, ставшим редакционными, пили кофе
и строили интриги в убеждении, что коллектив работает
напряженно, а штат явно неполон. Занять каждого своим
делом, чтоб ему было некогда соваться в чужие, удалось
только Фигаро, и то ненадолго.

Жизнь «Радуги» — отдельный роман. Впрочем, все есть
роман — при наличии у автора ассоциативного мышления.
Условием чего служит вообще наличие у автора мышления. Достопамятные дискуссии о смерти романа ошара-
шивали безмозглостью. Ежли роман — зеркало, с которым
идешь по большой дороге,— то ли дороги укоротились, то

33

ли ножки у дискуссантов ослабли, то ли слабая ленинская теория зеркального отражения трещину дала.

То мог быть роман о ячейке Народного фронта, который привел Эстонию к независимости, а своих зачинщиков, творческую интеллигенцию, к помойке. Что роман — эпическая трилогия! И жизнь каждого сотрудника — тоже роман, философский, энциклопедический, сентиментальный и местами матерный. Психологический триллер о том, как схарчили замглавного редактора. Сага о художнике, заболевшем аллергией на все виды красок, лечившемся год, не вняв знаку Господню, и упрямо продолжившем свою богопротивную деятельность. Или как собрали десяток идиотов, страдающих профессиональной непригодностью во всех областях занятий, и поэтому часто их меняющих, что должно было компенсироваться недержанием речи и синдромом реформаторства на фоне вялотекущей шизофрении, и объединили их в демократический дискуссионный клуб прогрессивной русской интеллигенции. Клуб дискутировал по четвергам, и головная боль у меня проходила к вечеру субботы.

Но по легенде, которая всегда совершеннее действительности, Довлатов уже написал подобный роман. О том, как он работал в ленинградском «Костре». По этой легенде роман назывался «Мой „Костер"». Раз в неделю, в ночь на субботу, его поглавно читали по «Свободе». Главы назывались: «Корректор»; «Завпоэзией»; «Ответственный секретарь». Произведение было лаконичным и сильным. Довлатов отличался наблюдательностью и юмористическим складом ума, поэтому каждый понедельник прославленного в свой черед сотрудника редакции вызывали на Литейный и после непродолжительной беседы увольняли с треском. Редакция бросила работать. Всю неделю с дрожью ждали очередной передачи, а в субботу, нервно куря и закусывая водку валидолом, крутили приемники, чтобы узнать, кто из них приговорен к казни на этот понедельник. Русская рулетка. Ряды редели. Смертельный удар был нанесен главой «Жратва». Редакция помещалась недалече от Смольного, и в качестве органа Обкома комсомола обедала в смольнинской столовой. Не в том зале, конечно, где боссы, и не в том, где инструкторы, и не в том, где машинистки, а вместе с шоферами и наружной охраной, но все равно — кормушка святая святых, экологически чистые деликатесы по дешевке, закрыто для простого народа. Довлатов описал столовую.

В следующий понедельник редакцию навсегда открепили от столовой Смольного. Ненависть к Довлатову, запивающему сейчас бигмаки кока-колой, достигла смертельной степени и приобрела священный классовый характер. Можно простить увольнение отца, но не потерю спецраспределителя.

Однако по прошествии лет, утечении вод и перемене масок и декораций явствует из довлатовской деятельности в «Костре» совсем другая история, закулисная, непреложно реальная и неизбежно умолчанная. Достаточно перечесть главу «Костер» из книги «Ремесло». Пригласил его Воскобойников. Позднее выяснилось, что мягкохарактерный Воскобойников работал на ГБ. Довлатов прав в догадках: в журнал обкома комсомола никаким каком не могли взять человека с нечистой анкетой, беспартийного, без круто волосатой лапы, обратившего на себя внимание конторы в связи с политическим процессом, автора сочтенных неблагонадежными рукописей, уволенного по указанию ГБ из газеты, книгу приказали рассыпать, сам под колпаком. Лишь тот, кто ничего не знает о структуре и системе информации и надзора за печатью и функциях отдела кадров, может думать иначе; для прочих совграждан это однозначно, как штемпель в паспорте. Замазанного человека возьмут только с каким-то умыслом. Теоретически первое — сотрудничество, на которое дается номинальное согласие. Зачем осторожнейшему лояльнейшему Воскобойникову такой подчиненный? После скандала в Таллинне? А вот пред патроном надо изображать деятельность: привлечение новых лиц, расширение сферы работы. Патрон требует; от патрона только такая инициатива и могла исходить. Второе, что вероятнее: Довлатов мог быть полезен как источник информации и связей в среде ленинградской «диссидентствующей» творческой интеллигенции. Нехай будет под присмотром, поближе к глазу Большого Брата. Об этом его и извещать не надо. В любом случае объективно оказался совершен неплохой и даже добрый поступок, в чем вполне можно с Довлатовым согласиться.

С ним вообще трудно не соглашаться, таков был характер его дарования. Он не написал, в некотором смысле, ничего спорного. Все просто и внятно. А если ты с чем-то все-таки не соглашался, легко соглашался он. По жизни он был миролюбивый человек. Я тоже.

И когда я стал редактировать его рассказы, несогласие вызвали только два места... Тут паленая-драная память срывается с веревки: редактирование — это поэма особая, о тридцати трех песнях, девяносто девяти сценах. Моя любимая сцена в советском редактировании — это когда классик советской литературы и знатный алкоголик-миллионер — нет, не Шолохов, но Федор Панферов тоже ничего — был наряжен руководить Всесоюзным совещанием редакторов. Открытие имело произойти в десять утра в большом зале Дома литераторов. В десять редакторы празднично расселись. Они не были классиками, а многие из них не были алкоголиками, многие вообще съехались из провинций на халявное столичное удовольствие, чего ж им в десять не рассесться. Но Панферов, повторяю, как хорошо было известно всем его знавшим, в десять утра если и садился, так только с целью принять стопарь на опохмел, жалобно выматериться и лечь обратно. Итак, ждут. Ждут... И в самом деле, к одиннадцати появляется Панферов. Недоопохмелившийся и недополежавший. Злой, как цепная сука. Транспортируют его под руки из-за кулис, как адскую машину на взводе, и устанавливают на трибуне. Кладут перед микрофоном текст приветственного слова. Панферов икает, отпивает воды, текстом вытирает губы, потом потный лоб, потом сморкается в него и убирает в карман. С бычьей ненавистью смотрит в зал. И, наконец, тяжело произносит:

— Всех редакторов... я бы перевешал, как шелудивых собак! Но... поскольку это не в моих силах... пока... особенно сейчас... ох... Всесоюзное совещание редакторов объявляю открытым! вашу мать...

Когда первый автор после моего редактирования заплакал, я с этим делом завязал. Исправлял лишь редкие явные огрехи — с согласия. Над самим всю жизнь измывались — фиг ли теперь самому других мучить. Ссылки на учебник русского языка меня бесят. А откуда, интересно, взялись в академической грамматике все ее правила? Очень просто: кто-то взял и вставил. На основе уже существовавших ранее текстов. Спасибо за усреднение и нивелировку. Зачем я должен доказывать скудоумным, что синтаксис есть графическое обозначение интонации, коя есть акустическое обозначение семантических оттенков фразы, а нюансы-то смысла и возможно на письме передать лишь индивидуальной, каждый раз со своей собственной задачей, пунктуацией? Ученого учить — только портить. Я понимаю, что редактору сладка властная причастность к процессу творчества, он рьяно отстаивает в этом смысл и оправдание своей жизни. Так пусть не самоутверждается за счет моего текста. По законам, понимаешь, современной аэродинамики шмель летать не может. Не должен, падла, летать! А он летает... сука насекомая неграмотная. Так не умеешь летать сам — не мешай шмелю. Не учи отца делать детей. Я себе заказал типографский штамп, и теперь шлепаю его на все рукописи: «Публикация при любом изменении текста запрещена!». Хотя лучше шлепать в лоб. Что по лбу.

Поэтому Довлатова я «редактировал» мягко. Я позвонил, обсудил разницу в климатических и временных поясах, потребительскую ситуацию и политические прогнозы, и перешел:

— Тут у вас написано: «шестидесятизарядный АКМ».

— Гм, — выжидательно произнес Довлатов.

— У калашникова магазин на тридцать патронов. Шестидесятизарядных магазинов к автомату нет. Это в Афгане стали связывать изолентой два рожка валетом, для скорости перезаряжания. Но это нештатная модернизация, в армии запрещено. Возможно, дело просто в том, что наряд получает по два рожка с боевыми патронами, всего шестьдесят штук: один рожок примкнут, второй в подсумке. Но автомат все-таки тридцатизарядный.

— Гм. Возможно. Знаете, это так давно все было... я мог уже и забыть. Пусть будет тридцатизарядный. Хорошо.

Я чувствовал свою бестактность. Все-таки в охранных войсках служил он, а не я. От неловкости был многословным: падла-редактор как бы оправдывался.

— Дальше,— спросил Довлатов без излишней приветливости.

— Второе и последнее,— поспешил заверить я, и готовно добавил: — Здесь я не буду настаивать. Понимаете, ненормативная лексика — вещь такая, спорная... Но мне кажется, что слово «гондон» правильнее писать через «о», а не через «а». Как бы образование разговорного просторечия по аналогии литературному «кондом», который через «о». Это, конечно, дело слуха, в препозиции стоит редуцированный, но в принципе формальное расподобление при сохранении внутренней семантики идет именно по такому пути...

Я наворачивал все, что помнил из филологической терминологии. Я старался выглядеть сильно ученым и не сильно заразой.

— Возможно вы правы,— с веселым добродушием прогудел Довлатов, и я представил, как в Нью-Йорке ранним утром он задумывается над нюансировкой правописания русских ругательств.

— Это все,— поздравил я его со своим либерализмом.— Больше у меня никаких вопросов нет, текст идет в полной неприкосновенности.

— Прекрасно. Когда выйдет?

— В первом номере за восемьдесят восьмой год. Несколько экземпляров я вам пришлю.

— Да, спасибо, я хотел попросить, интересно все-таки. Где тут достанешь, ваш журнал как-то не доходит пока до нас.

И рассказы благополучно вышли, и еще на телефонный стольник я поздравил его с первой, легка беда начало, публикацией на бывшей родине, и отправил пяток экземпляров, приложив к ним из тщеславия, узаконенного профессиональной этикой, собственную книжку, снабдив ее надписью, составленной из всяких хороших слов, насчет читателя-почитателя и младшего последователя по эстонскому маршруту.

Дарение авторами своих книг сродни гордости курицы за собственнозадно снесенное яйцо. Не бог весть какое достижение, зато лично мое, сказал полковник. Обычно тебе дарят, а ты думаешь, на кой черт, все равно читать незачем: сам бы никогда не купил. А не дарят — легкое унижение: обошли знаком почтения, вроде и не по чину на тебя, дурака, добро тратить. Когда мне говорят за мою книжку «спасибо», мне чудится фальшь ситуации: тоже, восьмитомник Шекспира с золотым обрезом. Я зря похаял редакторов: один меня поучил. Издательство у нас большое, сказал он, а квартира у меня маленькая, и я раз в год чищу библиотеку: выношу всякий дареный мусор на помойку. После этого я выкинул почти все дарственные книги, а последующие перестал носить в дом, выкидывая непосредственно по расставании с дарителем. Особенно мне памятно выкидывание в Бильбао: я подарил переводчику свою книжку, маленькую, легкую и хорошую, на понятном ему русском, а он мне — двухтомник своих переводов: огромный, тяжелый, из авторов, которых я и по-русски читать не стал, и на испанском. Час по сорокаградусному солнцепеку я таскал и проклинал эти два кирпича: их было некуда выкинуть. В Бильбао нет урн — баскские террористы любили подкладывать в них мины: на злоумышленника, пытающегося где-то оставить какой-то предмет, смотрят бдительно и враждебно. Я специально зашел в кафе, взял холодного вина, сосредоточенно листал, попивая, и еле смылся.

Присланную в ответ Довлатовым его книжку «Не только Бродский» я, в числе немногих раритетов, выкидывать не стал. Он переслал ее с оказией в пакете мелких благодарственных презентов редакции. Позднее выяснилось, это была не единственная форма реакции. Тогда я впервые и увидел швейцарский офицерский нож, который тут же принес пользу в открывании бутылок и нарезании колбасы.

Характер у меня легкий, зато рука тяжелая. В смысле наоборот. Как это по-русски?.. Сам себя не похвалишь — ходишь как оплеванный. Потому что Довлатова стали потом печатать в Союзе все наперебой. Конечно, после этого не означает вследствие этого, с юстиниановым правом мы тоже знакомились не по Гегелю, но кто-то должен был прокукарекать первым: рассветало с запада, вот уж кретинская метафора. После чего заквохтали наперебой. «Иностранка» и «Звезда», «Октябрь» и «Литературка»; его классифицировали как блестящего писателя, одного из лучших писателей, лучшим писателем русского зарубежья в конце концов назвали. Одновременно лучшими были объявлены: Горенштейн, Войнович, Максимов, Севела, Тополь с Незнамским и Незнамский без Тополя, Аксенов, Лимонов, Владимов и примкнувший к ним Зиновьев... память слабеет, но кучка была могуча. Стране открывали ее героев, и каждый был самый.

Привычка грамотного человека к чтению часто есть форма мазохизма. Критика меня влечет. Одна из целей критики — заставить читателя усомниться в своих умственных способностях. Я усомнился и стал читать Довлатова и пришел к выводу, что такую прозу можно писать погонными километрами. Мне есть очень мало дела до всего вашего семейства, сказал Коменж. У всяк своя компания, чего читать, тут и свои друзья осточертели. Я уже читал в детстве такую книжку, она называлась «Где я был и что я видел». Где ты был, ничего ты не увидел, хрен с тобой. Дали боги дожить, и стало спартанцам не до чужих бед, своих хватит.

В числе многого, чего я лишен, мне не дано постичь прелесть и смысл салонной жизни. Убожество «внутрилитературной тематики» во вторичности предлагаемого к потреблению продукта: если литература — производная от жизни, то разговоры о ней — производная от литературы. Пресловутое «литературное общение» есть поза подмены деятельности суетой: казаться вместо быть; форма паразитирования при искусстве; род субкультуры для причастных к клану. Хотя также — способ устройства своих дел: маркетинг и реклама — тоже нужны... но надобно ж и разграничивать. Представьте Дон-Жуана проводящим ночи в попойках с друзьями за философскими обсуждениями женских подробностей и особенностей и подчеркиванием роли своей личности в мировой сексуальной революции, а по бабам ходящего в редкие просветы свободного времени и протрезвления. Вот и у пчелок с бабочками то же самое.

Хочешь писать — сиди пиши. Хочешь печататься — расшибайся в лепешку печатайся. А вот если кто хочет именно быть писателем — то есть выступать перед читателями, не ходить на службу, жить на гонорары, захаживать в редакции на чай и коньяк, ездить по миру, вести беседы в домах творчества, прокуренные ночи рассуждать с коллегами о проблемах литературы, небрежно доставать из кармана писательский билет — провались он пропадом со своей обгорелой тетрадкой и сушёной розой. Ущемленное самолюбие и знак причастности к литературному процессу. Пар в свисток — сублимация: почему же почему так обрезали ему.

Примерно такой оценкой творчества Довлатова, понижая голос, с опасливым недоумением, в светских выражениях, я поделился с его старинным другом Лурье. Лурье большой скептик. Особенно по части литературных репутаций. Он пессимист. Когда штат «Невы» сократят до одного человека, а помещение — до одного чулана, там будет сидеть Лурье, иронично блестеть лысиной и очками, с язвительным обаянием врать по телефону, издеваться над завалившими стол и стены рукописями и жаловаться на жизнь.

— Господи, да конечно все это полная ...,— радостно сказал Лурье.— Ну, сделали имя, играют в эти игры, сами, понимаете, в это нисколько, конечно, не верят, а если кто и верит — так это уже просто полные ... . Мы-то с вами прекрасно понимаем, что никакая это не литература, разная, понимаете, ... о своей жизни, так кто из нас не может бесконечно писать таких историй.

Опять же есть у кого остановиться в Нью-Йорке, выступить по «Свободе», получить за это какие-то доллары,— так надо ж быть свиньей, чтобы не отблагодарить человека. Заодно и оправдание командировки.

Но жизнь менялась стремительно, и литература менялась вместе с ней. Представления о литературе профессиональных критиков, как и полагается, менялись последними или не менялись вообще. И когда умный и образованный Вик. Ерофеев публично констатировал конец советской литературы — это было подхвачено, но не понято.

С литературы спали функции философии, социологии, журналистики, глашатайства, и чего угодно — как с самолета сбрасываются подвесные баки, и в измененной аэродинамике он теряет стабилизацию полета. Оказывается, подвесной бак составлял его большую и главную часть. Произошла литературная паника. Гвардейская королевская рота обнаружила себя голой. Она запела со святыми упокой литературе, на что хотелось утешить: умерла — закопаем.

Книг стало больше, а читать нечего. Фо хум хау. В круговороте крушения Империи русская литература тоже вступила в рыночную схватку между формой и содержанием, и этот базарный мордобой содержание выиграло безоговорочно. Это победа материала над отношением к нему автора. Руки над перчаткой. Победа безусловных фактов над условностью их изложения.

А ведь вся художественность формы — именно и есть авторское отношение. Хитромудрая композиция, пейзажные красоты и аллегории, извивы духовных бездн, стилистическая изысканность и философические размышления — понадобились читателю во вторую очередь, а большинству и вовсе не понадобились, ибо даже соловей, по справедливому замечанию классика, поет оттого, что жрать хочет. Ему возразили, что соловей хочет размножаться, на что был бездушный ответ, что не пожрешь — не размножишься. Когда читателю нечего жрать, он бросает размножаться, что мы и наблюдаем: это безусловные факты.

Рафинэ не в кайф сечь, что сочинительство, беллетристика, фикшн — еще не исчерпывает литературы и даже не является главным, основополагающим и исконным в ней. Основа прозы — факт. Основа поэзии — чувство. Великие события и великие чувства лежат в основе литературы. «Илиада» — это отчет художника об экспедиционной кампании героев. «Улисс» — это отчет художника об одном дне из жизни микроба. Джойс объемнее и эстетически богаче Гомера. Всем изощренным арсеналом наработанных средств литература въелась в маленького человека: он тоже — глубок! интересен! велик! герой! Да: но т о ж е . Двести лет назад обращение к маленькому человеку и обыденному событию было открытием, поворотом, актом справедливости. Подзорную трубу повернули другим концом: какое богатство мелкой флоры и фауны! вот на каком уровне, оказывается, заложено бытие! И Акакий Акакиевич заслонил Вещего Олега, а чаепитие заглушило грохот сражений. Наступил новый этап.

На этом этапе литературе рекомендовали обыденность: персонажей и событий, чувств и языка. А в чем искусство? А в сознании тонкой системы многозначных условностей, в том вкусе и красоте изложения, которые базируются на овладении традицией.

Началось внутрисебясамойпереваривание: в замкнутом ограничениями пространстве предметом литературы стало развитие литературных средств. Что естественно привело к внутрисебясамойпотреблению. Ах, как это написано: новое слово. Об чем слово-то, граждане? Белого Дракона все одно не переплюнешь.

Верните мяч в игру, вздохнул старый авантюрист. Вы можете конгениально и сверхискусно изображать теннис без мяча сколько угодно, но на Кубке Дэвиса вас не поймут. Это ваши личные игры в бисер.

Героев, стр-расти, простоту и сенсационный материал оставили масскультуре: ваш телескоп примитивен, у нас свой микроскоп.

То есть, как существует наука чистая и прикладная, образовались литература чистая и литература прикладная: одна для профессионалов, другая для всех потребителей.

А про чего всегда влекло человека узнавать? Великие герои и отъявленные злодеи, грандиозные катастрофы и необычайные приключения, любовь и преступление, тайны государства и тайны мироздания. Это стало достоянием массовой литературы. Но коммерческий успех книги об этом еще не свидетельство ее художественной неполноценности. В вину ей ставят: а) она привлекает своим материалом, а не художественностью; б) она вообще нехудожественна, т.е. арсенал средств изложения не оригинален и беден. Ты не из нашей корзинки, дешевка.

Говоря об истории литературы, наука признает шванк, фацетию, анекдот, хронику, сагу. Говоря о современной литературе, наука обязательным ее условием ставит выдуманность и соблюдение условных критериев «искусства». Не поступимся принципами. Тем хуже для «науки». Если можно таковой счесть критику. Об этой критике кратко и исчерпывающе сказал Денис Горелов. Жму ему руку через разделяющую нас госграницу.

Критик должен быть готов и способен в любой момент и по первому требованию занять место критикуемого им и выполнять его дело продуктивно и компетентно; в противном случае критика превращается в наглую самодовлеющую силу и становится тормозом на пути культурного прогресса. Если вам нравится сентенция, получите и автора: доктор Йозеф Геббельс.

Где Трифонов? Где Рыбаков? Где Гроссман? Где Айтматов? Какие люди были, блин, какое время было, что ты. Дети, крепитесь, с вашим дядей Авелем произошло несчастье.

А бестселлерами с лотков идут справочники по оружию, флоту, авиации, танкам, что делать в постели и как нажить деньги, биографии великих, история по Гумилеву, война по Суворову и золото партии по Буничу. Ближе к жизни, ребята! По этой причине «Новый мир» печатал «Одлян» и «Желтых королей»: чего там в жизни делается? да скажите вы просто и внятно; а без вашего эстетического отношения к словесности мы обойдемся. Гений успеха Радзинский: книга об убиении царской семьи. Муза успеха Васильева: книга о «кремлевских женах».

Солженицын написал великую книгу — «Архипелаг „ГУЛАГ“». Все прочее им написанное не стоит выеденного яйца и стало никому не нужно и не интересно раньше, чем кончило печататься. Шаламов был лучшим писателем, чем автор «Одного дня Ивана Денисовича». Из того, что «Архипелаг» не соответствует канону художественной литературы, явствует условность и ограниченность канона. Читателю, искусству и истории плевать на каноны. Они меняются.

И сейчас канон меняется на наших глазах. Обычное дело. Часть «масслитературы» канонизируется в «элитлитературу». Нормально. Подпитка. Высоцкий. Жванецкий. Живая жизнь. Тоже было: «низкий жанр».

Да что: Пикуль остался, и Штирлиц остался, и уже второе поколение читает и цитирует «фантастов» (низкий жанр!) Стругацких — и хоть бы одна зараза ради разнообразия призналась, что выросла на Леониде Леонове.

А театры плачут по зрителю и ставят «Филумену Мартурано». Кто такая филумена? кому она что мартурано? Поставьте пьесу, трагедию поставьте, про Героя Советского Союза Руцкого в разносимом танковыми пушками парламенте России! про превращение затурканного интеллигента в главвора страны! про карьеру искусствоведа на панели! Нет: на изюм получите педерастическую версию классики: шарман, шарман! Не хочите? Тогда Пинштейн из Мексики или как его там будет кормить народ мыльной оперой «Просто богатая рабыня» или как ее там: он бездарен и умен, а вы талантливы и глупы. А у народа потребности.

Когда мужик не Блюхера и не милорда глупого, а весь союз писателей по кочкам понесет? Фантастика — не литература, дамский роман — не литература, уж Теккерей забыт, а Шерлок Холмс им все детектив, а не литература. Им бы, умным, что-нибудь такое около эколо. Как в ересь, в неслыханную простоту, которая грешнее воровства. И вот с незамысловатым юмором автобиография конечно читается интересней все-таки Нарбиковой или Харитонова с их онанистическими потугами на мудрую эдакость ни об чем и об всем на свете. Ну что ты, говорит, Левушка, конечно Довлатов лучше. Тут он трах ее дубиной по лбу! И с тех пор во всем полагался на ее литературное мнение.

И я положился на литературное мнение Довлатова, с которым меня эстетически, так сказать, примирил Вик. Ерофеев. В глазах коллег у Вика Ерофеева должны быть два гадских порока: он много знает и много понимает. А кто ж, батюшка мой, любит того, кто его умней. А поскольку знаменитость под пером собеседника предстает умной в меру разумения этого самого собеседника, то в «Огоньке» в беседе с Виком Ерофеевым в рубрике «Поверх барьеров» Довлатов предстал умным, а также честным и невеселым.

— Я свое место знаю,— сказал усталый и битый Довлатов.— Я — эмигрантский русский писатель в Америке; не из первых; но и не из последних. Где-то посередине. Есть высший класс в литературе — это сочинительство: создание новых, собственных миров и героев. И есть еще класс как бы попроще, пониже сортом — описательство, рассказывание — того, что было в жизни. Вот писателем в первом смысле я никогда не был — я бы назвал себя рассказывателем.

Это было сказано с достоинством и скромно. Слава уже пришла.

Я ожидал услышать (прочесть) иной ответ. И впервые ощутил к нему нотку печальной любви. Я был тогда стопроцентно согласен с такой самооценкой. А сейчас согласен чуть больше — в сторону увеличения. Мне это понравилось до чрезвычайности.

Я хранил эту любовь года два. Особенно она увеличилась, когда Довлатов уже ушел... Пока однажды зимой не позвонил из Ленинграда приятель с радостной новостью:

— Здорово. Как живешь?

— Ага. Сегодня я тоже подстригал мои розы.

— Тут, значит, выходит у нас такая многотиражка, «Петербургский литератор».

— Слыхал. Так что?

— Вот тут у меня последний номер... Не видел?

— Откуда.

— Весь посвящен Довлатову. Разные там его письма, воспоминания о нем и прочая муть.

— Ну.

— Про тебя тут тоже есть.

— Забавно. Польщен. В связи с чем, собственно?

— Хочешь послушать? Сейчас... Вот:

«Что делается с сов. литературой? У нас тут прогремел некий М. Веллер из Таллинна, бывший ленинградец. Я купил его книгу, начал читать и на первых трех страницах обнаружил: „Он пах духами“ (вместо „пахнул“), „продляет“ (вместо „продлевает“), „Трубка, коя в лавке стоит 30 рублей, и так далее“ (вместо „коия“, а еще лучше — „которая“), „снизошел со своего Олимпа“ (вместо „снизошел до“). Что это значит? Куда ты смотришь?..

                    = Ваш С.Довлатов».

— Что скажешь? — спросил приятель.

— Экая скотина был покойник,— сказал я.

— Письма к Арьеву.

— Лучше бы он купил себе словарь.

— А зачем? Так интереснее. Да послушай соседний абзац:

«Посылаю тебе две копии — во-первых, из хвастовства, а во-вторых (я как-то отвлекся и ушел в сторону) — как материал для твоей обо мне заметки, коя меня заранее радует...» Вот тебе твоя коя трубка и его коя заметка. Вы вообще знакомы были? Ты ему что, чем-то насолил?

К тому времени господин Мольер имел полную возможность убедиться, что слава выглядит совсем не так, как ее обычно себе представляют, а выражается преимущественно в безудержной ругани на всех углах.

— Насолил...— сказал я, скрывая огорчение.— Первым напечатал в «Радуге».

— А. Так тогда понятно, что ж ты хочешь. Ни одно доброе дело не бывает безнаказанным. Про «Радугу» тут тоже есть... в соседнем письме:

«У меня есть ощущение, и даже уверенность, что в СССР скоро начнут печатать эмигрантов...— так,— Я ждал 25 лет, готов ждать еще...— Вот: — Но если да, то возникают (уже возникли, например, в таллиннской „Радуге") проблемы». Что за проблемы-то?

— Правописание слова «гондон»,— сказал я.— Интересно, там даты нет на письме?

— Про «Радугу» — 2-е декабря 88-го года.

— Ощущение и уверенность у него возникли после моего звонка, что мы его в первом номере печатаем.

— Информация — основа интуиции.

— А про трубку?

— Минутку... 13-е мая 89-го.

— Покупатель. Книгу он купил. Библиофил. Эту книгу я ему сам послал.

— Поздравляю,— сказал приятель.— На хрена?

— Да вместе с журналами, где были его рассказы.

— А вот меньше надо выпендриваться и раздаривать свои книги. Он ведь хотел получить напечатанными свои рассказы, а вовсе не твои.

Подобный неожиданный привет из другого измерения может на полчаса подорвать веру в людей, если у кого есть вера в людей. Я вытащил с полки «Не только Бродского» и прочитал: «Михаилу Веллеру с уважением и благодарностью. С.Довлатов. 2/5/89. Нью-Йорк».

Летом в Ленинграде я позвонил Арьеву. Мы не были знакомы. Таким образом, нас познакомил Довлатов. Не могу сказать, с какой целью я звонил. Тем более этого понять не мог Арьев.

— Вы хотите напечатать опровержение? — спросил он.

У меня все-таки хватило ума ответить:

— Упаси меня Боже дискутировать с умершим. Просто я вижу сомнительную ему услугу в публикации этого письма.

— Понимаете, у него иногда было довольно своеобразное чувство юмора,— объяснил Арьев мягко.— Здесь содержится такая некая ирония.

— Я попытаюсь понять,— пообещал я. Ирония — оно конешно.

Арьев оказался приятным и скромным человеком и наблюдательным критиком. Из одной его статьи я узнал, что в сочинениях Довлатова все слова во фразе обязательно начинаются с разных букв. И никогда еще ни один литературовед не делал замечания более верного. Можете проверить. Я не знаю, какой смысл в этой особенности, но за ней, видимо, таится большая скрытая работа, являя посвященному за внешней простотой свидетельство настоящего искусства. Правда, все фразы очень короткие.

Если обратиться к литературным аналогиям, это более всего напоминает искусство лейтенанта Шайскопфа из «Уловки-22». Огромной и скрытой работой он добился от кадет своей роты церемониального шага с руками, неподвижно прижатыми к бокам. И когда на параде изумленное невиданным зрелищем командование вопросительно воззрилось на Шайскопфа, он звенящим от торжества голосом известил:

— Смотрите, полковник! Они не машут руками!

Продолжение этой истории одной лошади было вполне в духе довлатовских произведений. Годом спустя я обсуждал с художником оформление книжки «Легенды Невского проспекта».

— На заднюю сторонку обложки дадим выброски,— решил художник. Он любил и умел делать прекрасные гравюры на заглавие, в общем самоценные, а в остальном предпочитал идти по кратчайшей линии наименьшего сопротивления. И подкрепил позицию заботой о моей пользе: — Книга должна выглядеть рекламисто. У тебя есть всякие там рецензии о тебе?

Он унес папку с вырезками и через неделю ознакомил меня с эскизом.

Верхняя из четырех беспощадных цитат гласила:

«У нас тут прогремел М. Веллер из Таллинна, бывший ленинградец.— С.Довлатов. Нью-Йорк». Угадайте, чья фамилия была обведена скорбной рамочкой.

— Ну как? — довольно спросил он.

— Слушай,— сказал я,— там, вроде, было еще одно слово, в оригинале. Дай-ка поглядеть... вот: «некий М. Веллер».

— Не просто чекой,— сказал художник.— Я понимаю. Вышеупомянутой чекой. Отзынь. Мы не в армии, ты не сержант.

Художники требуют подхода. Я налил и рассказал историю.

Художник выслушал историю и пришел в негодование.

— Что значит — «некий»? Ху из ху! Какого хрена? Во-первых, он отлично знал, кто некий, а кто какий. Во-вторых, справедливость должна торжествовать. В-третьих, Довлатов тоже ленинградец, на ленинградской книге это очень уместно: я долго думал. В-четвертых, с паршивой овцы хоть шерсти клок. Отходы — в производство. В-пятых, он бы оценил, я думаю, изящество ситуации.

Он задумался и заржал. За пределами искусства все художники циники.

Я тоже задумался, но ржать не стал. Я люблю циников. Я сам циник. А циники сентиментальны.

Меня вдруг, что называется, пронзила печаль. Я представил ощущения Довлатова, писавшего это письмо. Чужой в Америке. Без языка. Эмигрантский круг. Признание на родине еще не пришло. А кто-то, моложе, приехал после него из того же Ленинграда в тот же Таллинн, и издал книги, печатается, принят в СП, удачливый ловкач, и звонит ему в Нью-Йорк, и публикует его в таллиннском журнале, и пьет с его бывшими друзьями, откуда взялся, стал там своим, и посылает свою книжку, вышедшую в издательстве, где двенадцать лет назад, в прошлой неудавшейся жизни, должны были издать его...— так мало того, еще и в Нью-Йорке, в его теперешних кругах, этот самый еще и чего-то прогремел... Все мы все понимаем, а все-таки горько бывает, господа...

О покойниках — правду или ничего. Если кто что-то значил в твоей жизни, ты продолжаешь относиться к нему как к живому, просто отсутствующему. Продолжаешь говорить о нем как и раньше, и шутить, и разговаривать с ним, и спорить. Только он уже не скажет тебе ничего нового. Поэтому оставлять за собой последнее слово в споре с тем, кто уже не сможет возразить, нехорошо.

Черт. Я оставил за собой последнее слово. И ржать мне тут было нечего.

Но я зря так надеялся. Случай оказался не тот. У меня был когда-то рассказ, где покойник на похоронах последнее слово оставляет за собой.

И тут ведь последнее слово осталось за ним!

Говорю недавно по телефону с Генисом. Лотман-Букер, Таллинн-Нью-Йорк, ля-ля — шарк-шарк, общие знакомые: узкий круг и тонкий слой. Довлатов!

— Мы с Сережей были близкие друзья.

— Вот как.

— Он мне о вас говорил. Очень высоко отзывался.

— Гм? Не знал.

— Да, причем чтобы Довлатов, который очень редко, почти никогда не отзывался хорошо о прочитанных вещах, знаете...

— М-угу...

— А вы не читали, в газете «Литератор» опубликовано его письмо Дару? он вас там очень хвалит, просто очень.

— Дару? — опасливо переспросил я.— Нет... не знаю. Я знаю было опубликовано письмо Арьеву, где он обо мне упоминал.

— Нет, Дару. Вы знаете, есть такой — Дар?

— М-м, слышал, конечно.

— И вот там, в «Литераторе»...

— В каком «Литераторе»? Есть «Петербургский литератор» (если он еще выходит, они ведь в Питере погорели всем домом), был «Московский литератор»...

Мою реакцию на сообщение можно было назвать непритворной заинтересованностью.

— Ей-Богу точнее не помню, мне недавно привезли из России чемодан литературы, еще не все в картотеке рассортировано.

Слышимость с Нью-Йорком отличная, но вразумительности не прибавляла: я подозревал игру в испорченный телефон. Уточнил:

— Давно это было?

— Н-не помню точно...

— Года два назад?

— Не-ет. Месяца два-три.

Такие дела. Я тщился уяснить: новый поворот, мотор не ревет... еле лапками колышет: сдох. Свет погасшей звезды. Клевещешь, Перси, на него: клевещешь! Но представляю мнение Гениса о моем взыгравшем тщеславии после этого занудства.

На этой новости мы и распрощались, два иностранца, два русских литератора еврейской национальности и нероссийского местожительства.

— Тере-тере,— сказал он.

— Бай-бай,— сказал я.

Иностранцем становишься постепенно.

Постепенно перестаешь обращать внимание на мелочи: что автобусы почище и в них не толкаются, что улицу переходят только на зеленый, что при этом идущая с поворота машина всегда тебя пропускает, а давая тебе дорогу на «зебре» тормозит трамвай, что все спокойные и нигде не лезут без очереди; привыкаешь в такси здороваться с шофером, привыкаешь к сдержанности общения и к пунктуальности встреч, что новогодние елки ставят чуть раньше, на римское Рождество, с ним можно поздравить, сделать подарок; привыкаешь к климату: погода бывает разная; привыкаешь, что в гостях не кормят обедом, что часто слышишь нерусскую речь, что вместо таблички «переучет» — «инвентура».

Как привыкаешь к новой моде, и вот она уже естественна глазу, естественны пограничники и таможенники в поезде и аэропорту — обычные люди за мелкой процедурой, как автобусные ревизоры; естественно постоять за визой (раньше было — за водкой, за хлебом, за носками, какая разница), зато в очереди за билетами стоять не надо, чисто и свободно. Естественно, что время идет, и далекие друзья приезжают к тебе все реже, и язык местных русских газет становится понемногу провинциальным, а российские газеты есть в киосках не всегда, редко, иногда. Сокращается время телевещания, долго поговаривают об отключении, ну нет уже петербургского канала, и российский исчез, остался останкинский по вечерам; к приему финского телевидения привык давно, а здесь появляются новые каналы, гонят в основном американские сериалы, и в их звуковом фоне начинаешь различать, понимать американскую речь, а эстонская обычна; что с того.

Какая, в сущности, разница, что деньги считаешь на кроны, уже не сбиваясь по инерции назвать их рублями, что переезжаешь на финские йогурты, датское пиво и американские сигареты: тот же пейзаж за окном, те же люди, разве что машины меняются, так это везде так. Однажды замечаешь, что перестал выносить мусорное ведро: весь мусор спихивается в яркий пластиковый пакет из-под очередной покупки, и сам этот мусор нарядный и пестрый: баночки, коробочки, бутылочки, не имеющие ничего общего с когдатошними помоями. Замечаешь при очередных российских катаклизмах свое приятное ощущение безопасной непричастности: твоей семьи это не касается, тебе лично не грозит. На Рождество получаешь стандартное поздравление Президента Республики, на четырех языках, русского нет, нет в документах и на вывесках. Хлопаешь шампанским под звон новогодних курантов Кремля в телике, звонишь родным и друзьям в заграницы с пожеланиями, а здесь еще только одиннадцать, и через час хлопаешь еще раз, по местному времени, и звонишь в Белоруссии и Израили, там время то же.

Ты просто живешь здесь, а мог бы жить в другом месте, что из того; внутри тебя ничего не меняется: человек есмь; страсти, мысли, убеждения, привязанности и интересы — все прежнее... Хау! мы с вами одной крови — вы и я.

Россия — остается своей: ты приезжаешь — здор-рово, ребята! Смотришь в лица, прочее мелочи. И по дороге от лица до лица — шизеешь: от грязи и бьющей в глаза, нерадивой и бесстыдной нищеты, естественной окружающим:

от обшарпанных прилавков, вонючих лестниц, колдобистого асфальта; от дебильной медлительности кассирш и неприязни продавцов, от грубости равнодушия и простоты жульничества, агрессивной ауры толпы, где каждый собран за себя постоять, туземной раздрызганности упресованного телами транспорта, нежилой неуютности кабинетов и коридоров, от неряшливой дискомфортности редких кафе и убогой пустоты аптек. Таксист хам, редактор враль, слово не держится, в метро духотища, водка отрава, вязким испарением прослоена атмосфера, тягучий налет серости на всем, и от этой вселенской неустроенности устаешь: сам процесс жизни делается тебе труден неизвестно отчего.

Вдруг замечаешь, что ты не так одет: негладящиеся штаны и рубашки вольных европейцев, интеллектуалов и профессуры, неуместны среди двубортных костюмов старших банковских клерков, словно ты фрондируешь из бедности, а сьют при галстуке не вписывается меж растянутых свитеров и несвежих клетчатых рубашек. Не понимаешь выражения глаз и голоса при официальном знакомстве: тебя изучают, оценивают и взвешивают, чтобы избрать стиль общения согласно твоему положению: единой и равной для всех дистанции официального общения не существует, а ошибочная нелепа. Не готов к тому, что желание выпить по рюмке обычно переходит в намерение неукоснительно прикончить бутылку и взять следующую.

И вдруг обнаруживаешь в себе остраненную и отстраненную независимость: ребята, я уже не здешний. Я уже живу за границей. Достоинство и отрада свободы — мягкая улыбка: я ни от кого ничего не хочу, мне ни от кого ничего не надо, я — вне, отдельный: я даже нетвердо знаю, что тут у вас происходит и по каким правилам на какие ставки вы играете. Обнимаю, искренне ваш.

И не просто хочешь д о м о й : нет, в главном тебе здесь нравится, интересно, здесь твои друзья, здесь решаются дела и судьбы, здесь кипит жизнь — это, вроде, и твоя тоже настоящая жизнь, впечатления, события, новости, знакомства, планы, все это хорошо,— но при этом одновременно хочется жить дома. Там. И не то чтоб там луч-

ше — нет, там никак, скучно, духовно пусто, одиноко, при-
вычно, нормально: как раньше, как обычно; как всегда.
Чуждо. И кажется, будто там для тебя внутренне ничего не
изменилось, и будто сам ты внутренне не изменился,— но
и здесь ч у ж д о! тяжело; неприятно; непривычно; з а в и -
с и м о. Не твое. Ты был отсюда. Но ты уже не отсюда.

Россия, в которой жил, живет в твоем естестве той, неизменной, живет в рефлексах и ментальности, и по пес-
чинке исподволь меняется вместе с твоей памятью и тобою
самим. А настоящая Россия меняется реально. Ты следишь
за событиями, переживаешь их умом и нервами — но не
шкурой. Ты дышишь другим воздухом. И ты замучишься
входить в эту воду дважды.

И Ганапольскому в «Эхе Москвы» на вопрос: ну, как
тебе Москва? я мог ответить честно только одно: ребята, в
этой сверхгигантской куче дерьма оскорбительно и непереносимо все. Кроме одного: но! ребята, вы все здесь...

И давно мне напоминает эта грустная· метаморфоза
гениальный среди прочих рассказ Брэдбери «Были они
смуглые и золотоглазые». Как колонисты на Марсе постепенно и незаметно для себя превращаются в марсиан,
и уже удивленно не приемлют прибывших землян, а те
ломают головы, где ж колонисты и откуда ж эти марси-
ане. Метафора эмиграции. Особенно применимая сейчас
к русским, безо всяких волевых и сознательных шагов и
подготовки оказавшимся в «ближнем зарубежье». Для себя
я называю его «межграничье».

«Межграничье» — так я назвал телефильм, который
сделал в январе девяносто второго, сразу после распада
Союза. О наступившей, сразу еще не осознанной трагедии
русских, вдруг проснувшихся иностранцами за границами
России, чужими и там и здесь. Фильм не был принят. Про-
грессивное Останкино сочло, что он играет на руку крас-
но-коричневым.

Забавно, что сообщил мне это тот самый босс, который раньше устроил показ ленты «Русские в Америке».
Фильм отображал жизнь этих мятущихся русских в этой
стране контрастов Америке преимущественно двумя крас-

ками, белой и черной. Как предписывает произведению искусства закон драматизма, преобладала черная краска. Там одни радовались свободе и бизнесу, таких было меньшинство, а большинство страдало от бездуховности жизни и ненужности русской культуры, носителями которой оно является. Я с замиранием ждал, что здесь обязан возникнуть Довлатов. И наконец — впервые увидел его: не на фотографиях, а так сказать, в движущемся и озвученном изображении. Это не была сцена довольства и успеха. Довлатов был большой, бородатый, низколобый и добродушно-мрачный. Его облик, скупой жест, интонации, внакладку на какой-то серо-бытовой фон, вполне создавали впечатление скептической разуверенности во вчерашнем, сегодняшнем и завтрашнем дне: картина выглядела пессимистично и должна была, видимо, служить мысли, что писателю в Америку ехать не надо.

Но как для России московская прописка всегда была чем-то вроде знака причастности к касте, или качества, или социального статуса (как в самой Москве можно жить, скажем, на Кутузовском, а можно в Чертаново) — так потом в России, и в Москве, американская прописка (в меньшей степени немецкая или французская, но теперь даже израильская) стала тем же свидетельством социального положения. Мол, каков шесток, таков и сверчок. Хотя давно известно: что в России наилучше всего быть иностранцем. Он живет в Америке? — о, значит, этот человек уже чего-то стоит.

Сей трафаретный взгляд не лишен здравого зерна: успех — это ведь место и время, ясно... Куда направлены прожектора, где вершатся главные дела и главные карьеры — там цена всего автоматически повышается: и цена человека, и цена слова, и цена поступка — в глазах тех в первую очередь, кто сам не там. Ультима регис: «Так делают в Париже!» А ежли кто живет на помойке — значит, по его качествам и стремлениям там ему и место: чего ж он стоит, чего ж от него и ждать. География — наука психологическая. Твое место возле параши? исчерпывающая характеристика.

Сравнение позорное и унизительное: Россия сейчас перемешана гигантской помойкой в сепараторе, где активные элементы с легкой фракцией, сливками и дерьмом, смываются в Америку. Она — значимее. Середняком в Риме, чем патрицием в деревне. Кто раз ощутил себя гражданином великой державы — не будет счастлив в принадлежности к державе второстепенной. Раз человек не остров, а часть материка, то материк должен быть приличный. Не сам по себе, но часть семьи, рода, стаи, команды, армии, страны, и сила и честь страны — его сила и честь. Я римский гражданин!

Топот и стук: пробивают головами стенку в соседнюю камеру. Там пайка больше и прохаря новее: и закон. Правильная хата.

Кому повем мою печаль? Для умного человека все истины банальны. А для себя кто ж не умен настолько, чтоб доказывать их прочим, чьи умственные способности не то чтоб презираешь, но затрудняешься заметить невооруженным глазом, и каковое занятие сродни газетной работе и каторжному развлечению по пересыпанию кучек земли по кругу. Что провоцирует развитие нервных заболеваний.

Поэтому пьют читатели, и поэтому пьют журналисты. Писатели пьют еще и от отсутствия читателей. В питейной биографии Довлатова самое радостное, кажется, место — судя по письмам — это когда в Вене он обнаружил, что ректифицированный медицинский спирт можно купить в аптеке за одиннадцать пфеннингов пятьдесят грамм. Что есть литр водки за шиллинг. Под вопросом, учат ли в австрийских школах арифметике. Тупые австрияки не высчитали этого до сих пор.

В этом удивлении — отличие того, кто становится иностранцем сразу, прыгая с берега в воду, от того, кто делается им постепенно: сыровато, влажно, еще мокрее, и вот ты уже ни рыба ни мясо, а так, земноводное. На полпути к Луне.

Вышеупомянутыми соображениями мы и поделились с вымытой по частям холодной водой копенгагенской москвичкой, которой благородный дон, за неимением ируканских ковров, показал швейцарский офицерский нож, присовокупив мнение, что очаровавший ее знаменитый Кабаков такого просто не видел.

Этот ножик я всегда беру с собой в поездки. В его рукоятке упрятано все необходимое для застолья и мелкого ремонта всякой всячины. Даже закаленная пилка с обратным ходом, которой можно будет перепилить наручники, когда меня арестуют за нарушение всех норм литературных приличий и вообще нравственности.

Именно им я и нацелился резать закуску в кабинете главного редактора «Московских новостей», когда появился именно Кабаков. Первым делом я ткнул пальцем в нож и процитировал известное место из «Сочинителя». Кабаков извернулся красиво. Он вытащил из кармана точно такой же и положил рядом.

— Для пары,— сказал он.— На память от меня.

Тем самым он убедительно возразил, что ему таки известно, как выглядит швейцарский офицерский нож. Только этот был сделан не в Китае, но именно в Швейцарии. Не такой попался мальчик, чтоб таскать в карманах дешевку.

— Это нельзя рассматривать иначе как повод, причем уважительный,— сказал он.— Есть предложение начать пить.

Но пить мы начали позже, и за литром кукурузного самогона обсудили не только сравнительные достоинства и характеристики карманных ножей, но и ценные особенности прочего холодного и огнестрельного оружия, обнаружив массу общих пристрастий и интересов. Писатель, оружие и пузырь — перспективное сочетание.

Это был чистый реваншизм. В советское время интеллигенту и гуманисту полагалось считать, что оружие — нечто безусловно плохое, любят его трусы, негодяи и люди вообще порочные. Хотя по этой логике армия должна быть последним прибежищем трусливых негодяев — одновременно идеалом человека провозглашался солдат, а вершиной любви — любовь Дзержинского к маузеру. Отрицая Дзержинского, вольнодумец плевал в маузер. Человек звучал гордо. Обезьяна, вставшая на задние лапы, взяла в передние палку совсем не для того, чтобы ею подтолкнуть марксиста Энгельса к созданию истмата. С тех пор оружие явилось естественным продолжением мужской руки, и по этим рукам призывалось дать, и крепко дать. Достать чернил и плакать. Где господствует мораль — там нет места истине. К несчастью или к счастью, но щек на свете меньше, чем желающих врезать по ним дважды. Поэтому естественная и природная функция любого нормального мужчины — защищать себя, свою семью и дом. От кого? Была бы шея, а любитель по ней дать всегда найдется. Почему? Потому что человек создан изменять мир, и никогда не удовлетворится существующим. Агрессивность — это аспект избыточной энергии, имманентной в человеке, благодаря которой он и переделывает мир. Хапок, захват, сражение — простейшая форма передела мира. Оружие — инструмент передела: инструмент жизни. Это сила власть: самоутверждение: я хозяин жизни, я переделываю ее по своей воле и разумению, я действую — и значит я живу. Не говоря уж проще о разных критических, пограничных ситуациях, когда оружие решает вопрос самого твоего существования (а честь? а достоинство? а справедливость?..).

Поэтому джигит можэт быть оборванэц, но чтоб оружие в серебре. И коллекции оружия всех эпох — тому подтверждение.

Оденьте матадора в тренировочный костюм и дайте ему в руки колун — что скажут испанцы о моменте истины?

Один даст съесть пуд соли — другой возьмет в разведку. Человек познается в пограничной ситуации: на пределе опасности и напряжения. И неизбежно — стремится к ним: реализовать все заложенные в нем силы и возможности. Где ж жизнь острее, чем в бою, и мрачной бездны на краю.

Поэтому военные и блатные песни Высоцкого. Адекватный материал: накал и риск борьбы на грани смерти — обнажение сути.

Поэтому трещит, бомбит, взрывается голливудское муви.

Поэтому грохочут кольты и базуки у Кабакова, а московские девушки у Пелевина рассуждают о калибре авиапушек люфтваффе.

Писатель, авантюрист в накале нервов и вершения миров за своим столом, влеком инфернальной красотой оружия как знаком сильной страсти, решительных поступков, крупных событий: всемогущества и крутизны в своем воображаемом, созданном мире.

Естественная сублимация. Без нужды не обнажай, без славы не вкладывай.

И когда в Эстонии сделали свободную продажу оружия, я сверился с любимыми справочниками, выправил справку, что я не псих, и справку, что был охотником и умею стрелять, и пошел в магазины покупать «Гризли». Это .45 кольтовская машина под патрон «винчестер-магнум», которая должна выкидывать нежелательного посетителя обратно на лестницу прямо сквозь дверь. Хотя вдвое дешевле обходился несравненно безотказный «Вальтер ПП», 9 мм которого вполне достаточно, чтоб устроить любой сборной по карате прослушивание Шопена лежа.

Хотелось пощелкать пистолетом и пострелять, но я был безоружен и нетрезв, а Кабаков подписывал номер: здесь с легким креном мы подошли к концу забористого бурбона «Катти Сарк», Нэн — короткой рубашки, с непревзойденной в истории скоростью парусника гонявшей через ревущие сороковые, свист и пена, в ту самую Австралию, откуда теперь тоже приходят письма от старых друзей, где тоже переводят с русского и платят деньги за чтение лекций по современной русской прозе. Боги, боги мои.

— А ведь я хотел уехать в Австралию, Бисмарк.

— Глупости, Мольтке! Что б вы делали в Австралии?

— Разводил бы. Розы.

— Зачем?!

— На продажу...

— Ерунда! Там не растут розы.

— А что там растет?

— Овцы.

— Ну, разводил бы овец...

— Зачем?!

— На продажу...

В самолете австралийской линии я наслаждался мемуарами Бунюэля. Чтобы в двадцать седьмом году сделать «Андалузского щенка», надо быть действительно гением; это вам не Бергман. Когда в восемьдесят втором этот фильм демонстрировался в Доме кино, то на аннальном кадре, крупным планом бритва половинит глаз, в зале раздался вскрик и звук упавшего тела. Нервный вскрик и тяжелое тело принадлежали одному из лучших довлатовских друзей Евгению Рейну. Ку дэ мэтр!

А лучшее место в мемуарах Бунюэля — это как он читал мемуары Дали. Закадычные земляки, они решительно разошлись после знакомства с Гала. Она предпочла Дали, а Дали предпочел ее, Бунюэль же сам хотел предпочесть их обоих, в чем ему было отказано.

Объективность и такт не числились среди достоинств Дали и не входили в его задачи. Бунюэль ознакомился в мемуарах, среди прочего интересного, кое с чем о себе: и несколько огорчился. Он огорчился, снял телефонную трубку и позвонил Дали, который в это время был в Париже.

— Здравствуй, Сальваторе,— сказал он.— Это я, Луис.

— Здравствуй, Луис,— ничуть не удивившись, сказал Дали.— Очень рад тебя слышать.

— Я подумал, почему бы нам не встретиться.

— Действительно, хорошо было бы встретиться.

— Почему бы нам не посидеть, не выпить вина...

— Это было бы прекрасно, Луис...

И вот, двадцать лет не видевшись, знаменитый Бунюэль и еще более знаменитый Дали встречаются в кафе. Они обнимаются, вздыхают, сколько лет сколько зим, печально и любовно оглядывают друг друга: садятся под тентом на бульваре, Париж, пьют белое вино, курят; вспоминают молодость, говорят о жизни и об искусстве. И наконец Бунюэль приступает:

— Сальваторе... Я тут недавно прочитал твои мемуары. Прекрасная книга. Замечательная! Я получил наслаждение. Но, признаюсь, хочу спросить тебя, все-таки мы с тобой старые друзья, вместе когда-то начинали, вместе бедствовали... скажи — ведь это ни по сюжету необходимо, ни смысловой нагрузки... не улавливается: зачем тебе нужно было так меня обосрать? Это так обязательно? или тебе было приятно? не могу поверить...

На что Дали глотнул вина, затянулся сигарой, напустил дым, подкрутил иголочки своих золоченых усов, и с нежностью ответил:

— Луис! Ты ведь понимаешь, что эту книгу я написал, чтобы возвести на пьедестал себя. А не тебя.

Золотые слова. Есть у меня раздражающая привычка выражать простую мысль заходом столь дальним, как стратегический бомбер за 200 км входит в посадочную глиссаду, целясь на полосу. На прудах колышутся ненюфары, потому что пишутся мемуары. Эту мартыновскую строчку я понял, только прочитав Ростана, как там ненюфары распускаются в темной глубине — а всплывают уже являя себя благоуханными и белоснежными: поэты, значит, так же. И тут я — весь в белом. Насчет благоуханных и белоснежных никто сейчас не уверен, конечно,— некоторые наоборот долго там в глубине себя барахтаются, чтоб всплыть готовой какашкой, дабы привлечь внимание почтеннейшей публики резким контрастом цвета и запаха среди оных лилий. Лютики-цветочки. Не ходи в наш садик, очаровашечка. Каждый пишет как он слышит. Медведь те на ухо. О время мое, украшают тебя мемуары, как янычары пашу: я не хочу писать мемуары, но фактически я их пишу. Соло для фагота без ан сам бля.

Эти стихи я пытался переводить старому немцу, с которым мы на аэродроме в Сиднее сидели и на кофе налегали. Немец был мудр, самовлюблен и прожорлив. Ему нравилось обобщать.

— Трагикомизм нашего положения в том,— пожаловался он,— что мы добиваемся признания в глазах людей, чье мнение презираем.

И понес строить:

— Поскольку мы имеем дело не с предметами, а с нашими представлениями о них, всякая честная философия неизбежно должна быть идеалистической!

— И реализм в литературе — на деле идеализм без берегов?

— Натюрлих!

Я чувствовал, что тупею. Потому и попытался переключить разговор на более знакомый предмет русской литературы.

— Я читал Довлатова,— сообщил немец и в испуге уставился на мое лицо.

Спас меня подоспевший Мишка Вайскопф. С опозданием на три часа он все-таки приехал меня встречать. Однажды в Таллинне я встретил его с рижским поездом, и через три дня он приехал из Киева. Он перепутал направления и потерял паспорт, а деньги у него украли. На него нельзя сердиться. В семьдесят третьем году он пошел добровольцем на израильско-арабскую войну, и угодил под трибунал за путаницу в документах и утерю личного оружия в общественном транспорте. Я его люблю. В Сиднее он спас меня от инфаркта.

— А ты знаешь, что Борька Фрейдин тоже здесь? — первым делом сообщил он, трогая машину.— В компьютерной фирме работает.

За окном мелькал зелено-белый пейзаж: слепил.

— Так далеко от Таллинна, а вполне приличный город,— сказал я.— Не скучно?

— Ты что,— оживился Мишка.— Я тут недавно вернулся из Новой Зеландии, так вот это глушь, я тебе доложу. Вообще не сообразишь, за каким краем света находишься: ясно только, что вверх ногами ко всему прочему человечеству. Ужас: одни бараны пасут других баранов. А у дверей, снаружи, так просто приделаны поручни, как на танковой башне: держаться, когда ураганы: чтоб, значит, на хрен не сдуло. В окружающий Мировой Океан. А тут-то еще — что ты, цивилизация.

— Господи. За каким хреном тебя туда еще занесло?

— Лекции читал. Месяц.

— Ну ты просветитель. Миссионер! Кому, о чем?

— Примерно. По Талмуду. В местной еврейской общине.

— Наконец-то выпускник тартуского университета нашел приличную работу в Южном полушарии.

— А я тебе не говорил? Я теперь работаю в Институте Талмуда в Иерусалиме. Визиточку возьми... Кстати об Иерусалиме: ты слышал, что у Генделева был инсульт?

Как мы стареем.

В девяностом году в Ерушалаиме, на дне рождения Вайскопфа, мы с Генделевым нажрались в хлам, и закончили ночь в пять часов в последнем открытом баре, довесив на русскую водку, мексиканскую текилу и израильское вино полдюжины пива «Маккаби». Перед рассветом в закоулках арабского квартала мы были обнаружены патрульным джипом и подброшены в центр.

— С ума сошли так пить? — спросил дружелюбный головорез по-русски с грузинским акцентом.— Ножа захотелось? Недавно приехали? Откуда? Я из Тбилиси.

— Гамарджоба! — ответил Генделев.— Нож — не проблема.— И стал рассказывать, как на операции он, анестезиолог, давая общий наркоз, снотворное дал, а обездвиживающее забыл — и вдруг посреди операции, брюшная полость открыта, больная села на столе. Бригада офанарела от ужаса. Хирурга пришлось буквально откачивать. Генделева выгнали из госпиталя, и больше он врачом работать не стал. Он гениальный поэт.

В доказательство и желая сделать приятное мы спели патрулю старую балладу: Корчит тело России от ударов тяжелых подков, непутевы мессии офицерских полков, и похмельем измучен, от вина и жары сатанел, пел о тройке поручик у воды Дарданелл: чей ты сын? твоя память — лишь сон; пей! за багрянец осин петергофских аллей, за рассвет, за Неву... Сентиментальное было путешествие.

Эту песню он написал к фильму «Бег» в семидесятом году, когда мы познакомились в ленинградском клубе песни. Музыку сочинил Ленька Нирман. Ленька давно в

64

Тулузе, записывает диски, руководит хором, растит детей, живет в родовом замке жены и раз в три года прилетает в Ленинград пить со старыми друзьями и прошлой женой, которая была влюблена в меня, так он ей наврал, что я гомосексуалист, вот хитрый сука; а теперь она замужем за Серегой Синельниковым, моим же корешем и лучшим другом Сереги Саульского, с которым мы и пили в Париже и пели его старую: Мы привыкаем ко всему — к плохой погоде, к вокзальной давке и к улыбкам ресторанным, мы привыкаем даже если бьют по морде, и даже к ранам — как это странно... ату меня, мой Петербург! ату! И походит эта шизоидная фуга на анекдот про то, как пьяный мочится на цоколь Аничкова дворца, а турист-интеллигент робко интересуется у него, как пройти к Зимнему дворцу, на что пьяный рассудительно отвечает: а на фига тебе Зимний? писай здесь!

Этим древним питерским анекдотом и напутствовал меня Генделев, когда за неимением Зимнего дворца мы обошлись тахана мерказит, то есть центральным автовокзалом, откуда первым автобусом я уехал на север, в Цфат, где жил у брата. Автобус был набит солдатами, и солдаты были молчаливы. Вчера Саддам Хусейн оккупировал Кувейт, и в Израиле пахло очередной войной. Ракетные бомбардировки начались позднее.

За два часа пересекаешь в длину полстраны. Автобус полез в горы. Водитель в кипе крутил серпантины наизусть. Маленький древний Цфат спасался наверху. От Сирии и Ливана это расстояние гаубичного плевка.

Я отоспался днем, а вечером пришел из госпиталя брат, и мы отправились посидеть и выпить кофе на Ерушалаимскую. Это единственное место в мире. Ни Дизенгоф, ни Ундер ден Линден, ни Бродвей, ни Пиккадили — нет подобных. Недолгая пешеходка вымощена розоватым галилейским камнем. С темнотой и звездами зажигаются фонари у столиков и навесов, светятся нараспашку лавки и кафе, чередуя негромкую музыку, и все приветствуют, потому что знакомы и сошлись судьбами. Раскаленные за день сосновые посадки на склонах снизу отдают смо-

65

листое тепло в остывающий горный воздух. Рубеж Святой Земли, ветхозаветная твердыня художников и богословов: уют и вершина.

— Вали-ка ты отсюда,— озаботился брат.

— Куда? — махнул я.

— Домой.

— Где-с?

— Здесь сейчас поддерг.

— Умирать — так хоть за дело.

— Успокойся. Необученного не возьмут.

— Старший офицер батареи.

— Не смеши. Война кончится быстрее твоей перепод-готовки. Тут свой масштаб.

А ночью из окна различимо далеко внизу Тивериад-ское озеро, по контуру берега световая россыпь Тверии, и огоньки Капернаума, где впервые Христос явился рыба-рям. Тищину колеблют приливы приглушенного стрекота-нья: патрульный вертолет обходит локаторные и ракетные точки ПВО на соседних высотах.

Радио каждые полчаса прерывало еврейские песни последними известиями. Их завершал обзор культуры. «В Нью-Йорке в возрасте сорока девяти лет скончался от сер-дечного приступа русский писатель Сергей Довлатов».

— Мишка, ты слышал? — сказал брат.

— Я слышал,— сказал я.

Радио трещало дальними помехами. Земля была неви-димой и огромной: нереальным множеством миров. Они слали сигналы сквозь пространство.

Жизнь оскольчато преломилась в разные измерения. Странно бередит напоминание, что живешь в них одно-временно.

Мы встали и выпили водки «Кеглевич» на помин души писателя Сергея Довлатова.

И потом, после прощания, когда трехсотместный «Ил» влетел ночью в грозу над Средиземным и стал болтаться и махать крыльями так, что им полагалось оторваться, при-стегнутые пассажиры напряженно пошучивали через пау-зы, и вместо полагающегося на всякий случай подведения

66

итогов прожитой жизни вертелась в поверхности сознания обрывистая чепуха, уж как водится, не курить, а в туалете унитаз выпрыгивает из-под тебя, и не проникала смыслом, но помнилась, уж больно уместна, из Клячкина, с которым еще в его ленинградской молодости я студентом пил за одним столом, поскольку в ЛИСИ они учились в группе с моим дядькой и приятельствовали, строчка его прощальной песни, отлетной: Покидаю я страну, где — прожил жизнь, не разберу — чью...

Куда мчимся, да? Птица-тройка дает ответ, дышлом да мозги вон, впрягли в бричку лебедя, рака и щуку и задумали сыграть квартет, но мартышка в старости слаба мозгами стала, кибитка потеряла колесо, и докатилось оно и до Москвы, и до Казани, и до Трансвааля, страны моей: земля-то — она круглая, и вертится.

А борт трещал, как пустой орех, вправду и никакой тут символики, лишь однажды в Ан-2 над Кара-Кумами попав в песчаную бурю скакал я в такой болтанке, но здесь при массе и скорости трясло жестче, как бьет на рельсах, и долго, дьявол, бесконечно, я чувствовал себя как балда в проруби, ведь идентифицировать нечего будет: гражданин никакого государства, представитель никакой профессии, болтаясь меж хлябью вод и небесной неизвестно где и желающий невесть чего неведомо зачем.

А я отнюдь не убежден, что кто-то там наверху хорошо ко мне относится.

В совершенном беспамятстве,
Таллинн — ?

Михаилу Веллеру
с уважением и благодарностью.
(подпись)

7/5/89.
N.Y.

СЛОВО
WORD

ЦЕНТР КУЛЬТУРЫ
ЭМИГРАНТОВ ИЗ СОВЕТСКОГО СОЮЗА
CULTURAL CENTER FOR SOVIET REFUGEES INC.

NEW YORK
1988

2. НЕ НОЖИК НЕ СЕРЕЖИ НЕ ДОВЛАТОВА

опыт эзотерики и экзегетики

> «Признак высшего стиля — отшлифованная темнота. Человек скользит по загадкам глубины как на коньках по замерзшему озеру.
>
> Тот, кто комментирует сам себя, опускается ниже своего уровня».
>
> *Эрнст Юнгер*

Роман «Ножик Сережи Довлатова» был окончен в марте 1994 года. Первоначальный объем текста в 250 страниц был миниатюризирован до 68. Стояла задача создать «карманный линкор», убрав бо́льшую часть содержания в подтекст и избавившись от всего не сугубо необходимого.

Впервые опубликован в журнале «Знамя» № 6 за 1994 год. Включен в авторские сборники «А вот те шиш» (Москва, «Вагриус», 1994), «Кавалерийский марш» (Санкт-Петербург, «Лань», 1996), «Ножик Сережи Довлатова» (Харьков, «Фолио», 1997; Ростов-на-Дону, «Феникс», 1998; Санкт-Петербург, «Нева», 1999), «Хочу быть дворником» (Москва, ОЛМА-пресс, 2000). Суммарный тираж более 250 000 экз.

Вызвал резкую полемику в прессе. (В. Курицын, «Поверхность лезвия», «Сегодня», 17 авг. 94 г.; В. Новиков, «Изобретатель», «Общая газета», 25 авг. 94 г.; Т. Морозова, «Я бы его повесил», «Литературная газета», 31 авг. 94 г.; Ю. Тарантул, «Не баечник, но рассказчик», «Независимая газета», 19 сент. 94 г.; А. Мокроусов, «А вот те шиш!», «Огонек» № 32, 94 г.; М. Золотоносов, «Казус Веллер», «Московские новости», 13 нояб. 94 г.; Т. Блажнова, «А вот мне шиш», «Книжное обозрение», 25 февр. 95 г. и др.)

Номинировался на Букеровскую премию за лучший русский роман года.

Посредством красных глаз слон так хорошо прятался в помидорах, что его там никто не видел.

стр. 6
В Копенгагене я сделал сделку.

В концентрированном шлифованном тексте первая фраза, как известно, несет особую нагрузку. А посему заслуживает внимательного анализа.

Первая же фраза содержит местоимение «я». Что естественно свидетельствует об эгоцентричности авторского взгляда. Более того: буква «я» расположена в центральной позиции фразы, равноудаленной от конца и начала; «я» является, таким образом, точкой симметрии этой экспозиции. Но и более того: это «я» — тринадцатая буква как от начала фразы, так и от ее конца. Сакральность числа тринадцать традиционно ассоциируется с роковым стечением неблагоприятных обстоятельств и неудачей непреодолимой силы. Автор заведомо помещает себя в нежелательное положение и расписывается в собственном бессилии изменить ситуацию. Оставаясь при этом, однако, центром ситуации.

Из десяти гласных этой фразы ровно половину — пять — составляет буква «е». В восточнославянских языках этот звук имеет как правило цветовой ассоциацией синеву, пространственной — простор, осязательной — прохладу, предметной — воду. На уровне традиционного психоанализа раскодируется как стремление к свободе, внутренняя обособленность, склонность к покою и ироническому ключу размышлений.

Предлогом «В» открывается типичный сказовый зачин по месту действия. Одновременно «в», целенаправленно указывая на ограничение по месту и времени, отражает подсознательное стремление рассказчика к интровертности: форма являет попытку выйти за пределы собственной субъективности.

«Копенгаген» для русского (особенно вдобавок советского) уха всегда звучало экзотикой с устоявшимся ироническим оттенком. Синоним «изячного». Нашло отражение в шутливой присказке «Как в лучших домах Копенгагена». Подсознательные пласты: город Андерсена, знак сказочности происходящего. Ассоциации сознательные — анекдотичны, общеизвестные анекдоты «чапаевской серии»: «Василий Иванович! Как правильно сказать — „сделал фураж" или „сделал фужер"? — Да я, Петька, в этом вопросе не копенгаген». То есть автор заведомо и исподволь внедряет в подсознание читателя сомнение в компетентности и реалистичности как своего, авторского, так и читательского взгляда.

«сделал сделку» — тавтология, просто лезущая в глаза своей неслучайной неуклюжестью. Нарочитая самопародия автоматически перекликается с фольклорными куплетами: «Маркиз маркизе сделал сделку — он поломал маркизе... брошку! И чтоб утешить свою крошку, купил ей новую безделку». Здесь сразу заявлены незадачливость автора, его насмешка над собой и всем, что он излагает. Такое вскрытие смысла кладет дополнительный оттенок на последующую в тексте покупку, с чего и начинается изложение всех действий.

«я сделал» — выражение категорически активного начала и принятие полной ответственности за сделанное.

Да — вот так примерно раскручивается одна неслучайная фраза. Типа точечного радиосообщения, когда радиограмма сжимается раз в триста по времени и выстреливается с проткнувшей воду антенны кратким и незначащим для непосвященного писком. А кто знал время и частоту — примет и раскрутит. А что?

стр. 6
Заработанные лекциями деньги сунул в свою книжку...

Лекции по современной русской прозе автор читал в университете Оденсе весной 1992 года. Платили в долларовом исчислении полторы сотни за академическую

71

пару, и по масштабам того нищего времени я приподнялся, рассчитывая прожить год безбедно. *«Книжку»* — сборник рассказов «Разбиватель сердец», вышедший в Таллинне, изд. «Ээсти раамат», 1988 г.

Но зачем деньги совать в книжку, что за неуклюжая аллегория писательского труда?! Или намек на то, что я давал взятку журналистке за то, что она меня печатала и про меня писала?..

Дело в том, что в копенгагенском метро можно спокойно ездить без билетов, вход-выход на станцию и в вагон свободный. Но раз-другой в месяц проходит кампания по контролю — и тогда можно налететь на штраф долларов в двести. Контроль работает так: вот двери уже закрываются — и вот в каждой двери вырастает по ревизору, и предпринять ничего уже нельзя, и драпать поздно.

В последний день своего пребывания в Копене я опаздывал из пригородного района, где жил, в центр: а поезд ходит раз в двадцать минут. Вскочив в последний миг с разбега, я не успел прокомпостировать в станционном автомате свой проездной на двадцать поездок — еще штук шесть у меня оставалось! Но без компостера проездной недействителен. (Отдельно мой билет на три зоны стоил бы тогда восемнадцать крон — три доллара: вот цена моего невольного мелкого жульничества.)

И сев, я шкурой почувствовал: будет облава. И опаздывать на встречу нельзя — ехать надо! Такси?! я не миллионер, да я вообще еще нищий совок. Штраф?! Да это месяц-полтора жизни всей семьей. Ну и спрятал деньги как мог — в книжку, а книжку — в глубину портфеля. Оставил в кошельке полста крон мелочью. И с преувеличенным вниманием тупого туриста углубился в изучение плана города.

Третья станция — и контроль пошел!!! Вместо паспорта я показал писательский билет: уже эстонский, серый с серебром, дружественной латиницей. На гнусавом английском запел о своих лекциях, вымогая снисхождение. И совал в глаза свой незакомпостированный проездной. И беспомощно раскрывал нищий кошелек.

Датские ревизоры безжалостны. Все уловки иммигрантов набили им оскомину. С ледяным равнодушием он кончиками пальцев взял мою писательскую корочку, достал из планшета квитанцию и списал на нее номер, выписав под ним сумму штрафа. Жаба задушила меня: я побледнел и приготовился брать ноты фальцетом.

Мне сунули квитанцию. Я долго осознавал цифру. Ревизор виновато улыбнулся. Когда до меня дошло, я поборол желание поцеловать его непосредственно в лицо. С меня хотели содрать всего 36 крон — стоимость проезда в оба конца! В умилении я перечислил все известные мне благодарственные выражения и рассыпал мелочь по полу. Мы собрали ее вдвоем и расстались горячими друзьями.

Квитанцию я упрятал в бумажник — она служила теперь законным билетом и свидетельством моего законопослушания. Сойдя на своей станции, я на радостях употребил восемь из оставшихся мелочью двенадцати крон на бутылочку несравненного карлсбергского портера. Этот портер, кроме высоких вкусовых качеств, отличается редкостным КПД. Особенно натощак под пару сигарет. Я был восхищен своей удачливостью. Я был богат, сметлив и расторопен!

Ну и — факт закладки денег в книжку оказался начисто вытеснен из оперативной памяти...

(Становится ли теперь понятно, чем были набиты первоначально 250 страниц романа? Да их могло быть 2500 — легко.)

стр. 6
...подарил журналистке...

Мария Тетцлав — известная датская переводчица с русского и эссеистка. Рост, юмор, энергетика, обязательность. Так может выглядеть перешагнувшая порог первой молодости валькирия, которой надоело летать над битвами, и она кончила университет.

стр. 6
...из газеты с трудновоспроизводимым названием...

«Векендависен» («Weekendavisen») — примерно «культурные события недели». Мария напечатала в ней две мои большие — в разворот — статьи о русской

73

культуре и литературе в проблематике того момента. За каждую мне с королевской обязательностью перевели по две тысячи крон — триста тридцать зеленых. Да я роскошествовал, как набоб! Естественно, даме причитались как минимум поцелуй с цветиками и кофе с рюмкой чего-нибудь. Я цвел и шиковал!

стр. 6
...полторы тысячи крон...

Шесть датских крон равнялись тогда одному доллару. Следует учесть, что социалистические страны Северной Европы очень дороги — разве что Швейцария и Япония дороже. Тридцать крон стоила тогда пачка сигарет, а от цен на водку глаза лезли на лоб еще до употребления.

стр. 6
...«Сезам, откройся!»

Приказ тайной пещере, укрывавшей посвященных и несметные сокровища в восточной сказке «Али-баба и сорок разбойников». Характерный намек на неуместное вываливание тайн и сокровищ своей жизни, хранящихся под скромной оболочкой, на обозрение малоподготовленных читателей.

стр. 6
...фотоаппарат прыгнул из него в канал...

Естественно прочитывается как то, что объективное отражение действительности кануло в текучую воду, в которую нельзя войти дважды — тем более что это чужая вода, заграничная: не будет вам выдачи из души никакой объективности, нету ее там: фотографическое отображение реальности исключается с самого начала. Вроде это все и документальное фотографирование — а вроде одновременно и нет: фототекст не является таковым.

стр. 6
Ненавижу Венецию.

Фигура усилительно-ироническая. Ну разумеется же ни один русский не может ненавидеть Венецию, которая есть для него по определению символ далекого, прекрасного, светского и высококультурного,— шедевр духа, одним словом: эстетическая программа. Тем более если кто конкретно чуть разбирается в архитектуре, истории и вообще европейской культуре. Налицо что? Отрицание культового знака и снижение его посредством насмешки над личной бытовой деталью. Отрицание «ах-Венеции» снобистской традиции конформистов — паракультурного стада: мира телешоу кинофестивалей, высокопарного упокоения поэта-нобелевца, у которого чту чудную строку: «Лучший вид на этот город, если сесть в бомбардировщик». Умело и популярно одарил весь этот ансамбль памятником Казанове Михаил Шемякин — о чем оповестили в свой час все российские средства массовой информации: разумно и скучно умолчав, однако, что через месяц шемякинскую скульптуру городские власти задвинули с глаз подальше и навсегда, так что даже профессиональные гиды у Сан-Марко уже не могут осветить ее существование. Скромнее надо быть, господа.

стр. 6
Продавщица сломала ноготь...

У советских собственная гордость, по удачному выражению Маяковского. Настроение типа: я вам когти-то пообломаю. И насчет «моих любимых чисел». Число правит миром, учил Пифагор, и число есть Бог. Замучатся продавщицы управлять моим миром и всучивать мне своего Бога за презренный металл. Не по когтям им «наших душ золотые россыпи»,— понял-нет? А любимые числа — это номер дома и квартиры одной старой знакомой, я их всю жизнь выставляю на автоматических камерах хранения.

стр. 6
«...мои любимые числа».

И возникает такая аллегория, что первая любовь хранит как на замке все мое добро в бесконечных странствиях по миру, и никому не известны знаки, посредством которых можно эти сокровища открыть, и вспоминаешь на всех вокзалах мира старую улочку, и дребезжащий трамвай, и стандартную пятиэтажку серого силикатного кирпича, три окна на четвертом этаже, звонок у деревянной стандартной двери коричневого казенного цвета, и сейчас раздадутся шаги, и голос, и куда бы ты ни приезжал — ты вновь обнаруживаешь себя в параллельном мире, где время не движется, юность вечна, вся жизнь впереди... я вам покажу когтями трогать лакированными, дешевые наймиты мирового капитала!

стр. 6
...достал бумажник
и показал ей, что там
пусто.

Эта тема денег и бедности проходит необходимой нитью через все повествование о литературной жизни и эмиграции; жизнь, такова жизнь... И одновременно — тема непродажности: нельзя купить того, кто все равно всегда окажется нищ; и не получается подсунуть ему эрзацы в прогорающей лавке современной цивилизации.

стр. 6
...викинги перед дракой
нагрызались мухоморов.

Конечно, это упрощение и поверхностность с оттенком околонаучной сплетни. Но именно тогда, когда происходила вся эта история, пика достигла слава Льва Гумилева, блестящего и гениального компилятора, мономана и подтасовщика истории: он родил идею, и она единая владела им неотрывно — так и создаются теории. Из знаменитого сочинения «Этногенез и биосфера Земли» заимствовано и это сомнительное утверждение: ирония иронией — но и здесь выражен дух эпохи: уж и понять, глядя на нынешних датчан, вымирающих с исповедью либеральной идеи, как тысячу лет назад даны ставили на меч пол-Европы и заставляли дрожать мир.

стр. 7
Редакцию все давно
покинули.

Пару потомков этих данов я все же достал заполночь в редакции, звоня и стуча до тех пор, пока на шум не пришли две девушки-полицейских, обрадовавшись развлечению. Втроем мы вскрыли подъезд, как банку с кильками, причем килек заставили самих открыть изнутри свою банку.

То был очаровательный крохотный сюжет. Ночной редактор с охранником накачались пивом как шарики. На вопрос о Марии они весело и вразумительно сообщили, что бордель через два квартала. О книге — что книжный магазин через три дома, но сейчас уже закрыт, а они книгами не торгуют. О деньгах — что они не уполномочены выдавать деньги посетителям, тем более неизвестным, иностранным и, опять же, ночью. Полицейские были в восторге от их логики.

Когда я сумел объяснить, что это я дал Марии деньги, они тут же предложили дать и им по стольку же, выразив надежду, что я не гетеросексуальный шовинист. Они оттягивались по полной. И сказали, что я лучший автор в истории редакции — сам несет деньги, причем по отличной ставке.

Потом они вскрыли кабинет, письменный стол, извлекли мою книжку, проверили деньги и торжественно вручили мне, взяв обещание приезжать почаще и носить денег побольше. Потом я остался с ними пить пиво. Потом мне объяснили, где бензоколонка, на которой в магазинчике работает румын, у которого можно купить контрабандную водку — и я ушел, и нашел, и пришел обратно. Не знаю, как сейчас, а тогда это была отличная газета.

стр. 7
Журналистка отправилась проводить уик-энд на яхте.

Мне неизвестен журналист, даже американский, имеющий собственную яхту. Стало быть, пользоваться можно лишь яхтой друзей — богатых друзей. Одна из характерных особенностей профессии журналиста — возможность связей в мире сильных: и снобизм (милое простительное тщеславие) упоминать о высоком уровне своего вращения: не следил ведь я за ней — сама сказала насчет яхты (зачем? кого интересовало? а чтоб знал, между прочим, с кем дело имею). Семья? дети? уровень амбиций? удачные и неудачные любовные связи? Несостоявшаяся девичья мечта о муже-капитане и океанских ветрах? Простейший социопсихологический анализ любой фразы развертывает ее в обширное полотно.

стр. 7
...«Торпедоносцы»...

Емким и напрасно забытым полотном режиссера Семена Ароновича был этот фильм. «Ленфильм», 1982. Родион Нахапетов был еще стопроцентно советским актером, никуда не уезжал и играл главного героя, командира экипажа. Уже в горящем самолете, заходя в последнюю атаку на немецкий крейсер, непримиримо и зло констатирует: «Будем карать гадов!..»

стр. 7
Пароход у меня уходил...

Уж не знаю, как я покарал бы свой корабль, если бы опоздал на него.

Билет на самолет Таллинн—Копенгаген стоил долларов четыреста, и их у меня тогда, естественно, не было. А билет на грузовой паром в два конца стоил меньше сотни — если ты ехал без машины, занимая лишь место в каюте для пассажиров: таких мест всего двадцать четыре, и заказывать надо было за полгода. Паромная линия Таллинн—Хельсинки—Орхус—Копенгаген существовала много лет, пока в конце девяностых ее не сняли за падением грузоперевозок и нерентабельностью. Небольшие (порядка 5000 тонн) грузовики ро-ро, авто- и контейнеровозы, выдерживали расписание с четкостью трансатлантических линий и предоставляли скромный комфорт: каюта на двоих, питание за столом команды четырехразовое и качественное, западные боевики по видику, а они тогда были отнюдь не у всех,— трое суток морского круиза. А еще можно было у второго помощника — секонда, грузового — одолжить в судовой канцелярии лишнюю пишущую машинку, пристроить ее на столик в каюте и выстукивать статьи до полного самоудовлетворения. А еще можно было с прихваченной с берега бутылкой зайти вечером к кому из комсостава и слушать разные морские истории. Ты постепенно въезжал в специфику, в ритуал, в моряцкую жизнь — дорога обретала смысл и наполнялась информацией. По лицам буфетчицы и уборщицы, когда все входили в кают-компанию на кормежку, ты вскоре понимал, кто с кем спит в рейсе, и кто за кого больше держится.

стр. 7
...через наш банк получишь лишь соболезнование о валютных трудностях.

Больше всего держались, естественно, за деньги и открытые визы. А держаться за деньги в то время как раз стало особенно трудно. Если о частности — еще в 91-м, с началом реформ в России, СовВнешторгбанк заморозил все валютные вклады всех видов и форм счетов. Среди прочих граждан были ограблены и литераторы, которые были обязаны держать в этом банке все гонорары от зарубежных изданий, переведенные ВААПом через Москву. Кто не знает: ВААП — это была Всесоюзная Ассоциация Авторских Прав, и официально все отношения сов. писателя с загран. издателем должны были строиться только через ВААП. Налог с гонорара в пользу государства он взимал от 90 до 97% — чтоб нынешние налогоплательщики усовестились и не плакали. Хотите увлекательнейшую книгу про то, как совписы боролись с ВААПом? Нет ничего проще! Как переправляли за кордон с оказией распоряжения оставить все деньги в западном банке, открыв счет на доверенное лицо, или пожертвовать фиктивно в какой-то благотворительный фонд, или скрутить сумму в черный нал и ввезти контрабандой или хорошими вещами в Союз, и т.д., и т.п. Вспомнишь — вздрогнешь — и любое слово рассыпается на песчинки, и при ближайшем рассмотрении из этих песчинок выстраивается самостоятельный роман, имеющий тенденцию стать бесконечным, каковы и есть свойства нашего познания.

Что характерно — конкретности этому нашему бесконечному познанию иногда ну совершенно же не нужны. Ну вот я открою: Анна Голубева, выпускница филфака МГУ, в 95-м вернулась в Москву. Нужна кому эта справка? На хрен не нужна. Но, во-первых, если уж давать справки — то по всему тексту, иначе можно проколоться при отборе и упустить именно то, что имеет значение. Во-вторых — каждая справка тут же норовит, как расколовшийся при попадании корпус вакуумной бомбы, заполнить стремительно расширяющимся составом своего содержимого весь имеющийся объем пространства. Сравнение не слишком громоздкое, вы вытягиваете? Тут же вспоминаешь ее голос, интонации, взгляд, внешность, судьбу, жизнь, как была одета, вспоминаешь

стр. 7
...к московской знакомой, недавней эмигрантке.

79

степень энергетики, исходящей от человека, по которой почти всегда можешь определить его прошлое и будущее в общих чертах и степень его удачливости; вспоминаешь, как попытался сделать угрожающий выпад в твою сторону чернокожий нарк в агрессии между кайфом, попавшись навстречу на мосту через канал, когда ты шел к ней в гости, и как он споткнулся об выражение твоего лица, потому что по нашему разумению, тертому крутыми парнями в родных подворотнях, негр днем в Дании никак не может быть опасен, а если дернется, надо вырвать ему кадык и мошонку: в тебе срабатывает государственно-расовый комплекс превосходства, и вместо потенциальной жертвы встречный друган ощущает потенциального своего убийцу, и сразу делается милым парнем, занятым собственными делами — — — и отсюда есть ход об иммиграции из третьего мира, захлестнувшей сверхгуманную Данию, а это может быть огромный роман-эпопея о возмездии за эксплуатацию черной расы, о старении наций, о самоубийстве цивилизации, о трагедии и фарсе межрасовых браков старых времен и нынешних, обычных, о сексуальных взаимоотношениях и вожделениях рас и о снижении рождаемости — — — а может быть роман на обычную тему одиночества эмигранта в благополучной, но чужой стране — — — или о том, что Москва — это навсегда, и расползаясь по миру мы расширяем границы нашего города и натягиваем их на глобус, как чулок — — — и так далее. Не дайте мне ни единого слова — и это будет роман о муках отсутствия слова и невозможности выразить все, что переполняет человека.

Понятно ли теперь, почему в моем романе было много страниц, а могло быть сколь угодно много?..

И когда слов нет, а водка есть, переполняющийся и переполняемый избытком либо недостатком (и недостатком можно переполняться и мучиться) мыслей и чувств человек пьет, и мычит, и стукает по столу, и выпытывает истомно: «Ты меня уважаешь?» — то есть: «Ты понимаешь, что внутри я

стр. 7
...выпили водки...

хороший, добрый, умный, тонкий, достойный, незаслуженно страдающий, заслуживающий лучшей и большей доли? Ты оцениваешь благо общаться со мной, тебе со мной интересно, правда? Я сильный, я могу быть хорошим надежным другом, ты меня цени, пожалуйста! Мне просто очень нужно, чтобы меня видели и понимали вот таким, а то ведь в жизни одна суета и бытовуха заедает, ежедневная круговерть, сам знаешь... Ты меня увидел? почувствовал? понял?» Вот, вкратце, что значит русский вопрос: «Ты меня уважаешь?». Мы с моей знакомой уважали друг друга.

Выпивка было дорога, зато закуска дешева. А хотите сагу о банане? А лучше — несколько саг?

стр. 7
...закусили бананом...

Сага первая: ностальгическая, советская, нищая, драматическая. Бананы стоили рубль сорок за килограмм — всегда и везде рубль сорок, десятилетия подряд. Но десятилетия — это если охватывать весь период, а конкретно — они бывали раз в год. Всегда в августе. Вот раз в год, в то время, когда птицы ставят птенцов на крыло и первые желтые листья появляются на деревьях — в гастрономах и на лотках появлялись бананы. Это продолжалось несколько дней. Словно в Союз приходил один гигантский бананово́з. Нервные многослойные очереди выстраивались и ревниво прикидывали количество товара в раскладку на тех, кто стоит перед тобой: хватит ли. Я помню свои два банана семьдесят второго года: вторую неделю я работал грузчиком на Московской товарной в Питере, еще не втянулся, колени к концу смены дрожали, переворачивали по сорок тонн в смену в среднем, сдельщина, за тонну платили двадцать две копейки, я вышел с ночной смены и увидел бананы, отчаянно нищий, я знал, кого хочу хоть чем-то порадовать и побаловать, я стоял в очереди полтора часа, ненавидя очереди генетически, это была моя самая долгая в жизни очередь, а денег было пятьдесят копеек, и на них я сумел приобрести два банана среднего размера — я принес их гордо, как сейчас принес бы двухсотдолларовый коньяк и килограммовый берестяной бочоночек черной икры, сел на стул и заснул от усталости, а надо мной посмеялись, потому что на столе уже громоздилась желтая гроздь бананов в семь. А можно и веселую сагу: как в том же Копенгагене я покупал на обед банан и бутылку портера — портер я потом пил на лавочке через сигарету (через затяжку, если кто тупой вздумает понять буквально) и ловил кайф, а бананом сначала утолял голод, но жрать его публично как-то стеснялся, голодранец «туристо-совьетико», так я спускался в подземку, находил место на скамейке, раскрывал книгу и съедал его как бы незаметно от самого себя, ну как бы непринужденно так, от нечего делать, по рассеяности; а лавочки там в метро двухсторонние, и вот за спинкой, за своим затылком, я вдруг слышу: «Ну? Видишь, эти датчане тоже жрут везде свои бананы, а ты стеснялась. На!». Не в силах отказать себе в удовольствии, я обернулся, посмотрел на молодую нашу пару, делая «иностранное лицо» — они замедлились в позе готовности к укусу своих бананов и напряглись — и успокоил по-русски: «Кушайте-кушайте, молодые люди, кефир очень полезен для здоровья!» — они еще секунд десять вспоминали, какие движения нужно сделать, чтобы наконец укусить бананы, и глаза у них были такие, словно по-русски заговорила непосредственно скамейка... но можно и третью сагу: о том, что в жаркую погоду нет лучшей закуски к плохому резкому коньяку, как именно банан, причем мягкий, чуть переспелый, он нежно обволакивает рот и смягчает резкость пойла... а сколько еще есть употреблений банана! а анекдоты? а закусить бананом как эвфемизм? алкоголь перед сексом и секс как последнее прибежище одиноких душ — роман! еще роман!

стр. 7
Одна из образцовых...

Шекспир, «Гамлет», «Весь мир тюрьма, и Дания — одна из образцовых», акт и сцену указывать незачем, перевод все равно чей, а значит это лишь то, что действие вовсе не от не фиг делать происходит в Дании, толстый намек на тонкие обстоятельства. Все мы, мол, торчим в тюрьме собственной судьбы, колпак папы Мюллера тебе заместо свободы, имя загран. замка — Эльсинор.

стр. 7
Александр Кабаков

А как можно (можно зачем) не посвятить отдельного романа Александру Абрамовичу Кабакову, писателю и человеку? Во-первых, бывший чемпион Украины по фехтованию. Во-вторых, стопроцентный стиляга шестидесятых, тонкий ценитель и знаток того стиля. В-третьих, не недоумок-гуманитар, а приличный инженер элитного технического института. В-четвертых, пьет как боевой конь и эту репутацию тактично культивирует. После первой выпивки при знакомстве в «Московских новостях» я отбомбился в лестничный пролет, как Б-25 с пикирования, а он всего лишь выпалил в форточку из газового кольта-«питон». В-пятых, обладатель тяжелого бархатно-металлического баритона, от природы поставленного на зависть многим высокооплачиваемым теледикторам. Ироничный мачо.

стр. 7
«Сочинитель»

Его роман «Сочинитель», впервые опубликованный в 91-м году, был крут и чист, хотя не снискал такой славы, как «Невозвращенец» в 89-м. Оглушительный успех «Невозвращенца» сделал Кабакова, уже сорокашестилетнего, знаменитым в одночасье: классика бестселлера, попадание в центр десятки, бритвенный срез всех грядущих проблем зловещей эпохи перемен. При объеме всего в 50 страниц! За год он был переведен на 30 языков. Разбогатевший Кабаков нес свою славу с редкостным тактом и небрежной иронией, но одним из светских львов Москвы остался навсегда.

стр. 7
Случайно, стало быть,
на ноже карманном...

Другого светского льва звали Александр Блок, естественно: «Случайно на ноже карманном найди пылинку дальних стран — и мир опять предстанет странным, окутанным в цветной туман». Это стояло эпиграфом. При первой публикации, в журнале «Знамя», меня мягко и вежливо попросили эпиграф снять. Зачем — я так и не понял. Может быть потому, что известные стихи Блока — это банально? Или Блок на тот момент был не в моде? И сейчас не знаю. Ну, снял. Убрал в текст. Так и переиздаю. По инерции. Вроде как Тернеру повесили пейзаж вверх ногами. Посмотрел он, хмыкнул и сказал: а черт с ним, оставьте, так даже лучше. А первую строку цитировать не буду, и все стихотворение не буду: кому надо — сам помнит и понимает, что к чему, кто не помнит — и не надо, а захочет — пусть возьмет с полки Блока и перечтет: справка существует для разъяснения, а не для поощрения серости и лени. И так развелось плебеев выше крыши, и все норовят иметь литературное мнение, черпая его из масс-медиа. И вечный бой, покой нам только снится, только скажет: прощай, воротись ко мне, и опять по траве колокольчик звенит...

стр. 7
Этот ножик...

И вызванивает роман о ноже — а какое хорошее название: «Роман о ноже»! Тот ножик я давно потерял — забыл в гостинице вместе еще с кучкой походно-хозяйственной мелочи. Честно говоря, толку с него было немного: пинцетик сломался, зубочистка затупилась, пилить пилкой было нечего, а хилое маленькое лезвие разболталось. Такие ножички на распродаже в Нью-Йорке, как я позже увидел, стоят 99 центов (китайские, понятно, а не натуральные швейцарские). А вот другой нож, потерянный вместе с этим, был классный, и я долго искал замену. Он был куплен двадцать лет назад в обычном магазине города Могилева. За два рубля семнадцать копеек. Накладки ручки были из так себе синей пластмассы и изображали попугая — с длинным, чуть гнутым хвостом. А вот девяти с половиной сантиметровое лезвие имело толстую спинку, опускавшуюся и утончающуюся к острию под финку, и жало держало исключительно — я не точил его ни разу, используя для всего: с равной легкостью он рассекал свежую булку, стругал дерево и резал консервную жесть. Сталь-то была оружейникам понятная: рессорная, 65Г. Сделан он был цехом ширпотреба Могилевского завода ПТО — подъемно-транспортного оборудования, а завод принадлежал Министерству среднего машиностроения — то есть оборонного. Там делали ракетные тягачи. А ТУ (технические условия) на оборонных

84

предприятиях выдерживали жестко, военпреды бдили, и эта твердая марганцевая сталь, прокованная пусть паровым, но кузнечным молотом, шла под клинки отменно. Нож имел хороший прочный фиксатор, отчетливым щелчком отмечавший постановку раскладного лезвия в рабочее положение. Позднее я узнал, что он в точности копировал испанскую наваху самого популярного размера, только рукоятки у тех делаются обычно деревянными с латунным хвостовиком. Я долго искал замену потере, пока не нашел такую, уже в конце девяностых, в оружейном магазине на Невском — за тридцать долларов. Если прибавить истории про фамильный офицерский кортик с императорским вензелем, принадлежавший еще моему прадеду; про огромный «выживальник» типа «рэмбо» с клином формы классического «боуи», который я волок через две границы; про копеечный кухонный, используемый в скотоперегоне и наточенный на камнях до бритвенности, который я возил в сапоге и, нарезая как-то для закуски жареное мясо прямо на собственной ляжке, в эту ляжку и всадил (алкогольная анестезия); про подаренный читателем в Бостоне натуральный «бак»... интересный мог бы выйти на любителя трактат о ножах и о том, что ими резалось, как, где и почему.

Но читателей, как естественно выяснилось, гораздо больше задело, как, где и почему упомянул я в этом скромном и кратком

своем сочинении Довлатова. И это требует отдельного, отдельного объяснения. «Вы взялись играть на его территории, а ведь Довлатов уже классик»,— предостерегла критик Наталья Иванова, замглавного журнала «Знамя», когда там взяли роман к публикации и, опять же с колес, вкатили в идущий номер: перед 8 Марта я привез рукопись — в июньском номере ее опубликовали.

А дело, стало быть, так было.

Много лет в голове у меня вертелись разные разности типа мыслей о литературе и окрестностях, подогреваемые нормальным желанием их высказать. Но собрать их до кучи в мемуар и озаглавить его «Жизнь и размышления» — что я, Бисмарк, что ли. Нормальный беллетрист стремится все свои материалы нанизать на нечто в роде сюжета. Нить мне нужна была, проволока для флажков, несущая конструкция для разнородных грузов. И практически не существовавшие, виртуально-паутинные отношения с другим писателем представились мне удобной, призрачно-вариабельной нитью для навески на нее всего на свете обо всем на свете. То есть: Довлатов здесь — фигура совершенно условная, выполняющая служебную функцию: объединение мозаичного материала, собранного на ассоциативной основе. Только для этого мне нужны были упоминания о нем.

Еще Жозеф Ренан отметил: «Если среди трехсот слов на странице писатель один раз употребит слово „.....“, то читатель заметит только это слово». Так и произошло. Ренан был приличный филолог и понимал в психологии стиля. За небольшим исключением высоколобых (не по социальному статусу, а по высоте лба), читатели восприняли однозначно так, что это роман про Довлатова. Намерения автора при объективации результата никого не интересуют.

Озадаченный неожиданными отзывами автор взял в конце концов бумажку и карандаш и стал просчитывать собственное сочинение: какая часть его посвящена Довлатову и вообще содержит какие-либо упоминания о нем. Я пересчитал дважды, и у меня получилось 14,8%. Шесть седьмых текста и вовсе не имеют к этому вопросу никакого отношения. Вообще и категорически о другом.

Несколько внешних — и заочных — точек совпадения наших судеб носили случайный характер в жестко простроенной эпохе и не имели никакого значения ни для него, ни для меня. Только на посторонний и непосвященный взгляд они проецируются на одну плоскость и могут вызвать мысль о какой-то общности. Сотни людей писали и не печатались в Ленинграде, сотни тысяч русских жили в Таллине, массе народу свойственна ироничность речи.

Вот ироничность и сыграла здесь дурацкую шутку. На читательской встрече в Государственной библиотеке, бывшей Ленина, интеллигентная дама спросила: «А вам не страшно так саморазоблачаться перед читателем?» Не в лучшем свете, значит, вы сами себя выставляете. Я несколько растерялся и сумел ответить лишь в том духе, что отзываться в невыгодном свете о себе и в противовес в выгодном свете о другом — не более чем признак приличного тона и элементарного воспитания. Я всегда завистливо презирал умельцев, тактично и ненавязчиво ухитряющихся демонстрировать свою значительность и весомость в как бы нейтральных мелочах: плебейство! Надо быть доном Гарсиа, чтобы небрежно предложить Жуану, выкидывая на пирушку полугодовое содержание: «Если у вас нет лучших планов на вечер, не согласитесь ли скрасить мое одиночество и отведать сносного винца в одном заурядном кабачке»,— и выкатить все лучшее и дорогое. Убедившись в наивном плебействе мэтра Котара, Вюрдерен по совету жены дарит ему на день рождения перстень с фальшивым бриллиантом — и всячески подчеркивает, что это крайне ценный подарок: одариваемый счастлив. Тоньше он не понимает. Сегодня мэтр Котар формирует общественное мнение. Я-то, балда, пребывал под влиянием той сентенции, что «Умение смеяться над собой — признак благородства. Серьезное восприятие самоиронии другого — признак душевной тупости».

Сколько-нибудь порядочный человек воздает должное оппоненту, морально возвышая его над собой. Воспринимать эту позицию в лоб за чистую монету — удел нравственно искалеченных. Я думаю так, сказал Винни-Пух.

Сотни отказных рецензий получил Довлатов в СССР. И только один рецензент, тогдашний салага-практикант, помянул это публично и покаянно. Хвороста ему подбросьте, святые души!

У успеха много отцов — и много публикаторов Довлатова в России с достойной скромностью отмечали свои заслуги. Я напечатал его действительно первым в еще СССР — сказав, что я здесь в общем и ни при чем, как единственно и может отозваться о себе не жлоб. А, ну так и ни при чем, сам говорит.

Честный человек отличается от фарисея тем, что говорит о мертвом как о живом — а фарисеям обычно говорить о живом, как о мертвом. Если кто для тебя что-то значил — ты всегда говоришь о нем, как о живом: но это непонятно приверженцам погребальных церемоний.

Это я ходил нищим по тем же ленинградским улицам. Я бился лбом в те же стены. И это я при вести об его смерти встал и выпил молча, а не ты, дарлинг. Тебе понятна лишь слава мифа — и ты ревниво и болезненно оберегаешь один из мифов в своей голове: отклонения от мифа царапают нервные клетки в твоей голове, где этот миф хранится, а человека ты не знал и знать его тебе не хочется. Какая на хрен правда и ирония, не троньте мои представления о мире! Вы говорите не то, что полагаю я? — да вы просто считаете меня дураком, милейший! вы покушаетесь на мою умственную состоятельность! — вы злонамеренный хам! — — Вот нормальная реакция простодушного плебея, уважающего себя за умение читать.

«Хотите знать правду, какой она живет в моей душе?» — спросил старик Катаев, и читатель получил кристально чистое письмо «Алмазный мой венец». «Ну и говно же, оказывается, этот Катаев»,— приговорил читатель. Его мало интересует правда — его волнует приросший к мозгу миф, разрывающий ум, как баобаб — крошечную планету. Если правда противоречит мифу — виноват носитель правды.

Того, кто обнаруживает изъян на портрете, обвиняют в том, что это он изъян и нанес. Пока не видели — вроде и не было. Издатель Захаров, руководствуясь движущей идеей бизнеса, издал переписку Довлатова с Ефимовым. Правовую сторону оставим на совести издателя и правоведов. Не об том спич. Довлатов предстает в своих письмах человеком усталым, грустным, едким, порой ядовитым и желчным, порой сомнительно справедливым — битым жизнью и не сильно здоровым и счастливым. Что же читательский приговор? Экая скотина Захаров, какую гадскую книгу издал. Нет чтобы: несчастье своей жизни автор писем носил в основном в себе, как обычно и бывает, и тяжело жил, и другим с ним несладко приходилось, и полно пятен на любом солнце, и не так-то все просто и однозначно. Фиг! «Как вы смеете показывать его с такой стороны!!! Ну и что, что сам писал эти письма — а показывать это публике — хамство».

Господи, как печально иногда жить среди дураков, уверенных в своем статусе умных...

Я люблю роскошь и живу в ней. «Мерседес» — это ведь просто качественная консервная банка с конвейера, доступная любому, кто хапнул бабок. Думать правду и говорить правду — это роскошь штучная. Штучно признаюсь: я презираю быдло. Быдло — это не те, у кого жидко меблирован чердак. У каждого своя работа и свои представления о жизни. Быдло — это те, кто укомплектовал свои извилины заемными представлениями о том в частности, что есть культура, и белесой ненавистью ненавидят тех, кто смеет думать иначе. Быдло — это верхний срез массокульта, ревниво полагающий себя элитой и отрицающий возможность инакомыслящей элиты. Они думают, что любят Пушкина, но именно их Пушкин и называл чернью, а не крепостных без культуртрегерских амбиций. Быдло — это те, кто колеблется вместе с генеральной линией, пусть это не политическая, а общественно-эстетическая генеральная линия.

Я достаточно уверен в себе, чтоб любить над собой смеяться. Я достаточно презираю общественное мнение, чтобы не лгать ему. Достаточно, если поймут немногие. Достаточно, если один. Достаточно, если ни одного. Господь поймет, а остальные не важны.

Я пишу эту книгу для остальных. Ставлю такой опыт — единожды. Я намеренно и сознательно изобразил себя как бы проигравшим виртуальный и вымышленный поединок, которого не было. Я не ожидал такого эффекта, сознаюсь,— быть простодушно принятым за завистливого идиота, который подает эдакое всерьез. Я всего лишь живописал еще одни страдания неюного Вертера, уже написанные (отсыл на страницу назад к абзацу про Катаева).

Зная, что на том свете мы выпьем наконец с Довлатовым и посмеемся много над кем, злословя всласть,— мне будет чуть-чуть не так грустно умирать.

...Итак, итак: все это лишь к удобству «витой композиции» высказываний и оценок литературного и эмигрантского процессов эпохи распада СССР.

стр. 7
В таллинском журнале
«Радуга»...

Перед агонией наступает оживление: именно этот период распада назывался «перестройкой». Среди стремительно возникающих изданий появился и эстонский журнальчик «Vikerkaar» вместе со своим систер-шипом «Радуга» — она была на 60% переводом эстонского первородного брата, на 40% оригинально-самостоятельная: выходила с конца 86 года. Выходит и поныне — на госдотацию, тиражом в сто раз меньше, чем в апогее, что свойственно ныне всем постсоветским литературным журналам. Штук четыреста — а было под сорок тысяч. В №1 за 89 год там впервые в СССР был опубликован Довлатов: рассказы «Марш одиноких» и «Поединок». Шлепнуть больше не дозволял объем, отведенный русской беллетристике.

стр. 7
Редакция была дамская...

А работали в нем Алла Каллас, Вера Прохорова, Татьяна Теппе, Марина Тервонен, Ирина Шарова — и по средам восседал в этом цветнике ваш покорный слуга, снедаемый жаждой сеять наиболее разумное и вечное из всего, что становилось возможным с каждым месяцем все свободнее. Весело жили!

стр. 8
...качества дешевых
китайских товаров.

Духовное веселье, согласно одному из законов природы, сопровождалось стремительным материальным обнищанием: из магазинов исчезало решительно все! Чай, мыло, масло, сигареты — а там дошло и до хлеба. Ввели ведь карточки! — в ЖЭКах отрезали от простынь напечатанных талонов месячную норму покупок на продукты, но отоварить те талоны не шибко удавалось. Не забыли? Чудный сюжет эпохи: заходим с приятелем в бар хлопнуть по рюмке. Водки нет, коньяку тоже нет, и вина нет, а есть только напиток «Тархун» — зеленый, как зеленка, в бутылочках из-под пепси-колы, ядовитостью в сорок градусов. Нет орешков, нет бутербродов, нет конфет и шоколада, пирожных тоже нет; а слово «оливки» было тогда еще метафорой из древнегреческой истории. Зато есть мыло. Хорошее и даже знаменитое французское мыло «Пальмолив». Я до этого читал его название только в книге Белля «Город знакомых лиц». А мыла, естественно, тоже нигде не было. Берем мы по рюмке и еще хотим кусков по шесть мыла — мыться, впрок. Э, не, говорит барменша. Мыло только по одному куску на руки. И только тем, кто берет выпить. Дала по куску к рюмке. Хватили мы «Тархуна»: логично, только мылом его и закусывать. Засолили сигареткой. Берем еще по пятьдесят — и два куска мыла. Когда мы в четвертый раз огласили заказ: два по пятьдесят и два мыла — с барменшей сделались колики — хорошо закусывают мужики! Естественно, в атмосфере этого позднесоветского изобилия все заграничное представлялось еще лучшим, чем раньше. А старый, 60-х годов, китайский импорт помнился: качество было вечным, хлопок — неснашиваемым, термоса — герметичными, авторучки — действительно самопишущими. Так что марка «Made in China» выглядела на наш взгляд очень надежно и даже респектабельно. А еще немного, еще чуть-чуть — и повезли народившиеся «челноки» одноразовые кроссовки и саморазваливающиеся игрушки. Шагающие в ногу с переменами китайцы правильно поняли рыночную конъюнктуру и дали партнеру именно то качество, которое он согласился потреблять.

А как мы когда-то любили китайцев!

стр. 8
...воробья, истребленного рисоводческим кооперативом.

В конце 50-х, период отчаянной советско-китайской дружбы навек, наша пресса под фанфары превозносила успехи китайцев во всенародной борьбе за подъем и расцвет всенародного хозяйства, воспевала «Большой Скачок», когда чугун предписали плавить в каждом деревенском дворе по старофольклорной технологии (потом эти шедевры металлургии меланхолично зарывали в могильники, пока не купили технологию переплавки), и в числе прочих коммунистических достижений великого восточного соседа журналисты восторгались массовой борьбой с воробьями, чтоб эти суки не расклевывали народный рис с народных полей: и публиковали выкладки, какие это горы центнеров и тонн расхищают птицы, и сколько трудящихся можно прокормить заместо бесполезных пернатых. Выбирая между китайцем и воробьем, мы безоговорочно поддерживали китайцев; а движения «зеленых» тогда еще не было, хватало и желтых выше крыши. Еще не факт, что китайцев в Китае намного меньше, чем воробьев, и воюя с ними за свою пайку риса, они их гоняли (китайцы — воробьев), не давая сесть, пока не выдержавшие такого социалистического соревнования в выносливости птички не падали на землю обессиленными, без поддержки коммунистической идеологии, поддерживавшей их врагов: тут-то их и приканчивали (китайцы — воробьев). «Пионерская правда», тотальная подростковая газета той эпохи, была полна очерков типа следующего: «Пионер Ван Ли-чуй, желая участвовать в борьбе всего народа с вредителями, изготовил из побега бамбука лук, сам выстругал стрелы и стал тренироваться в меткости стрельбы, пока не научился без промаха попадать за двадцать шагов в маленькую дырочку в стене (нет, каков фрейдизм!). Тогда он приступил к планомерной охоте на воробьев, которой пионер посвящал все свободное от учебы в школе время. Вскоре Ван Ли-чуй уничтожил уже двести вредителей, и удостоился за это награды — Районный комитет пионерской организации отметил его инициативу Почетной грамотой. А когда счет юного снайпера достиг тысячи, правление кооператива премировало его мелкокалиберной винтовкой. Первого октября Ван Ли-чуй отправился в город и на деньги, заработанные на полевых работах, где он помогал взрослым выращивать рис, купил двадцать патронов. На обратном пути домой юный пионер убил еще двадцать воробьев». Драмы судеб и изломы эпохи громоздятся за каждой подобной деталью.

стр. 8
...скудоумных итальянцев
с примитивом их
линейно-геометрической
перспективы.

И если давать все эти детали в нормальном соотношении, то нормальный объем повествования разлезется на многие сотни страниц. На самом деле, конечно и общеизвестно, что изобретение и применение итальянскими художниками Ренессанса той перспективы, которая нам теперь кажется фотографически естественной и единственно «нормальней», было открытием, революцией, гениальным актом. Однако «итальянская» перспектива — лишь одна из многих существующих и возможных. Шутливо-уничижительный отзыв о ней — отражает в данном случае пренебрежение к «традиционной», «обычной и ясной» перспективе, то бишь композиции, в которой подается являемый материал в художественном произведении. Шкатулочно-витая, «компакт-эссенцированная» композиция, она же по сути перспектива времен и взглядов, в данном тексте позволяет скомпоновать вещь гораздо более емко и многозначно.

стр. 8
...«Собака на сене».

Взять хоть знаменитую пьесу Лопе де Вега. Разумеется, она не имеет никакого отношения к переделу территорий, обыгрывается лишь суть присловья, легшего в ее заголовок. Но телеверсия пьесы, созданная в СССР в конце семидесятых (парад звезд и песни Боярского), стала одним из культовых явлений и еще одной приметой эпохи.

стр. 8
...я жил на китайской
границе...

А за две эпохи до нее (сколько эпох я уже успел пережить!..), до застоя и до шестидесятых, отец служил в Забайкалье, на Маньчжурке, в самом уголке карты. Офицерская семья, гарнизонная жизнь: Борзя, Датсан, Хадабулак. Роман, ностальгический роман! Степь, сопки, песок, солнце: триста сорок солнечных дней в году. Плюс сорок днем в июле, минус сорок пять ночью в январе. Самая холодная сводка была — минус пятьдесят два. Холоднее сорока до четвертого класса не ходили в школу, но иногда ходили — а то неделями бы пришлось дома сидеть, а директор был суров, одноног, грозен, хотя и добр, Александр Павлович, инвалид войны, фиг его забудешь, до седьмого класса по приказу стриглись под ноль, «деревенские» дрались с «офицериками» после уроков, зимы бывали бесснежными, поверх мерзлого песка зимние бураны секли пылью, носили на улице защитные очки — токарные, типа старинных авиационных «консервов»: дерматиновая маскарадная маска с квадратными складными стеклами панорамой; два часа летом езды на велосипеде до стыка китайской и монгольской границ, граница полуусловна: поросшая степной травой шестиметровая КСП (пропаханная контрольно-следовая полоса), за ней — километра полтора нейтральной земли, весной и осенью на бесчисленных озерцах отдыхали и подкармливались с полей перелетные гуси, охота была знатная, десятками с пары-тройки зорек привозили — мясо плотное, без жира, незабываемый вкус дичи, клали на ледник и ели потом месяцами, жратва-то была скудная, для витаминов детей кормили сырой картошкой, офицеров-то выручал северный армейский паек, а местное население глодало что придется, до конца пятидесятых многие в землянках жили, места-то безлесные, к Новому году посылали из полка машину за триста километров на север, в прибайкальскую тайгу, и раздавали по семьям сосны — я долго был уверен, что сосна и есть елка, а короткие иголки в книжках рисуют для красоты; зимой на базаре продавалось мороженое молоко — замораживалось огромными желтоватыми бубликами в чуде — кто помнит, что такое «чудо»? такой алюминиевый полый тор литра в два емкостью, в нем все пекли тогда бисквитные торты; когда в конце пятидесятых заасфальтировали первую в Борзе улицу (Ленина, разумеется, а параллельная называлась Лазоборзинская — кто еще помнит Сергея Лазо, паровозную топку и японских интервентов в 20-м году?) — как асфальтируют дорогу, только однорядную ленту проезжей части, то буряты приезжали из стойбищ верхом — посмотреть на асфальт, который видели только некоторые — в кинохронике. Из деревьев росли американский тополь и акация — их после войны сажали солдаты в гарнизонах, никакие другие деревья не выживали: умели и мы делать оазисы в пустынях, а это ведь край Гоби, пустыня что надо. А невдалеке, в Чинданте, стоял аэродром стратегической авиации, и бомберы Ил-28, первые советские фронтовые реактивные бомбардировщики, заходили на посадку над головами, от рева стекла прогибались, а гигантские, жутко-прекрасные М-3 плыли тише, и раз в полгода кто-нибудь из них бился, столкнувшись с танкером при дозаправке в воздухе, не любили летчики машину Мясищева, но нужна была срочно под межконтинентальные перелеты и водородную бомбу, по центральной улице под военный оркестр полз затянутый кумачом грузовик, и фуражка с крылышками лежала на крышке всегда закрытого гроба летчика. Все офицеры старше тридцати отвоевали, все были готовы к войне, а на китайцев наши отцы в разговорах за бутылкой надеялись как на союзников без подвоха.

стр. 8
...называлась тогда Отпор!

Пограничная с Китаем станция Отпор получила свое название в 38-м году: «малая японская война», уже великая дружба и сотрудничество с Китаем против Японии, взлет генерала Жукова, командировки и стихи юного Константина Симонова. «Гремя огнем, сверкая блеском стали рванут машины в яростный поход, когда нас в бой пошлет товарищ Сталин и первый маршал в бой нас поведет!». Крючков, Алейников, Андреев, Бернес — кумиры страны, танкисты и истребители. И вот раз летом пошли мы с пацанами «на ДОТы» — старый укрепрайон, оставленный в 45-м при наступлении, километров двенадцать по степи, жара, дух раскаленных трав, пот тут же засыхает на коже — пришли: пятиметровые противотанковые рвы, бетонные точки в углах его изломов, врытые в холмики колпаки — а тонная броневая дверь отъезжает на роликах мягко, пулеметные турели ходят перед амбразурами все в смазке, и красной краской по цементу: «Капитальный ремонт 1960 года». Ни хрена себе. Мы еще дружим, а оно уже керосином пахнет. К 1966-му году отношения с Китаем напряглись так, что название «Отпор» на границе с ним стало звучать провокационно, как бы предвосхищая военные действия; ну и переименовали.

Мы-то все еще думали, малолетки, что китайцы покушаются только с мухами воевать, поднаторев на воробьях, которые, видимо, кончились: мухобойство было также возведено в ранг государственной кампании и освещалось нашей прессой как дело чести, доблести и геройства, как активное социалистическое преобразование действительности — для счастья и удобства прогрессивного человечества. А они уже клеймили советских ревизионистов, договаривающихся с американцами и не дающих братскому Китаю обещанную Сталиным атомную бомбу: архивы все еще засекречены.

А ихние разгромленные победоносной 8-й НОА — Народно-освободительной армией Китая — гоминдановцы представлялись нам тогда вроде гитлеровцев, а сам Го Минь-дан — империалистическим реакционным генералом фашистского толка, воевавшим за капиталистов против трудового народа. Позже, в изумлению, оказалось, что гоминьдан — это демократическая социалистическая партия, и основал ее в 1912 году великий революционер Сун Ят-сен, демократический преобразователь Китая и большой друг советского народа. Когда в тридцатые годы Союз дрался с Японией на китайской территории за гегемонию в регионе, лидер страны и партии гоминьдан маршал Чан Кай-ши был лепшим нашим корешем и союзником, и всем он был нам хорош и угоден. А вот когда после Второй Мировой мы поставили на приход к власти коммунистов в Китае, демократическую гоминьдан предали анафеме. Страсти кипели какие! «Москва — Пекин! Братья навек!» — торжественно гремела гимнообразная песня под сводами Ярославского вокзала в Москве, когда

стр. 8
...борьба с мухами...

стр. 8
...гоминдановцами.

поезд № 1 (!) — курьерский «Москва—Пекин» — торжественно трогался от перрона! И комфорт на нем был что надо, и обслуга вышколена, и вагон международного класса в составе (синий бархат, душ-туалет между купе-двойками), настольные лампы и пепельницы в купе, попутчики за неделю путешествия делались старыми друзьями, каждый день на час переводили стрелки часов — шесть часовых поясов до Читы, а километровый столб на станции Борзя показывал 6541 километр от Москвы; авиация еще только вставала на крыло, поезд был домом родным; а в вагоне-ресторане китайцы брали порцию лапши на столик и ели палочками вчетвером.

На них смотрели с сочувствием, уважением, любопытством: экзотика, бедность, другая культура, одеты чистенько, а едят мало и из одной миски. А трудолюбивы и геройски храбры! В упомянутом китайском военно-патриотическом боевике Народно-освободительная армия геройски била подлых японских оккупантов, превосходящих китайцев в живой силе (!) и вооружении. Главный герой проходил светлый путь от деревенского мальчика до командира подразделения. Он совершал массу подвигов по восходящей, и в конце — катарсис! — погибал смертью храбрых, взрывая дот с японскими пулеметчиками. Дот, я твердо помню, для удобства подвига был сконструирован режиссером вроде небольшого дугообразного кирпичного мостика-арки: толщина арки была как раз такова, чтобы внутри, трусливо пригнувшись, помещались японские пулеметчики, а высота от земли — метра два, чтобы герой в полный рост стоял в свой звездный миг с победно и гордо поднятыми руками, прижимая к нижнему своду дота-арки пакет с толом. Ка-ак дрызнуло! И наши победили. Александр Матросов в китайском варианте: старший советский брат подавал пример и в эстетике. Мы с пацанами еще обсуждали, почему нельзя было какой-нибудь жердью подпереть эту взрывчатку и смыться в сторону, тем более что бикфордов шнур горел долго, чтоб все бойцы и зрители смогли прочувствовать, какой сейчас будет по-

стр. 8
«Смелый, как тигр».

двиг. Что же касается мисочки лапши на четверых — незабываема была хозяйственно-отчетная церемония после первого боя (она подразумевалась и после других боев): общее собрание роты, каждый боец встает по очереди и докладывает командиру роты о расходе средств и эффективности их использования: «Четыре раза выстрелил из винтовки. Бросил одну гранату. Убил шестерых оккупантов. Один раз, к сожалению, промахнулся.— Ничего. Бывает. Неплохо! Садись. Следующий!». То есть во всем китайцы были стеснены, экономны, рачительны, умелы. Фильмов тогда было мало, крутили их по многу раз, а уж особенно в районных клубах и гарнизонных Домах офицеров (ДОСА — Дом офицеров Советской Армии): там репертуар был специфический, вдохновляющий, геройский. На ограниченности кинофонда основывалась тогдашняя детская (подростковая) игра «колечко»: водящий загадывал — и по первым буквам надо было отгадать название фильма. («НТ»! — «Над Тиссой». «ОЭЗН»! — «Об этом забывать нельзя».) Но что интересно, что характерно: искусство дублирования кинофильмов достигло в СССР высот необычайных, совпадение русских слов с иностранной артикуляцией было буквально полным, этим подрабатывали блестящие актеры (ролей-то и заработков не хватало), и были режиссеры — асы дубляжа; так вот, в китайских фильмах герои говорили омерзительно фальшивыми ханжескими голосами с неестественной псевдовосточной интонацией. Французы, испанцы,— все изъяснялись кристальным языком МХАТа, разве что фашисты начинали лепить с пародийным немецким акцентом по-русски, даже беседуя между собой; ну и татаро-монголы туда же — прекрасен хан, ведущий совет в юрте по-русски с татарским акцентом. Так они являли свою гнусную национальную и политическую сущность. И только китайцы поголовно, даже самые положительные, щебетали неестественно сладкими и гнусавыми фальцетами, как обдолбанные кастраты на комиссии партийного контроля, и их немедленно хотелось приложить плоскими лицами об что-нибудь. Говорили: фильмы есть хорошие, плохие, студии Довженко и китайские. Я и сейчас могу объяснить данный феномен только ненавистью дублеров к этим фильмам и их вредительской (подсознательной?) издевкой, над собственными речами. (Такое впечатление, что сейчас эти дублеры переселились в бразильские сериалы, сохранив те же интонации для псевдопортугальского хнычущего и сюсюкающего акцента.)

При этом стилистика речей сохранялась неизменно патетической! Взять хоть этого маузериста (было такое слово): фраза означала, что прекращение стрельбы героем, всегда содер-

стр. 8
Двадцатизарядный
маузер Ли Ван-чуня
не могло заклинить.

жавшим в идеальном порядке свое безупречно надежное оружие, могло произойти только с его смертью в неравной и самоотверженной борьбе. Цитата эта из детской книги (как тогда писали, «для среднего школьного возраста») китайского писателя-коммуниста Ци Хуаня «Ребята из деревни Селюшуй», китайский вариант «Красных дьяволят». Как и все последующие в тексте, цитата не закавычена; обилие цитат, всаженных в текст как нагруженные элементы конструкции, вроде бревен в галльской кладке, идет не от провинциальной болезни образованщины, но оттеночно уподобляет текст центону: когда оригинальность и новизна рассматриваются скорее как отрицательные характеристики, в то время как освященность устоявшимися авторитетами придает произведению большую весомость — составление новых произведений из отрывков наиболее известных и живших ранее авторов являлось едва ли не господствующим методом в литературе поздней античности, т.е. в период упадка и декаданса. Еще один мотив пародии на всю современную культуру.

Живьем я в эту действующую культуру впервые воткнулся в мае 1971-го года, выхлопотав себе в деканате журнальную практику вместо музейной, что иногда до-

стр. 8
...практикант
в журнале «Нева»...

пускалось для филологов-русистов, специализировавшихся по современной советской литературе. Вот двадцатидвухлетним студентом четвертого курса я и явился с улицы в «Неву», где был немало лишен идеологической и литературной девственности: первый опыт жизнерадостного и едкого журналистского цинизма может травмировать на всю жизнь. Трепеща и внемля старшим товарищам, я разевал рот! Что они туда вкладывали? Что хотели.

стр. 8
Владимир Николаевич Кривцов

Кривцов (1914—1975, филолог-китаист, большую часть сознательной жизни прослужил офицером в политорганах — эпоха!..— член Ленинградской писательской организации, приличный мужик был) был еще сдержанно-бережен с ранимым юным дарованием. Второй и тогда последний сотрудник данного отдела прозы явился куда многограннее, изощреннее: это разговор особый. Прошла треть века — можно раскрыть страшный секрет: я его выдумал!.. Теперь уже и самому не верится...

стр. 9
Самуил Аронович Лурье

Сага, сага! Роман, роман! По порядку. Имея склонность к фантазированию, как почти все пишущие и многие не пишущие, я стал себе измысливать руководителя, куратора-наставника своей вожделенной журнальной (действующая литература!) практики. Разумеется, он должен быть мужчина. Теперь — возраст. Уже опытный, не молод — но, скорее, в возрасте мужского расцвета. Чуть за тридцать — представлялось тогда мне из неполного двадцатитрехлетия. И я определил ему на восемь лет больше, чем себе — разница в восемь лет у нас была с младшим братом. Как бы это по возрасту был мой совершенно взрослый старший брат. Национальность? Скорее всего еврей — их больше бьют, им приходится в среднем больше и горше задумываться о жизни. Высокий, худощавый, жилистый, может много выпить. Но чтоб не выглядел плакатным суперменом — наденем ему очки. Ну, и лысину для полноты образа. Образован, ироничен, хорошо говорит, голос ему получше — не вовсе левитановский, мороз по коже нам не нужен, но чтоб такой низкий приятный баритон.

Шикарный образ получился! Имя. Хорошее, простое, русское — а на самом деле, по паспорту, сугубо еврейское, библейское, имя пророка залудить такое. Произносим Саша — пишем Самуил.

Вот так я населил отдел прозы «Невы» Самуилом Ароновичем Лурье и придумал ему биографию. Пигмалион, Франкенштейн, родильная горячка, «Я тебя слепила из того, что было, а потом что было — то и полюбила». Я ввел любимого в историю!

И вот всю жизнь он проработал в «Неве», слывя большим либералом, эрудитом и очень тонким высокообразованным редактором. Филолог-русист моего же университета, хотя уж правильнее сегодня сказать — президентского, путинского. Изящнейший скептик и блестящий оратор камерного масштабе. Блестящий критик. Пятнадцать лет писал биографию другого критика, Писарева. Первую главу я читал на практике. Последнюю — в годы перестройки. Дойдя до смутно знакомой фразы «Никогда еще ему не работалось так хорошо, как в эти месяцы», подумал о разном не в положительном смысле.

Любимец прилитературных дам. Директор-наставник школы злословия, если бы таковая была оформлена. Храбр и стоек в литературных скандалах, как-то образующихся вокруг и по соседству. Во время очередной схватки тогдашний главный редактор «Невы», Дмитрий Терентьевич Хренков (ветеран партии, благородная седина над костюмом цвета семги, член правления пис. организации, полутяжелая весовая категория, бывший директор номенклатурного издательства «Лениздат»), на общем собрании вознегодовал с угрозой: «Я думаю, что вам, Самуил Аронович, в редакции не место!» И немедленно получил ответ беспартийного редактора: «А это мы еще посмотрим, Дмитрий Терентьевич, кто из нас останется в редакции». И? Дмитрия Терентьевича увезли с инфарктом и проводили на пенсию. Браво первая валторна.

В самые глухие застойные времена, когда КГБ уже не охотился на ведьм по причине их полной переловленности с большим запасом, но пискнувшую мышь подвергал уголовному суду за антисоветские высказывания — Лурье оставался бесшабашно и эпатирующе храбр в речах: вплоть до сделанного мне однажды в редакционном коридоре предложения вступить в борьбу «со страшным аппаратом КГБ». Я попятился и открестился с ужасом: то, что сходит с рук Иове — не положено корове. И ничего ему за это не было! И на работе — идеологической, в толстом журнале! — его продолжали держать. Уж не знаю, какой тут нужен запас везения — на двадцать-то лет. Зная дежурные приемы работы Пятого Управления КГБ, некоторые пускались на этот счет в сумрачные размышления о причине непотопляемости.

Характерно и другое: никто из вышедших из Ленинграда писателей, вошедших позднее в славу — Токарева, Битов, Толстая, Кураев — отдел прозы «Невы» не прошел, хотя печатал этот свободомыслящий отдел массу разного, чего сейчас почти невозможно вспомнить.

Эмигрировавший позднее в Швейцарию ленинградский писатель Юрий Гальперин еще в семидесятые утверждал, что Лурье — фигура неоднозначная, в душе болезненно ревнив и с годами все более завистлив ко всему талантливому, а при чужом успехе заболевает разлитием желчи. Думаю, он просто злословил, тем более в компании и за бутылкой. Также съехавший окололитературец Миша Лемхин и не такое рассказывал, но нигде не клевещут больше, чем в окололитературных кругах.

Факт же в том, что когда меня вышибали с пятого курса за разнообразные безразмерные прогулы и идеологические высказывания, именно Лурье надел серый выходной костюмчик и отправился на филфак утрясать мой вопрос со старыми приятелями-однокашниками, немало приложив руку к тому, что меня оставили.

Более того: когда отдел прозы получил третью ставку — Лурье хлопотал, чтобы взяли меня. Хотя в то время еврей, беспартийный, разведенный, без прописки, без опыта редакторской работы — на это место не мог быть принят в страшном сне, и мы оба это понимали, то есть даже я понимал,— все равно демонстрация хорошего отношения была очень приятна. Я не верю тем, кто кривится и фыркает, что демонстрация хорошего отношения при гарантированном отсутствии результата — это лишь безопасный способ показать собственную хорошесть. Каждый делает что может.

Пятнадцать лет Лурье быстро прочитывал и неукоснительно рекомендовал начальству к публикации почти все мои рассказы, приносимые в «Неву». И все они отвергались. Позднее я увидел, что в те времена они и не могли быть там опубликованы. И лишь редкие рассказы Лурье отвергал. Позднее мне показалось, что именно эти были в принципе «проходными». Но кому виднее — опытному редактору или неопытному автору?..

Лишь в 88-м году «Нева» приняла мой рассказ: уже было все можно. Лурье в этот момент был в отпуске, рассказ принял и получил одобрение главного сидевший тогда завпрозой Коля Коняев. Когда я радостно поделился счастьем с вернувшимся Лурье и робко спросил, на какой номер рассказ планируется (все знали ведь, что я был «его автор», лурьевский, то есть), Саша улыбнулся мудро и устало, и сказал, что передо мной в очереди на публикацию еще тридцать девять рассказов (за цифру отвечаю — так же, впрочем, как и за все остальное), так что раньше чем через пару лет ждать не приходится. Я недостойно забормотал о пятнадцати годах ожидания и попыток, и как же насчет моральных прав... Сбивчивое бормотание последствий не имело. Через полтора года, когда Лурье был опять же в отъезде, рассказ поставил в номер Коля Коняев сам, а пускал второй редактор отдела, Ваня Рак.

И если прежние, отвергаемые начальством, рассказы Лурье хвалил, то про этот не сказал ничего. Назывался он «Узкоколейка», потом за него пару каких-то премий дали.

Рано умерший переводчик Игорь Бабанов, умница, эрудит и добряк, как-то предостерег: «Учтите, Миша, что у Саши бывает иногда такое: он бьется за какого-то автора, пока его не печатают, а вот когда вещь берут — он вдруг начинает биться против, утверждая, что у талантливого автора есть действительно хорошие вещи, а именно эта — неудачна, и ее-то публиковать и не стоит». А в те времена пробить публикацию в толстом журнале — о, это было событие, почти вхождение в клан, знак качества: сам факт имел огромное значение для того, кого не печатали там прежде.

Наша крепкая мужская дружба кончилась в один день. Я даже помню когда: в марте 94-го года. Дня вот не назову. Я зашел к Лурье в редакцию и подарил первое издание «Легенд Невского проспекта» — таллинский раритет тиражом 500 штук. Присовокупив, что если что-нибудь из этих рассказов, абсолютно неизвестных в России, да в общем и нигде, может быть напечатано в «Неве», так это было бы замечательно, хорошо бы, как бы я был рад. Выслушал в ответ дружеские заверения. А потом Лурье показал мне свежий номер «Московских новостей»: там про меня какая-то херня. Я грустно взял какую-то херню и прочитал категорически хвалебную рецензию Дмитрия Быкова на «Приключения майора Звягина»: они вышли недавно первым московским стотысячником и в рейтинге «Книжного обозрения» держались в топ-десятке. Я сказал, понятно, что рецензия мне показалась вполне неплохой, чего уж. «Молодой он еще, этот Быков, мудачок»,— с отеческой усмешкой пояснил Лурье. Больше я Чапаева не видел. Лишь пара случайных пересечений на публике. «Галл боится взглянуть в глаза германцу»,— писал Цезарь. И сердце мое переполняется печалью.

И единственно в попытке как-то развеять эту печаль хоть на минуту, вспомнил я старинный ковбойский анекдот: заходит Джон в бар, а за стойкой сидит

стр. 9
...ах Джон, а ты совсем не изменился.

Билл и читает «Физику» Перышкина. Чего ты, спрашивает Джон, это, ну, читаешь? Физику. А это про чего? А это сейчас вот как раз про круговорот веществ в природе. А это как? А это молекулы любого вещества... Погоди, погоди! Ты давай по-простому, чтоб понятно. О'кей, Джон, могу понятно. Вот напьешься ты опять в баре, затеешь драку, проломишь кому-нибудь голову, и в конце концов тебя вздернут. Потом снимут из петли, зароют. Сгниешь ты в земле, травка из тебя вырастет. Корова будет пастись, съест эту травку, переварит, и лепешек навалит тут же. Пойду я по своим делам, влезу сапогом в это дерьмо, посмотрю и скажу: «Ах Джон, а ты совсем не изменился!»

Вы помните, кого Данте поместил в девятый круг Ада? Предателей. За что карала в первую очередь «Яса» Чингиза? За предательство доверившегося тебе. Так что там про Авдотью? А вот ничего плохого Панаев ей не сделал, когда стала с Некрасовым жить. Или жене не доверялся, или спанье-житье от живого мужа с другим за предательство не счел, или взгляды человек имел широкие и любовь к великой русской литературе безмерную... но о чем я? О ком я? При чем тут Авдотья? Нить Ариадны путается в клубок, ободранный склеротический кот загоняет его под книжный шкаф, в отряхнутой из книг пыли выдуманный мною Лурье предает выдуманную некрасоведами Авдотью, Панаев спонсирует житье Володи с Лилей и Осей, а книга эта выпущена в 1929 году «Издательством политкаторжан и ссыльных поселенцев» и почему-то помнится написанной с предвосхищением стиля французского «нового романа», там Некрасов домогается Авдотьи с пронзительной наглостью, катает на лодке по Неве и швыряет весла в воду при отказе отдаться ему, следом готовится прыгнуть сам, она вынуждена спасти славу русской литературы, Коля не умеет плавать (а не дерьмо был парень!), хотя и рос на Волге — чем можно заниматься на Волге, не умея плавать? — видимо, писать стихи: «Выдь на Волгу — чей стон раздается?» — на Неве раздался стон Авдотьи, вокруг Некрасова раздавалось много стонов, даже Тургенев стонал, когда Некрасов проигрывал его гонорар во Владимирском игорном клобе — Игорь Владимиров позднее был в этом здании главным режиссером театра им. Ленсовета, а справедливее бы им. Некрасова, а уж история с модисткой, дважды пущенной юным темпераментным Некрасовым по ветру — второй раз уже тогда, когда бывшая модистка сумела встать на ноги и стала гувернанткой,— чего стоит одна эта исто-

стр. 10
Авдотья Панаева

105

рия: политкаторжане и ссыльные поселенцы были мстительны в своем издательстве, вот только даты рождения Авдотьи все равно не знали, ее установила с точностью (а не только 1820—1893), раскопав церковно-приходскую книгу, моя однокашница Таня Башта на той музейной практике, от которой я увильнул в «Неву», и сделала по находке курсовую, потом диплом, потом кандидатскую, и лишь быт помешал сделать докторскую. Приятно было бы узнать Панаеву, что по его жене пишут диссертации —

стр. 10
Панаев Иван Иванович
(1812—1862)

все-таки он был не только писатель и журналист, но и ее законный муж. Закономерно и горестно он заболел и умер всего пятидесяти лет от роду непосредственно после того, как Некрасов разошелся с Авдотьей (найдите портрет — красивая и сексапильная была баба), а заодно и с ним. Мавр делал свое дело — и сделал...

стр. 10
...их функции...

Они питали своими соками Некрасова, а Некрасов делал журнал «Современник»: читал рукописи, отбирал для журнала, снабжал пометками и с типографским курьером отправлял на извозчике в типографию. А там метранпаж — о, это был и начальник производственного отдела, и макетчик, и ответственный секретарь, и выпускающий редактор! — наборщики, корректоры и печатники были у него в руке,— там метранпаж доводил рукописи до ума и отправлял тираж журнала Некрасову. Так вот тогда журнал издавался: всего и хлопот.

стр. 10
...внутреннюю рецензию,
из расчета три рубля
за авторский лист...

Но мы усовершенствовали процесс и научились выкручивать кисоньку-лапочку до последней капельки портвешку. Ежели все коровы казенные — так надо доить их до тех пор, пока бока между собой не слипнуться. Так же доили и журналы, вымогая у отделов культуры КПСС, которые все это курировали, еще денег, категорически необходимых для поддержания творческого процесса на нужном идеологическом уровне.

Итак:

Назначался журналу ежемесячный рецензионный фонд. Предположим, пятьсот рублей (бывало по-разному, от калибра журнала зависело) или полторы тысячи. И подбирались редакцией «свои люди», которым надо было дать подработать — потому что сами штатные редакторы рецензировали за зарплату, по долгу службы.

Авторский лист — это было примерно 23 страницы машинописи, 40000 знаков, включая пробелы между словами. И если тебе дали на «внутреннюю» (то есть напечатана не будет, это ответ автору и для сведения руководству) рецензию рассказ в 23 страницы, то платили за такую рецензию 3 рубля — если ты не маститый, не член Союза писателей: это нижняя ставка. Писать страниц пять рецензии — за треху это не слишком много. Да? Стоп:

Тебе могли дать рукописей объемом не 1 авт. лист, а 30 авт. листов. Чуете? Это уже 90 рублей. А объем рецензии? Ну, можно 10 страниц, уж этого точно хватит. Итак: один день быстро читаем этот роман, еще один — пишем эти 10 страниц, облегчая себе труд обильным цитированием текста, который и рецензируем. Два дня — месячная зарплата некоторых, а уж двухнедельная — точно. Как, неплохо?

А если вы член Союза писателей или журналистов — вам должны дать ставку 5 рублей за авт. лист рецензируемой рукописи. Это уже можно за выходные срубить месячную зарплату: два дня — и с карманом. Неплохо?

А маститому, члену правления и всяких редколлегий, могли дать и 10 рубчиков за лист! И 300 за десять листов! Но это делалось не слишком часто — рецензионный фонд сразу выбирался. Делили между маститыми и простыми в пропорциях: первые получали много денег, вторые нагоняли объем отрецензированных рукописей для отчетов и ревизий.

А цимес в том, что сама рецензия на сорок листов рукописи могла иметь объем три страницы. Объем рецензии нормативными актами не оговаривался. Так что главное было — получить рукопись на рецензию, а уж отписаться — это формальность. Читаем по диагонали, выхватываем цитаты, навертываем закругленные казенные фразы, и в гонорарный день идем в кассу. Тертые рецензенты к тому и стремились.

Категорий рецензентов было две. Одни — чистые «внештатники»: имели какое-то прилитературное образование, журналисты, неимущие писатели — они стремились дружить с редакторами, мелькать, быть «своими». А другие — сами редакторы, которые рецензировали рукописи крест-накрест с другой редакцией: ты мне — я тебе, и оба мы вне штата для редакции товарища. Законный приработок.

Умелый рецензент зарабатывал свой стольник за вечер: 20 листов (450 стр.) перелистываем за час—полтора, и еще полтора часа колотим страниц 5—6. Ну как же не плакать сотрудникам толстых журналов по этой эпохе?

стр. 10
Попов, Александр
Федорович
(1906—1978)

Дожил бы Попов до наших времен, и он бы плакал, и был бы неокоммунистом, и говорил бы об уничтожении русской культуры. Он ведь был и кинодраматург, и секретарь Ленинградской организации Союза писателей СССР, и лауреат Государственной премии, и орденоносец. И главное — редкостный мудак, так что в новые времена вписаться ему было бы трудно. Однако любой человек имеет положительные черты и заслуживает какого-то уважения, поэтому я отзываюсь о покойном в точности так, как отзывался о живом, считая иное унизительным для его памяти. Они все живы в нашей памяти!

стр. 10
Хемингуэй, Эрнест
Миллер
(1899—1961)

Хотя и с памятью происходят трансформации. Уже нелегко восстановить, а новые поколения и не поймут, какую огромную роль сыграл Хемингуэй в становлении всей советской культуры шестидесятых. Вот это был действительно культовый писатель — портрет в каждом втором доме! Символ мужества и честности, суровой простоты, стойкости, противостояния ударам трагического и жестокого мира... о!

После его «голого» письма казалось смешным и невозможным наворачивать кружева и красивости стиля. А его войны! охоты! бокс! ловля большой рыбы! бой быков! Это был один из мифов-атлантов, поддерживавших свод нашей новой культуры, влияние его было колоссально, сейчас и сравнить не с кем: он влиял не на стиль письма — но больше: на стиль разговора, стиль скрывания трепетных чувств за грубоватыми незначащими фразами, стиль стоицизма под ударами жизни, стиль жизни «мачо», хотя такого слова тогда не ходило. Было, было!

стр. 10
Джек Кейли

И когда уже в конце шестидесятых «Неделя», единственный тогда «желтый» еженедельник, опубликовал на полтора разворота (!) с фотографиями воспоминания о Хемингуэе Джека Кейли, американского журналиста и редактора, автора одной из многочисленных книг воспоминаний о «Хеме Великом», которые после нобелевки за «Старика и море» выходили в США в пятидесятые—шестидесятые пачками,— наш читатель прибалдел от непочтительных, на взгляд поклонников, пассажей. Простецкие были там такие высказывания раскованного американца с американским (а каким еще?) юмором. Но если кому охота побольше узнать о самом Кейли — лезьте, ребята, в интернет и ройте сами, потому что...

* * *

...потому что я чувствую необходимость в перерыве этого комментария — весьма неполного, далеко не исчерпывающего — всего к четырем страницам текста романа.

Понятно ли теперь, почему их было двести пятьдесят? А могло — две тысячи пятьсот. Или пять тысяч двести. Или сколько угодно — покуда помнишь и соображаешь. Ты берешь любое слово — и включаешь в себе механизм развертывания, увеличения, поступенчатого приближения и погружения вглубь: и оказываешься внутри мельчайшего знака Бытия, клетки, молекулы, атома, электрона, кварка, волны — а волны складываются в струнную модель Вселенной, и хотя эта Вселенная замкнута сама на себя и тем самым конечна — но для нас она конца не имеет. Интравертная неисчерпаемость любого материала и любой темы.

Конечно, текст — это всегда код, но все-таки есть разные степени его свернутости и разные коэффициенты раскодирования. Есть дюдик и есть даосская притча. Есть многослойно структурированное сообщение.

Жанр «Ножика» в принципе можно назвать «точечной эпопеей».

Точечное сообщение изобрели давно. Морзянка записывается на пленку, а пленка — со скоростью в триста раз больше нормальной — на другую пленку. Краткий писк уходит в эфир. Кем надо он вылавливается, записывается и разматывается чувствительной аппаратурой с трехсоткратным замедлением: сообщение восстанавливается.

В этом романе-автокомментарии я слегка — всего-то в десять-пятнадцать раз — кое-где замедляю перемотку записи, чтобы некоторым малопосвященным читателям было внятно что-либо кроме услышанного ранее писка.

Мысли, которые успевают пронестись в голове на протяжении написания одной страницы, размазаны скоростью прохода сигнала по нейронам наподобие крохотных комет, и будучи все зафиксированы и оформлены в связные и законченные предложения, легко составят полноценный и полнообъемный роман. Записывать эти романы не позволяют сроки человеческой жизни. Обычно мы живем среди писка, не понимая его смысла.

Раскручивать все и до конца я, разумеется, не буду. Во-первых, до конца слишком далеко, и любая остановка на пути к совершенному исчерпанию предмета условна — а во-вторых читателю нужен люфт, чтобы он заполнял проемы смысла собственными представлениями о действительности.

* * *

стр. 11
...принесла мне
тридцать рублей.

Прелесть и выгода собственных представлений о действительности в том, что любое реальное событие легко различается в двух аспектах: бытийном и символическом. Это как счастливый трамвайный билет: право на проезд и на счастье в одном флаконе, на одном клочке и за те же деньги. Я получил действительно и ровно тридцать рублей — за рецензирование десяти а.л.: на такую сумму мне рукописей и отмерили в отделе. И при этом, при этом, при этом — конечно здесь ясный отсыл к тридцати сребреникам Иуды.

Друзья мои! Не абсолютно счастливые, но все-таки вполне свободные граждане новой России и прочих сопредельных и несопредельных государств! Советские редакции были переполнены сотрудниками, ежемесячно зарабатывавшими деньги таким образом. И все они потом оказались страдающими жертвами режима. Работали, но страдали; страдали, но работали. И в пышно, или средне, или не очень озелененных городах обширной державы ни одна смоковница не засохла от того, что на ней кто-то повесился. Просто у некоторых отдельных хорошая память. Делай что хочешь — но помни, что ты делал.

стр. 11
Горышин Глеб
Александрович
(р. 1931)

А память нельзя разделить на «злопамятную» и «добропамятную»: она или есть — или нет. Кто помнит — помнит все. Не помнить — грех: потеря способности различать добро и зло и ведать их. Забыть? «Забвенья не дал Бог». Так помянем Горышина: член КПСС, орденоносец, секретарь, главный редактор журнала «Аврора», составитель множества сборников и т.д. В описываемое время имел к сорока годам дюжину изданий своих книг, что было тогда до черта. Никто никогда не мог запомнить, что же он написал и что осмысленного когда-либо произнес.

И поднимается вопрос, как нацеленный в грудь кол изгороди-ловушки: хорошо ли, хорошо так отзываться о человеке? Этот отточенный кол не подвергает сомнению правду высказывания, да не так она и важна: бестактность и грубость характеристики не подменяют ли собой прямоту? Уместна ли прямота, если может травмировать?

От травмированного слышите. Столько лет они травмировали меня своей ложью — ну так: ложь всегда в конце концов оборачивается правдой, которая травмирует лжеца. Умолчание правды есть травмирование истории. С чего бы мне дорога история? А это моя жизнь. Как и ваша? За вашу не отвечаю. Мне есть дело до правды, но нет дела до душевного комфорта сквернавцев.

Я еще не забыл Хемингуэя: «Задача писателя всегда остается неизменной. Сам он может меняться, но задача его всегда остается одна и та же. Она состоит в том, чтобы видеть правду, и увидев правду такой, какая она есть на самом деле, сказать ее так, чтобы она вошла собственным опытом в сознание читателя».

Что я имею против неагрессивного Горышина? Он и иже с ним украли воздух у моего поколения. Они расправили крылья и зобы на всем пространстве, отведенном литературе, и бдительно давили поползновения чужих: всех, кто жил, думал и писал не так, иначе, особенно — если непонятно, особенно — если лучше. Сколько непробившихся спилось? повесилось? эмигрировало? Не все ведь терпеливо-двужильны так, как ваш покорный слуга.

Они хотели, чтобы я спился, замолчал, повесился, эмигрировал. Я не спился, не замолчал, не повесился и не эмигрировал. У меня была хорошая гарнизонная школа. Литературные страдания — это постыдная ерунда по сравнению с тем, когда восемнадцатилетнему солдатику прыгающей противопехотной миной вырывает пах.

А также — к вопросу о проходимости. Литературная непроходимость была проблемой, решаемой потруднее, чем непроходимость кишечная. Проходимость же имела следующие характеристики:

Первая. Приличная анкета. Не диссидент, не уголовник, судимостей не имел, преследованиям не подвергался, политику партии понимает правильно. Короче, в порочащих связях не замечен. В тунеядстве не замечен. Лоялен. Ну — чтоб «наш, советский человек».

Вторая. Национальность. Этот пятый пункт анкет следует выделить особо. Ну не приветствовались еврейские фамилии, оно и естественно: не в Израиле живем. Еврейские фамилии в печати и так далеко вылезали за процентную норму евреев в общем населении СССР. Тяга евреев к печатному слову трудно истребима. Ну смотрите Чехова: «И если бы не барышни на выданье и не молодые евреи, библиотеку пришлось бы закрыть». Ну и вот. Ведь и Каверин был не Каверин, и Володин не Володин, и Багрицкий не Багрицкий. Поскольку сменить одну национальность на две судимости было выше сил простого человека, то мне неоднократно советовали хотя бы сменить фамилию. Хорошие люди, по дружбе советовали. Я был порочно глух к добрым советам всю жизнь.

Третья. Желательно быть знакомым, своим, примелькавшимся: как бы уже доказавшим, что ты свой, надежный и благонадежный, эстетически и политически проверенный теми, в чью среду хочешь войти своими публикациями.

Четвертое. Возраст и время втирания автора в среду публикующихся. Быстрота и молодость не только внушают опасения, но и обижают старших товарищей. Погоди, не торопись, это неприлично. Напечатайся в газетах, побудь год-другой в очереди на журнальную публикацию, поучаствуй в «Конференциях молодых дарований», получи рекомендации старших товарищей на маленькую книжечку, пусть она полежит пару лет в издательстве, потом ее вставят в план на выпуск через три года. После тридцати с тобой станут разговаривать, к тридцати пяти будут воспринимать за человека, достойного издаваться.

Пятое. Партийность — не обязательное условие, но весьма способствует. Партия отвечает за автора, уже издателю спокойнее. Обидевшись, партийный может и волну погнать по линии политической правильности себя и неправильности плохого отношения к себе. А кому охота связываться? И статистики-отчеты, опять же: столько-то процентов партийных авторов у нас, молодцы мы.

Шестое и главное: что ты пишешь, Аристотель? Надо — чтобы просто, ясно, оптимистично, реалистично, лояльно. Так мало, мало идеологической лояльности — требовалась, братцы, лояльность эстетическая. Мало того, что не стоит писать про зэков и лагеря, про трудную жизнь и низкие зарплаты, про что бы то ни было хорошее за границей и лучше вообще не упоминать заграницу, про убийства в коммуналках, скромно-паразитическую роскошь функционеров, бедность больниц и пьянство в армии и везде, и т.д. д. д. д. д. д. д. д. д. Надо — чтобы завязка, развитие, кульминация, развязка. Предложение начинается с большой буквы — кончается точкой. Вот тебе грамматика, вот тебе словарь: выверяй и соответствуй. Логично? Вот эпитет — вот метафора. Вот портрет — вот пейзаж. А что это у вас, молодой человек, как-то странно... а вот к чему это отсутствие абзацев? А этот разрыв предложения и абзац между половинами разорванной фразы? А вот эти короткие предложения лучше соединить в одно. А это — зачем так длинно? Давайте разделим на три, вот и нормально, видите? Категорически не поощрялись отклонения от некоей усредненной формы!

И положительной характеристикой первой авторской книги стало определение «незаметная»! А чтоб ничто не высовывалось, не привлекало внимания!

И планы были забиты на пять и семь лет вперед сугубо проходимыми книгами проходимых авторов. И ничто в них особого внимания не привлекало. Редко-редко укоренившийся крутой, как Быков или Трифонов, пробивали незаурядную книгу о том, о чем прочим писать не дозволялось. А вот эстетико-стилистическое «иное» не дозволялось вообще никому.

Планы были забиты горышинами.

Много лет спустя, в девяностые, один журналист за рюмкой после интервью рассказал мне, что в 83-м году, отдыхая в Нарве, купил мой первый сборник «Хочу быть дворником», изданный в Таллине минимальным при советской власти тиражом 16000. «Вот эта книга впервые внушила мне, десятикласснику, антисоветские взгляды». Я изумился: «Да что же там было антисоветского?! Ведь все рассказы вполне лояльны, некоторые даже патриотичны!» Он засмеялся: «Каждая запятая там была антисоветской. Вы не понимаете, дело не в теме».

Конечно, парень был прав. Можно не касаться ничего запретного, но в стиле твоя суть все равно вылезет. Можно соблюдать все приличия в лексике — но интонацию не подделаешь.

Горышины чуяли сомнительную интонацию и отсекали интонаторов напрочь. Я мог никак не трогать советскую власть, и даже любить многое в ней, и как бы не замечать ничего эдакого в ней — но я был чужой: вот не такой, как они, проходимые, вот слова не так составлял, запятые не так ставил, что-то за этой нетипичностью наблюдалось непонятное, неправильное.

Тяга к казарменности советского уклада сказывалась и в литературе, естественно: единообразие, подчиняемость, шаг в сторону означал если не попытку, так умысел к побегу. Правы были литературные старшины: всю жизнь я был котом, который гуляет сам по себе. Скажем, пили как-то на третьем курсе в общаге. Это обычно. Не хватило. Как водится. Не было денег добавить. Нормально. Разговор принял необязательно-пессимистический оборот о невозможности жить без денег. Из врожденного оптимизма, противоречия и наглости я противопоставил себя компании, утверждая, что без денег можно не только жить, но и жить неплохо, и даже передвигаться куда хочешь. Слово за слово — поспорил на ящик водки, что летом, выйдя из Ленинграда без копейки, за месяц доберусь до... дальше всего Камчатка? пусть хоть до Камчатки. Бразилия была дальше, но нереальна в принципе: заграница, а Камчатка — теоретически возможна.

стр. 11
На Камчатку двумя годами ранее я на спор добрался за месяц без копейки денег...

Настала весна, за ней июнь, стройотряды мне перестали быть интересны: я начал готовиться. Маленький солдатский вещмешок, куртка из кожзаменителя увязана в плотный рулончик проволокой — для компактности, и проволока в пути сгодится; кружка-котелок, ложка-нож, аспирин-анальгин-фталазол — «малый аптечный набор», свитер, плавки, берет, мыло-бритва-щетка-миниполотенце, ничего сменного — можно постирать в пути и высушить на себе. У меня было все, и весило это все килограмма три от силы. Старая походная мудрость, вычитанная в детстве из Бианки: «Никогда не бери с собой ничего необходимого. Бери только то, без чего никак не сможешь обойтись».

А вот трудность выяснилась: Камчатка была зоной. Не лагерной — пограничной. Для въезда требовался пропуск. Пропуск для въезда в зону выдавал Большой Дом. Основанием служил вызов от родственника, или приглашение на работу, или командировка. Какие у студента родственники?

По размышлении я пошел в отдел культуры газеты «Смена»: я студент филфака такой-то, чегой-нибудь вам напишу с Камчатки, а вы мне командировочку нарисовали бы: ведь не жалко, денег не прошу, все на свои. Меня выслушали непонимающе и отправили к ответсеку. Он также выслушал и характеризовал польстившим мне словом «авантюризм». Они не понимали, за каким хреном я туда хочу переться: а кому нужна ответственность за подпись на командировке?

Я последовательно обошел все ленинградские редакции, удивляясь опасливой недоверчивости журналистов.

В конце концов я сообразил пойти в деканат журфака собственного университета: хочу газетную практику, мечтаю о журналистике, филфак — ошибка юности. Милая девушка в приемной меня таки поняла и вникла: как-то ее идея с Камчаткой задела в положительном смысле. «Но вам надо зайти сначала к замдекана по практике, сама я вам не могу выдать, конечно. Объясните ему, он поймет». Он не понял и обозвал меня словами на грани того, что я сумел еще проглотить: на этот вариант я возлагал последнюю надежду, возбухнешь насчет достоинства — и кранты идее. Я пристроил на лице вдохновенную улыбку и вернулся в приемную. «Ну как, разрешил?» Я хмыкнул небрежно и благодарственно: «Естественно, как вы и сказали». Она достала из стола бланк командировочного предписания — уже подписанный и с печатью. «В какую вам газету?» Я внутренне напрягся и замельтешил: какие там газеты-то, черт возьми? «В „Камчатскую правду“»,— сказал я легко: должна же там быть «Камчатская правда»? Так она и вправду оказалась! Девушка вписала заголовок, мою фамилию-имя, номер паспорта и студенческого билета — и я исчез быстрее призрака, успев услышать скрип замдеканской двери.

На Литейном мне сообщили, что выдачи пропуска положено ждать десять суток: читайте правило. Мое кряхтенье осталось безуспешным. Июнь кончался, сессия была сдана.

Я честно пропил стипендию с друзьями, купив себе только атлас железных дорог. Автомобильный я достал раньше. Карта Союза у меня была давно (и до сих пор, серо-желтая и истрепанная, висит на стенке в кабинете — сил нет выбросить, вся в пунктирах).

Утром 1 июля, демонстративно вывернув перед камрадами пустые карманы, я поехал (зайцем, естественно) на Московский вокзал и сел в плацкартный вагон поезда «Ленинград — Свердловск». Способ первый — выбираешь в толпе немолодую, но еще не старую, женщину с поклажей потяжелее, пристраиваешься идти вровень с ней, ловишь взгляд, заводишь разговор безобидной фразой насчет времени отправления или подобной, предлагаешь помочь нести чемодан — и, если внушаешь доверие и не похож на вокзального вора, тащишь, рассказывая, до какой станции едешь сам и по какому поводу. Главное — войти с ее чемоданом в вагон, сесть туда, где народу погуще, и дождаться отправления. Поехали!

Тридцать первого июля я послал друзьям открытки из Петропавловска-Камчатского. Я специально отправил их заказными — чтобы при мне разборчиво шлепнули штамп с числом отправки.

Я передвигался на всех видах транспорта, кроме разве что самоката: легковые, грузовые, мотоцикл с люлькой и без люльки, поезда пассажирские и товарные, пароход, вертолет и самолет. Времена были вольготные, паспорта нигде не требовали.

В принципе эта совершенно отдельная повесть в жанре «путешествий» гораздо интереснее и познавательнее литературных описаний и размышлений. Но как я вмещу здесь стостраничную камчатскую главу?

За месяц я навешал на уши гражданам лапши больше, чем за год могла произвести макаронная промышленность Италии. Необходимость жрать и ехать удивительно оттачивает психологическую наблюдательность и умение выбрать верную интонацию подаваемого текста.

И лишь раз меня выкинули из поезда — между Хабаровском и Владивостоком: поезд был почтово-багажный, короткий, вагоны почти пусты, два проводника — заматерелые мужики, злые оттого, что недавно их за зайцев же (правда, возимых «на свой карман») выкинули на два месяца понижения из скорого поезда. Они дождались самого глухого полустанка в тайге и выпнули меня, на ночь глядя. Спросив путь у шлагбаумщика в будке, два часа я продирался через тайгу до автомобильной дороги (до сих пор теряюсь в догадках, что там было в тайге спрятано — зачем бы шлагбаум на пустом месте?..) и шлепал комаров, и на попутной доехал до ближайшей станции: где подождал свой почтово-багажный и популярно поведал проводникам, что они были неправы — невинное удовольствие.

Пропуск, вопреки закону, получил в Хабаровском Краевом УВД за полдня: предъявил все документы с командировкой и спел о суровой необходимости начать практику на Камчатке с 1 августа, не то исключат бедного студента. Нормальный мужик вник и через два часа, после обеда, выдал мне бумажку: и то сказать, куда я с Камчатки сбегу? Самое обидное, что когда в Петропавловске я выходил из самолета, пропуск у меня не спросили: погранцы стояли между салонов у дверей, и когда выходил я — оба почему-то отвернулись, проверяя документы у выходивших из соседнего салона.

Потрясение воображения абитуриентов Камчатского пединститута, в общаге которого я решил пожить с комфортом, морской круиз в Жупаново и пеший поход в Долину Гейзеров, стрельба из винчестера (в то время-то!) в оленьем стойбище, выпивание диметилфтолата вместо спирта с последующим негарантированным выживанием и прочие мелкие радости — все это отдельные же, отдельные темы. Как напроситься на кормежку, как подкалымить мелочи, как выделить в кассе пассажира посостоятельней и сердобольней и уговорить спонсировать тебя на общий билет до ближайшей (определял по железнодорожному атласу) станции — а это ерунда, рубля полтора,— и потом сутки продержаться в поезде по разным вагонам, покуда не засекут, и тогда сойти раньше, чем выкинут — эта технология не может быть изложена в нескольких предложениях.

Я вернулся в сентябре, опоздав на занятия; мы выпили ящик водки и поставили общагу на рога. Время было безопасное и одновременно глухое, путешествия тогда приняты не были — максимум отпуск в Сочи или на Домбае,— я геройствовал в славе под факультетскими взглядами, получив от лета максимум удовольствия и не совершив на самом деле, разумеется, ничего трудного. Везде люди живут, везде нормальная жизнь, экзотика — это просто взгляд в перевернутый бинокль; пошлялся от души. Но писать по житковско-чукотскому принципу «Где я был и что я видел» мне всегда представлялось смешным и мелким занятием для импотентов от литературы со столичной пропиской. Тоже мне, Марко Поло — в командировку он съездил и описал быт антиподов и селенитов.

стр. 11
...сподвижника Карабаса-Барабаса пьявколова Дуремара.

А себе нескромный автор подсознательно оставляет роль Буратино — с ним, впрочем, по закону психологии восприятия искусства, отождествляет себя любой нормальный читатель. Короче, вам фига, а золотой ключик мой. Но все-таки и тем самым Ленинградская писательская организация уподобляется театру марионеток, управляемому неумным и жадным злодеем, а зависимый и слабый, но упорный и нахальный главный герой в перспективе строит свой собственный театр, якобы счастливый. Таковы ходы подсознания...

Ленинградское Суворовское училище, полтора курса медицинского института, французское отделение ленинградского филфака, шабашки, журналистика в многотираже, женитьба на стажерке из Сорбонны и отъезд в Париж. Помесь голливудского ковбоя с героем-гладиатором; человека с бо́льшим мужским обаянием и личным магнетизмом я в жизни не встречал; а встречал я до черта всяких. Любую компанию автоматически и сразу подчинял своему настроению и воле. Пытался писать киносценарии (что в советское время означало уличному сумасшедшему лезть в касту), и когда в кафетерии Ленфильма кинозвезда и всеобщий любимец Александр Демьяненко («Операция „Ы“», «Кавказская пленница») попытался вальяжно и естественно встать перед ним вне очереди — Саулу было достаточно объявить на весь зал насмешливо: «Ба! А вот и Шурик!» — чтобы публика начала ему подхихикивать, а покрасневший Шурик, не зная, как вести себя в такой ситуации, растерянно ретировался; при том, что Саул был никто со стороны, а Демьяненко — прима студии, но таков был магнетизм. Если б подобное попытался произнести я, меня бы просто спросили, кто я такой и что делаю здесь, где мне быть вообще не полагается, не то что кофе пить рядом со звездами. Однажды Саул выхватил из кассы Московского вокзала единственный билет под носом у стоявшего раньше, в нежных лучах всеобщего восхищения, рослого и шикарного красавца Янковского при роскошной телке; когда суперзвезда Янковский попытался важно и праведно возмутиться, Саул в лицо ему спел: «Служили два товарища... ага!» (фильм и Янковский в этой роли прогремели только что) и демонстративно спрятал билет в карман плаща...— у Янковского сделалось неловкое и сконфуженное лицо человека, которого неожиданно с изяществом обкакали, и он решительно не знает, как реагировать, чтоб перестать быть посмешищем. В числе последних его подвигов — перегон «мерседеса» из Парижа в Москву для бандитоватого нового русского: так в Солнцево (оцените бандитскую столицу) заказчик дружески поил его вресторане — и выпивший Саул провозгласил на весь ресторан тост за родителей, требуя, чтобы зал встал. Это серьезный зал в ресторане в Солнцево! Саул таки заставил зал встать — причем, поскольку никакой силы за ним не стояло, никто его не знал, а поилец-заказчик всячески демонстрировал лицом и позой нейтралитет, пытаясь избежать разборки на месте, сделал он это на одном магнетизме; серьезные бандиты сами не могли объяснить, почему они встали, дело тут не в уважении к родителям, а в навязанной им наглости случайного лоха. Саулу дали догулять, при выходе впихнули в машину, отвезли подальше, изметелили до полусмерти и выкинули, но жить оставили. Вот вам случайный визит джентльмена в сердце бандитской России. Это не человек — это баллада о гвозде, который всю жизнь нарывался.

стр. 12
...то Богом уже работает капитан Сагнер.

Вот отсюда, похоже, начинается скрытое цитирование, принимающее дальше полную иногда скрытость и густоту паштета из соловьиных язычков. Вольное цитирование места из «Приключений бравого солдата Швейка», где незадачливый и больной дизентерией кадет Биглер возвращается в свой полк, он уже генерал-майор и его машина попадает под огонь, генерал Биглер возносится в рай и ждет подобающего его чину и достоинствам места — но Богом там, наверху, работает все равно оказавшийся выше и главнее его проклятый капитан Сагнер, издевавшийся над кадетом когда-то в полку на земле; на самом же деле кадету Биглеру все это снится, а приказ бога-капитана швырнуть его в зловонную выгребную яму объясняется тем, что во сне реальный кадет Биглер обкакался: таково его пробуждение от триумфа.

стр. 13
...нажирались тогда в Париже.

В пять утра последние деньги мы потратили в ночной арабской лавочке на литр качественной водки «Абсолют» и семикилограммовый арбуз на закуску; а начали с утра большим разворотом за завтраком на траве в Булонском лесу; это был день рождения автора, 20 мая;

«Майор Звягин» и «Легенды Невского проспекта» уже начали широко издаваться, было на что пить.

стр. 13
ЮНЕСКО.

Я до сих пор не знаю, как расшифровывается эта аббревиатура и вообще аббревиатура ли это; чем именно занимается эта почтенная и знаменитая международная организация со штабквартирой в Париже? — знаю, что всякими культурными мероприятиями, например, объявлением очередного года годом Достоевского или, наоборот, Савонаролы. Боже, сколько людей на свете хорошо устраиваются на деньги глупых и беспомощных налогоплательщиков. Я тоже охотно послужил бы в ЮНЕСКО при условии спокойного житья в Париже — но меня туда не приглашают, и я даже не знаю, как вообще туда попасть. А ведь готов спорить на последние штаны, что я не менее культурен, чем многие из сотрудников этой сладкой конторы.

стр. 13
Кортасар

Хулио Кортасар (1914—1984), знаменитый аргентинский писатель, один из столпов новой латиноамериканской (испаноязычной, естественно) литературы. В 1971 году в СССР был издан на русском сборник его рассказов «Другое небо», и Кортасар сразу стал знаменит среди советской читающей интеллигенции. Рассказы были хороши — с фэнтезийным элементом и сильными композиционными ходами; по «Слюням дьявола» Антониони (или Феллини? вечно путаю эту пару!) снял «Блоу ап». Кортасар всегда был мне симпатичен и по личным биографическим причинам: он до тридцати лет никому не показывал своих рассказов — а в тридцать, решив, что он уже пишет ого-го, разнес их по редакциям и сразу стал знаменит; в свое время я попытался сделать то же самое, но разница наших положений заключалась в том, что он давал свои рассказы в аргентинские редакции сороковых годов, а я свои — в советские семидесятых: полагаю, что на его месте я бы не пропал, он же на моем вероятнее всего спился бы или стал писать романы о передовых заводах.

стр. 13
...Солженицына
всюду продавали
на килограммы...

Вот это была слава! хрен ли там Кортасар. Как потрясающе выглядит этот человек для своих восьмидесяти лет сегодня!.. Нет, кто-то там наверху определенно неплохо к нему относится. Все было правильно в его жизни — кроме опереточного оливкового френча а'ля Керенский (понятно, что надо создавать себе имидж и одеянием тоже, тут без накладок не бывает; ему бы пригласить в имиджмейкеры того парня, который научил отставного генерала Лебедя носить цивильное платье — и петеушник-переросток в тесной нейлоновой курточке мигом превратился в мужественнейше-сдержанно-элегантнейшего политика российского экрана!) — и, кроме френча, помпезно-гадостного шоу с проездом при возвращении на родину всей страны с Востока на Запад — в спецвагоне на деньги Би-Би-Си и под телесъемку Би-Би-Си, обладательницу купленного на корню эксклюзивного права показа того, как российский мессия возвращается в рухнувший под тяжестью его таланта совок. Ну нельзя же торговать с иностранцами миссией, которую возложил на тебя Господь! Или как? То в начале века один мессия прет с Запада в немецком вагоне на немецкие деньги, то в конце века другой — на, наоборот, английские. Такая получилась как бы картина исторического реванша — англичане в конце концов отыграли у немцев и это очко. Молодцы англичане! Do or Die!

стр. 13
Лимонов

Эдуард. Он же Владимир Савенко. Год рождения точно не помню, вроде 46. Самое интересное — клянусь, в личном общении Лимонов — интеллигентнейший и хорошо воспитанный человек. Он хотел сделать себе славу (имеется в виду его первый и скандально знаменитый роман «Это я, Эдичка»), и он ее сделал. Прозу Лимонова я никогда прозой не считал, но сведущие люди утверждают, что он а) писал хорошие стихи; б) шил замечательные брюки. Чем дальше, тем больше мне симпатичен и уважаем этот небольшой худенький человек — своим расчетливым умом, жизненной решительностью и упорством. Когда псевдоумные и псевдообразованные литературные дамы на глубоком серьезе пишут о скрытых от непосвященных достоинствах прозы Лимонова, мысленно я ему аплодирую! Так и надо обращаться с публикой, этой претенциозной дурой, все равно ни хрена ни в чем не понимающей, но падкой до сенсаций и остро реагирующей на шокинг. Молодец Лимонов. Вот только в тюрьме подзастрял... (О! Уже вышел. Милый мини-клон Троцкого...)

стр. 13
Бодлер, Шарль
(1821—1867)

Великий французский поэт, если кто не знает. Был любовником Рембо. Ничего такого.

стр. 13
Рембо, Артюр
(1854—1891)

Тоже великий французский поэт, если кто тоже не знает. Был любовником Бодлера, и еще неизвестно, при всей их разнице в возрасте, кто из них кого растлевал. Тоже ничего такого, в наши-то времена. Совсем не за это мы любим их (по крайней мере большинство из нас, которое покуда еще составлено из гетеросексуалов). Не путать с Рембо — суперменом-головорезом из кинобоевиков туповатого Сталлоне.

стр. 13
...минет...

Среди не раскрытых автором филологических загадок содержится и та, что в советские времена в перепечатанных самиздатских наставлениях по сексу «минет» писался с мягким знаком: «миньет». Почему? Возможно, так было изящнее на высокоэстетичный и ханжеский советский вкус: ближе к «миньон» и «менуэт». Как-то более куртуазно и гривуазно, менее отдает вечным советским недостатком в гигиене и вразумительно-прямым «хуй в рот». О сладость запретного плода!.. Кошмар.

стр. 13
Урезать так урезать, как сказал японский генерал, делая себе харакири.

Цитата из знаменитых старинных эстрадных номеров Аркадия Райкина, короля юмористического жанра и кумира публики, особенно на советском беспти-

124

чье. Шутка года так примерно пятьдесят восьмого. Одна из «крылатых фраз-цитат» нашей интеллигенции первой половины шестидесятых. Кто автор текста? — понятия не имею, Райкин был «истинно театральным человеком» (Булгаков устами Мольера о знаменитом театральном машинисте Вигарани) — он покупал текст «на корню», все права на все виды использования, и пред страной был как бы сам автором произносимого им текста, фамилия написавшего исчезала навсегда. Но Райкин у нас сам по себе не упоминается, так что распространяться о нем не будем. Так же как не будем здесь вдаваться в уточнения обряда харакири, что в русской традиции (слова, но не действия) подменяет собственно принятый японский термин «сеппуку». Режьте, братцы, режьте...

стр. 13
Уж отменять цензуру...

(от *лат.* censura). Цензором был еще Марк Туллий Цицерон. Но не тем цензором, который профильтровывал поэзию, а тем цензором, который ведает цензом — оценкой имущества граждан для контроля разделения их на податные сословия; но заодно, сука, следил и за благонадежностью и поведением граждан. Советская цензура называлась «главлит», что означало «Главное управление литературы», а ее подразделения — «горлит», т.е. «городское управление литературы». Гадство же заключалось не в том, что это было филиалом всемогущего и проклятого гражданами КГБ. А в том, что цензор («главлитчик») читал вещь на стадии гранок или даже макета книги (журнала, газеты). И если что слетало в процессе визирования им материала (штамп Главлита на страницу, дата и подпись) — у редактора начиналась головная боль: типография требует, сроки горят, начальство взгреет, премии не будет, и т.д. И редакторы сами выкидывали из рукописи все, что, по их мнению, могло задеть глаз цензуры. И уж здесь, конечно, лучше было перестраховаться — о бессильные судороги задроченных системой авторов! А в шестидесятые годы, вдобавок, власти сделали «улучшение». Поскольку цензура официально полностью именовалась «Главное управление по охране военной и государственной тайн в печати», так и разделили функции: пусть цензура охраняет только тайны, а уж сами редакции решают, потому как люди творческие там, что морально и идеологически можно допускать, а чего нельзя. Ну, а если они окажутся неправы — то потом, после выхода книги (журнала, газеты) их могут поправить товарищи из управлений культуры или отделов культуры горкомов (обкомов) КПСС. Замечание им сделают. Несогласие выразят. В крайнем случае выебут и выкинут с работы. Или дело в суд передадут — чтоб не только автора, но и соучастника-редактора посадили за идеологическую диверсию, за антисоветскую акцию, за скрытые призывы к искажению политики партии. В результате этого акта высокого правительственного и партийного доверия советский редактор уподобился фокстерьеру, выгрызающего крысу из любой тени на стене — или просто грызущему стену по природной своей функции. Редактор категорически вырубал все, что хоть в малой степени пахло для него замечанием сверху. И, разумеется, часто вырубали даже то, что потом рекомендовали оставить сердобольные секретари обкомов. Чем ниже ступень — тем более рьян исполнитель, да и ответственность на себя не желает никакую брать. А добавочная прелесть положения заключалась в том, что у цензоров лежали в сейфах справочники: о чем нельзя писать. Номера военных частей, расположение предприятий среднего (т.е. военного) машиностроения и т.п. Но справочники были секретными, и редакторам их показывать было нельзя. Редакторы лишь знали о самом их существовании. Авторам же не полагалось даже знать о существовании этих секретных справочников! Авторам не полагалось даже знать о существовании главлита! Так что невидимки-цензоры, строго говоря, никакого особого вреда литературе не принесли, литература как таковая их мало касалась — хотя, конечно, за пропуск в печать идеологически ошибочных мест и они получали взрев от своих руководящих органов — если «ошибка» попадалась на глаза кому в обкоме и т.п. Редакторы все делали сами. Цензура влияла на них лишь фактом своего наличия. Поэтому нельзя было, скажем, чтобы солдат пил водку или ходил с несвежим воротничком — а по уставу не положено, и все тут. А уж «формальные изыски», которые могли вызвать неудовольствие партийного босса, попадись ему на глаза,— целиком и полностью на совести редакторов, вырубавших все, что отличалось от «среднеположенной нормы». Идиотизмов тут было море безбрежное. Я лично однажды спорил с редактором, который вырубил у меня из рассказа номер полка на том основании, что номера частей указывать нельзя. То, что полк вымышленный, и стоит неизвестно где, и номера такого, вероятно, в природе не существует, и я предлагал редактору заменить его любым другим трехзначным номером — редактора не интересовало. О боже, лучше власть бандитов, только не обратно в совок — с бандитом можно договориться по уму, логике и понятиям, следуя его интересам,— с идиотизмом системы договориться невозможно никаким образом.

стр. 13
...из аксеновского
«Острова Крыма»...

Действие романа, написанного в восьмидесятые годы уже в американской эмиграции, происходит, если кто не читал (а не-читателей Аксенова все больше...) в вымышленном СССР и вымышленном «русском Тайване» — Крыму, который не полуостров, а остров, и в гражданскую отмахался от большевиков; в конце Союз оккупирует глупый Крым, который восхотел воссоединиться с «большим братом»; еще одно подчеркивание «литературы вымышленного пространства», каковым является текст «Ножика...» при всей его фотографической, но избирательной документальности. Характерно: 1. Хотя это была первая публикация эмигрантского Аксенова в СССР, почти на год предварившая московские публикации, Аксенов нигде публично о ней не упомянул, благодаря московские журналы «за первую публикацию»; при том, что, разумеется, публикация была с ним по телефону согласована, благодарственные его слова выслушаны и журналы с кусками романа в Вашингтон отосланы. Он прав: хрен ли тратить время и капитал

127

своего звучания на какой-то второразрядный журнальчик из провинции, большому кораблю — большое плавание по головам всякой мелочи. Но редакционные дамы были обижены.— 2. «Остров Крым» — яркий образец русской литературы, изготовленной «для использования только за пределами» России, как гласит торговая марка на американских сигаретах и кое-чем еще. Строго говоря, это даже не русская литература. Это американская беллетристика, написанная русским языком на российском материале — с расчетом прежде всего на то, что будет переведена на американский английский для прочтения американскими читателями, для получения гонораров от американских издателей и одобрения американскими критиками. И мат, и эротические сцены, и нерусские обороты типа «я продолжал любить свою девушку на мешке с углем» — все это калька с американского, жаргон эмигранта и «оживляж»; да и литагент нацеливает автора на книгу, которая принесет гонорары в США — много ли с Союза получишь, особенно когда в нем вообще не печатали.— 3. Вообще злые языки клеветали, что Аксенов покинул Союз не раньше, чем его новая жена, на много лет старше его, вдова знаменитого киношника Романа Кармена, получила свободный доступ ко всем деньгам Кармена, которых по советским временам имелось изрядно. Родина родиной, а бабки бабками. И всё равно я люблю Аксёнова, блестящего прозаика своей эпохи, писателя № 1 взлёта шестидесятых.

стр. 14
Главный скалил зубы...

Рейн Вейдеманн, доктор филологии, политический деятель, после 91 года — председатель парламентской комиссии по СМИ, помощник министра культуры и т.д. Лучший из всех начальников, кого я знал: не только не мешал сотрудникам работать и не сдерживал, но всячески поощрял инициативу и провоцировал на всякое интересное. Всегда утверждал материалы, в «проходимости» которых мы сомневались. «Рейн,— объясняли мы,— но после такой публикации тебя снимут, а нас посадят! — Давай-давай!» отвечал Рейн. Он — классическая противоположность трафаретному образу эстонца: невысокий худощавый лысеющий брюнет, темноглазый, с черной бородкой, живыми чертами лица и быстрыми манерами, напорист и смешлив. Про себя любил говорить, скаля крупные белые зубы: «Я не эстонец, я эстонский еврей» (этнически — полная неправда). Редкий случай: интернациональный «творческий» коллектив обожал начальника.

стр. 14
«Четвертая проза»

Сочинение О. Мандельштама, непечатаемое в советское время и потому модное у интеллигенции. Честно говоря, весьма пустые прозаические стансы.

стр. 14
...знали нас, знали,
в столицах выписывали.

Я пришел в «Радугу» через полгода после ее основания, в начале 87-го года. За полтора года мы вздули тираж с трех тысяч экземпляров до тридцати восьми. Отбирали для публикации сливки, орешки и прочие перлы-жемчуга. И это при том, что журнал был на две трети переводным с эстонского «систер-шипа» и одноредакционного аналога «Викеркаар» — (та же «радуга», но по-эстонски), и задуман и создан был как эстонский журнал на русском языке, для пропаганды среди русских эстонской литературы и культуры,— и только одну треть мы забивали самостоятельно тем, ради чего его в России и выписывали.

стр. 14
Кель ситуасьон! Какова
ситуация! (франц.)

Можно усмотреть намек на «Понедельник начинается в субботу» Стругацких, где профессор Выбегалло применяет и это выражение среди прочих французских «крылатых изречений». Если припомнить сермяжность Выбегалло и наивный шестидесятнический романтизм положительных героев повести, то яснее становится и отношение автора к отношению к мату русских «творческих интеллихентов». (В эпоху лавинного обвала в русские тексты американского написания — из принципа не желаю прибегать к оригинальной графике «крылатых фраз». Кому надо — переварит.)

129

стр. 14
Дэ профундис.
Из глубины (взываю)
(*латин.*).

Не только начальные слова широкоизвестной молитвы, но и название посттюремной исповеди Оскара Уайльда — негромкий стон усталой души без всяких эстетических наворотов; а уж это был до посадки законодатель дендизма и для литературы тоже.

стр. 14
Когда же московская
поэтесса...

Образ собирательный, клеветать только на одну было бы несправедливым. Падла, как я их всех не люблю!..

стр. 14
«Боцман задрал голову...»

Цитата из «Гиперболоида инженера Гарина». Опять же подсознательная аналогия: борьба одиночки с миром.

стр. 14
«Ме каго эн вейнте...»
(*исп.*)

«Срал я на двадцать четыре яйца двенадцати апостолов и пизду святой девы бляди Марии!»

стр. 15
Я так думаю, сказал
Винни-Пух.

Ну, книгу Р. Милна «Винни-Пух и все-все-все» знают в общем все-все-все, а кто нет — тот и этих слов наверняка не читает. Цитата к тому, что Винни-Пух добрый, простодушный и прямой, и все его честные и здравые мысли и предложения не вписываются в «нормальную», «взрослую» мораль и вечно вызывают разные казусы. Прав-то он прав, да «здравомыслящим особам» его правота совершенно ни к чему. Ну, а про мат — еще в отдельном эссе «Мат: сущность и место».

стр. 15
Лотман Юрий
Михайлович
(1922—1993)

Худо-бедно, русский филолог №1 шестидесятых—восьмидесятых, столп структурализма, индекс цитирования вне конкуренции (по профессии), завкафедрой русской литературы филфака Тартуского университета, куда уехал работать после вскоре окончания Ленинградского университета, бо в России ему не светило, еврей и формалист. Лотмановские чтения и т.д.

стр. 15
Зара Григорьевна Минц
(1927—1990)

Его жена, также доктор филологии, профессор той же кафедры, единомышленник, разумеется, и т.д.

стр. 15
Медведева, Наталья
(родилась так году
в сорок пятом, судя
по виду)

Плохая певица, плохая манекенщица, бездарная письменница, вульгарна ужасно, и море амбиций, для реализации которых любит использовать эпатаж.

Если бы не временный брак с Лимоновым, ее бы вовсе никто не знал. Раскручивала себя, как помесь швабры с самовзводной юлой.

стр. 16
Смотри порники...

Почти вся порнография удивительно примитивна и вульгарна. Изготовители руководствуются девизом: максимум прибыли при минимуме затрат. Зритель хочет изображения половых актов как бы с новыми партнерами и как бы в новых интерьерах — получи, фашист, гранату. А актеры, в погоне за деньгами, естественно, работают близ предела своих возможностей. Судя по всему, если только актеров до съемок мариновать несколько недель в полном воздержании, да подобрать им партнерш, которые будут их сильно возбуждать, да весь процесс съемок лишить обыденной деловитости, а превратить в сплошной бордель, где снимаемые актеры — лишь одни из участников, т.е. сами съемки превратить из технологического процесса в сексуальный фестиваль — о, тогда можно делать настоящий порнофильм. Ну, это вроде как был Хичкок, который умел вызывать ужас нехитрым зрелищем — и есть страшилки и боевики, где трупы летят вермишелью, а сопереживания нет. Но зритель смотрит! Делать сопереживание куда дороже обходится.

стр. 16
...с портфелем
«Рымникского»...

Дешевое болгарское крепленое красное вино, разливалось в короткие поллитровые бутылки и стоило рубль сорок две. В среднестатистический студенческий портфель влезало шесть бутылок.

131

стр. 16
...к двум красивыми
подругам...

Вот в таких местах читатель даже надеется на развертывание и детализацию события. Ну, может, и не очень красивым, но вполне ничего, на четыре с хорошим плюсом. Одна из них была нашей однокашницей и хорошей знакомой, а другая, постарше — ее подругой и, как оказалось, любовницей. Что касается имен и дат, то я не убежден в необходимости; перетопчетесь, может? Одну звали Марина М., и было ей в те поры двадцать один, а другой под тридцать, и как звать — забыл все равно. Кстати — строго говоря, они были бисексуалками; жизнь заставила — обе разведенные с маленькими детьми: что называется, обжегшись на молоке... Вообще лесбос процветает в девичьих комнатах общежитий больше, чем юноши полагают. Надо сказать, что мужчины-гетеросексуалы в общем лесбос приветствуют — в том плане, что это не снижает их влечения к лесбиянке, если оно было и без того знания, и более того — мужчине очень нравится лечь к ним третьим на правах равного. Но это уже уклонение от темы конкретного случая. Ночь была скверная: у них скрипела кровать, а я не мог уснуть на тюфячке.

стр. 16
И в Париже,
в Венсеннском лесу, под
луной, нет мне покоя!

Отсыл к булгаковскому из «Мастера и Маргариты»: «И ночью, под луной, нет мне покоя!» (Понтий Пилат). Достали, то-есть, по жизни и по литературе.

стр. 17
...шагов Командора
за сценой.

Придет невинно убиенная статуя к дон-Жуану, пожмет руку дружески и утащит в геенну огненную. Приглашай их, сволочей, на ужин!..

стр. 17
...консилиум над телом
Буратино.

С тех пор в печати и особенно по телевидению обожают по непрекращающимся кризисным вопросам повторять: «Пациент скорее мертв, чем жив.— Нет. Пациент скорее жив, чем мертв». «Золотой ключик» стал одной из знаменитейших и цитируемых книг конца советской эпохи. «Поле чудес в стране дураков» вошло в устойчивую фразеологию языка. Мюзикл по книге пользовался редкой любовью и цитировался насквозь. К началу XXI века массы уже забыли, как они издевались над советской властью и ненавидели ее.

стр. 17
На чем настаивали все известные мне журналы и издательства.

С осени 75 по лето 79 тридцать семь моих рассказов были предложены 26-ти журналам и 17-ти издательствам. Я собирал редакционные отказы на подборки до ста, потом до двухсот, потом бросил. Сейчас даже странно, что нервы не сдали. Вот что значило пробиваться в те времена, господа нынешние литераторы.

стр. 17
Сделай или сдохни.

Широко известное в викторианскую эпоху английское присловье, долженствовавшее отражать незыблемость саксонского духа. Одновременно — самоцитирование (рассказ «Не в ту дверь»).

стр. 17
Эстония в Ленинграде славилась изобилием и либерализмом.

Парафраз из «Семнадцати мгновений весны», истинно культовой книги и телесериала семидесятых: «Штирлиц у нас славится логикой и либерализмом». Подсознательный пласт положительных эмоций, везения, надежды и победы.

стр. 17
...в щель форточки забитого окна...

Автор уже ведь не убежден, что нынешняя публика помнит даже «Медного всадника»: «...в Европу прорубить окно.» Да, а что; читатель Доценко и читатель Пушкина не могут быть совмещены в одном лице; либо же это лицо будет ужасно.

стр. 17
...и приемом финского телевидения.

Это было ого-го! Конец семидесятых, все западные новости по радио глушатся в хлам, за хранение Солженицына дают срок,— а в Эстонии все принимают финское телевидение, и телерадиоремонтные бюро чуть ли не официально за сорок рублей ставят звуковые приставки, чтоб и звук, значит, принимать,— а картинка идет с вышки в Хельсинки! Четыре финские программы: реклама! новости! американские фильмы! американские телесериалы!!! (да кто их тогда в Союзе видел?!). Союз еще ничего не знал — а Эстония уже смотрела вход советских танковых колонн в Кабул! КГБ неоднократно ставило НИИ Связи задачу разработать средства глушения вредоносного ФинТВ, но ничего не получалось: если глушили — то глохло все и на финском берегу, к их глубочайшему возмущению, а глушить направленным лучом только на своей части территории — ну никак не получалось...

стр. 17
...рукопись одобрили в принципе.

После четырех трудолюбивых лет водопада беспросветных отказов — ласкающая рецензия типа: «У нас есть все основания полагать, что после некоторой перекомпоновки рукописи и незначительной редакторской доработки издательство получит яркую, талантливую книгу, которая, без сомнения, будет издана в реальные сроки». У меня еще месяц руки дрожали на седьмом небе. Если бы не эстонец Айн Тоотс, автор этой рецензии и будущий редактор книги, хрен бы эта книга увидела свет «в реальные сроки».

стр. 17
...в Кушке...

Теперь уже многие не поймут. Кушка была пограничным пунктом Туркмении, крайней южной точкой СССР, дырой страшенной и пеклом. Была лейтенантская присказка мирных времен: «Дальше Кушки не пошлют, меньше взвода не дадут».

стр. 18
В республиканской газете «Молодежь Эстонии»...

Боже, ну и гадюшничек был... да и весь Дом Печати не лучше. Удивительно высокий уровень каких-то неразличимых невооруженным глазом, но отчетливо воняющих интриг, и удивительно низкий уровень профессионализма. Ответсек «Молодежки» всерьез спрашивал меня, хорош ли заголовок очерка о знатном фрезеровщике

«Наедине с фрезой». Журналист обычно писал материал дома от руки, а в редакции отдавал его перепечатывать в машинописное бюро — как в конце XIX века. Боюсь, что я не всегда умело скрывал свое презрение. В Ленинграде, в многотираже «Скороходовский рабочий» — только тогда я понял, какими мы там все были асами; будущее это подтвердило — в новые времена, не сдерживаемые анкетами, все резко пошли вверх. И вот Таллинн — отдельные кабинеты! вид на город! тьма телефонов! а бар! днем — коньяк! курить можно! музыка играет! журналисты культурно и вальяжно проводят рабочее время! и вдруг за стойкой звонит телефон — и барменша кого-то из публики подзывает к аппарату! — кино из западной жизни!!! а журналисты из них — как из портянки презерватив. Провинциализм — это не ограничение по месту жительства, провинциализм — это ограничение по мозгам в сочетании с высоким самоуважением и взглядом на знаменитостей в своей профессии как на естественно высших существ. С годами я делаюсь все менее терпим к людям неумным и не умеющим работать свое дело очень хорошо...

стр. 18
...нужна прописка.

Забыли уже, как без милицейской прописочки на работу не брали никуда, а без работы прописочки не давали, и так во всех приличных городах?

стр. 18
...пять лет я не делал для заработка ни строчки.

Клянусь. Деньги от летних заработков «в пампасах» неукоснительно и независимо от размеров заработка кончались в пьянку на 7 Ноября (праздник Октябрьской революции), и на что я жил дальше до лета — сам теперь плохо понимаю. Одалживал по рублю, редко — по пять. Ходил ужинать к знакомым. Ездил в автобусах только зайцем.

стр. 19
Вольдемар Томбу

Замечательный и неконфликтный человек. При советской власти тоже не пропадал: окончил потом в Москве Высшую партийную школу и перешел на вполне высокоуровневую околопартийную работу. Таки там тоже были приличные люди, просто работа у них была такая.

Институт советского редактирования не имел аналогий в мировой истории. Создан он был в первую пятилетку, в конце двадцатых, с реализацией призыва «Ударники — в литературу!». Т.е. передовые сознательные рабочие и крестьяне должны были писать — пусть они были не шибко грамотны, зато классовое чутье у них было верное, и жизнь они знали, частью народа являлись. А образованные, но классово неполноценные интеллигенты-редакторы должны были их правильные и талантливые, но неумелые и корявые произведения редактировать, т.е. исправлять малограмотные ошибки и вообще переписывать в соответствии с элементарными требованиями литературы и журналистики. Мол, редактировать любой образованный может, а вот чтобы душу и жизнь правильно показать — тут надо самому принадлежать к передовому классу. Ну, потом рабоче-крестьяне и их дети — кто поумнее — пооканчивали институты, сами стали грамотными, но институт редактуры остался. И вот один человек после Литинститута пишет повесть, а другой после того же Литинститута ее редактирует. А норма загрузки у него — страниц пять в день, если годовую норму по дням разделить. А энергия требует приложения! А потребность в самореализации и самоутверждении требует что-то делать с рукописью, ум и знание к ней приложить! И редактор начинает «улучшать» — приводит все в абсолютное соответствие с академической грамматикой: зачеркивает слова и заменяет их более, по его мнению, удачными,— короче, соавторствует. Можно, конечно, рукопись прямо так в типографию пустить — но это «не положено», есть нормы штатов редакторов, он обязан редактировать, таков закон. Когда редактору говорили, что никого из классиков мировой литературы никогда никто не редактировал — он раздражался. Сколько образованных и полуобразованных людей бессмысленно потратили свою

стр. 19
Драли с тех пор меня многочисленные редакторы...

136

жизнь на ничего не значащие мелкие искажения авторского текста! Страсти кипели, инфаркты рушились, жалобы и доносы писались. Не будет им, редакторам, моего прощения, ибо даже лучшие из них были сволочи уже по своей профессиональной принадлежности. Они очень мало могли заниматься собственно и исконно редакторской работой, каковая состоит в превращении рукописи в книгу; художника выбирал художественный редактор, формат и макет — технический редактор, срок выхода и тираж — завредакцией, главный редактор и директор. Редактору оставалось только «литературно редактировать», в чем он себя и реализовывал. Сука... Приложение к моему трактату «Технология рассказа» так и называется: «Борьба с редактором». Оно написано, что называется, запекшейся кровью сердца. Так ныне не прошедшие этот ад воспринимают ее часто как юмор: однажды даже напечатали отдельно в юмористическом журнале!

стр. 19
Оптимизм — наш долг, сказал государственный канцлер.

Цитата из романа Эрика Кестнера «Фабиан»: глава посвящена издевке над газетной работой; в конце книги главный герой не то кончает с собой, не то благородно пытается спасти тонущего ребенка — при том, что сам не умеет плавать; ребенка-то и без него спасли, а он утоп.

стр. 21
...«вторая древнейшая»...

Устойчивый эвфемизм. По традиции первой древнейшей профессией называется проституция, и только второй — журналистика. «Вторая древнейшая» — так назывался роман среднего американского литератора Силвера Монтегю о бессмысленности и неблагодарности газетной работы,— книга была популярна в семидесятые среди советских журналистов, выйдя в русском переводе в Союзе.

стр. 21
Ариэль.

Дух воздуха и как бы символ свободы из пьесы Шекспира «Буря». Советскому читателю был более известен по роману

137

популярного в шестидесятые довоенного советского писателя-фантаста Александра Беляева «Ариэль»: бедный индийский мальчик умеет летать и в результате обретает счастье, к посрамлению плохих колонизаторствующих англичан: ну, советише Диккенс с элементом фэнтэзи. Пока он не улетел к черту и стал любимым и богатым, англичане-скоты имели его по-страшному.

стр. 21
...как министр
Госкомимущества.

Председателем Госкомимущества был в это время великий Анатолий Чубайс. Телевизионные рассказы в первый период его деятельности, посвященные его скромности и даже бедности, вызывали у меня восхищение умственными и волевыми способностями Чубайса. Так же как продекларированная им принадлежность полностью к славянско-русскому этносу, вот только фамилия от дедушки-литвина. Автор имел честь со студенческих лет приятельствовать по университету с Игорем Чубайсом, своим ровесником и старшим братом Анатолия; до крайности похожий на родного младшего старший брат утверждал, что сам он на одну четверть русский, на три же прочие — еврей, нюансы литовских корней и вовсе в воздухе не подразумевались.

стр. 21
...завотделом пропаганды
Марику Левину...

Еврей типа «мечта антисемита». В редакции его не переваривали за спесь, важность и непробиваемый апломб. Рост, размер, профиль, глаза, баритон, подбритая бородка с седой прядью — «Бельмондюк» была одной из редакционных кличек. Всегда был очень занят, но для разговоров о себе и своих заслугах — всегда свободен. Обожал пригласить новичка в ресторан и потом предложить заплатить, сказавшись без денег. Производил сильное впечатление на провинциальных околожурналистских девушек. Совершенно терялся и сникал, если его посылали подальше. В постперестроечные времена стал редактором-издателем журнала «Привет», который выходил пятидесятитысячным тиражом, не продаваясь вообще. На четвертом номере деньги доверчивого бизнесмена-инвестора кончились, и журнал почил. В жестокую и конкурентную новую эпоху был сокращен из всех штатов и стал читать при каком-то учебном заведении лекции по литературе и журналистике. Глупые студенты должны его уважать. Неглупых коллег он сильно раздражал, вещая полную чушь тоном абсолютного превосходства.

стр. 21
Мельница Господа Бога мелет медленно...

Одна из любимых эстонских поговорок. Все-таки в поговорках отражается национальный характер и темперамент. Хотя от одного эстонского писателя я слышал в советские времена очень нервное высказывание насчет издательских сроков: «Они там все думают, что мы живем по триста лет, как морские черепахи!» По три, пять, семь лет мы ждали книг!

стр. 21
Пуганая ворона хочет выжечь кусты из огнемета.

Вольно-агрессивная переделка пословицы «Пуганая ворона куста боится». Писатель был рыдающий тайный садист.

стр. 23
Совсем не то обещал мне ярл, когда приглашал в викинг.

Ярл Торгейр, набирая дружину в поход, взял и сына знакомого бонда, прельщенного добычей и славой. В пути его корабль попал в бурю и начал тонуть. Места в лодке, шедшей на привязи, хватало только для половины людей. Викинги метнули жребий, по которому ярлу выпало спастись, а юноше — остаться. Когда ярл занес ногу, чтоб перешагнуть в лодку, юноша и обвинил: «Совсем не то обещал ты мне, ярл, когда прельщал выгодами похода.— Что же ты предлагаешь? — спросил Торгейр.— Чтобы ты остался на корабле, а я перешел в лодку.— Должно быть, ты очень любишь жизнь и полагаешь, что смерть — трудное дело,— был ответ.— Будь по-твоему». И Торгейр погиб, а юноша спасся; скальд не счел нужным сохранить его имя для потомков, в отличие от имени погибшего Торгейра. Снорри Стурлусон, «Хеймскрингла», «Сага об оркнейцах».

стр. 23
...сопроводив
похеривающей
рецензией.

Пера ни больше ни меньше как председателя Союза писателей Эстонии, Заслуженного писателя Эстонии и лауреата всяких премий Владимира Бээкмана: он руководствовался здравой и логичной мыслью охранить литературно-издательскую жизнь родной Эстонии от всяких варягов, за которыми тащатся хвосты их российских неурядиц,— в Москве-Ленинграде непризнанных гениев было пруд пруди, создай прецедент — так сотни могут хлынуть в Эстонию издаваться и процветать, а Эстония маленькая, и благоприятную культурную обстановку в ней надо беречь для своих. Мой редактор также растерялся: он был уверен в объективной оценке маститого рецензента, и вдруг — такой пассаж!.. Гм; по-человечески я вполне понимал Бээкмана — такая жизнь, что делать; впоследствии у нас установились вполне хорошие отношения, в общем он всегда был человеком порядочным... просто приходилось быть политиком, куда денешься.— — Годом спустя газета «Советская Эстония» заказала мне очерк об его жене, также известном эстонском писателе Эме Бээкман — это было тридцать рублей приработка в период полной нищеты. Я явился в их дом с опозданием почти на час (это в пунктуальной Эстонии!), небритый, простуженный, с грязным носовым платком, воняя сигаретами «Прима». Дог бегал меж голубых елей под достойным двухэтажным домиком в фешенебельном пригороде. Хозяин вышел навстречу в белой сорочке с бабочкой. Хозяйка была в черном платье типа коктейльного от Шанель. Я был уместен на этом мини-рауте, как чесотка при молитве. Скатерть была камчатной, кофейник — серебряным, конфеты — импортными (в советские времена!). Хозяева держались с ровным дружелюбием подлинных аристократов. Возникло ощущение, что вопиющее отсутствие с моей стороны намерений понравиться или, тем паче, как-то приблизиться, в сочетании с тем, что предметом разговора я владел исчерпывающе и, смею надеяться, профессиональную беседу провел по уровню верха,— возникло ощущение, что это вызвало у них симпатию. Боже, как прекрасна жизнь, когда тебе ни от кого ничего не надо!

Разумеется, «Пиковая дама» —

стр. 23
Дама ваша убита, ласково сказал Чекалинский.

автора угадайте с трех раз. Обдернулся Германн, накрылось все его состояние, и только дурдом остался впереди, так еще ведь и плохо жил автор романа, и слово

Лиза утопилась. То есть: плохо жил автор романа, и слово «убита» вполне оттеняет его реакцию на милую новость.

Переделанная к месту цитата из

стр. 23
Корнет Оболенский, дайте один патрон.

старого шлягера Михаила Звездинского (господи, его биография — отдельный роман, судьба этой песни — еще один роман!..)

«Четвертые сутки пылают станицы!..» Там: «Раздайте патроны, поручик Голицын, корнет Оболенский — налейте вина!» Какое вино?! Один патрончик — застрелиться!

Привет от анчаровской «Баллады

стр. 23
...эстонской кильке пряного посола...

о МАЗах»: «Кушай кильку посола пряного — кушай, детка, не егози!» Классическая и дешевейшая водочная закуска. Можно сказать,

одно из национальных эстонских блюд. Когда в начале восьмидесятых эстонские писатели как-то принимали у себя узбекских писателей, то в ресторане «Глория» — как бы правительственного уровня кабаке — в качестве гвоздя банкета внесли блюдо интернациональной дружбы — огромный поднос плова, обложенный соленой килькой. Неширокие глаза узбеков стали похожи на пуговицы с пальто швейцара; об этом долго говорили потом в литературном Ташкенте.

стр. 23
...разбитого корыта.

«Сказку о рыбаке и рыбке» упоминать?

стр. 23
Ах не фраер Боженька: всю правду видит, да не скоро скажет.

Блатная присказка из фени пятидесятых годов.

141

стр. 23 ...из пращи да булдыган в лоб.	Намек на Давида и Голиафа? Или на поговорку: «Что в лоб, что по лбу»? Булыжник — оружие литературного пролетариата.
стр. 23 ...не шейте вы ливреи, евреи.	Строка из песни Александра Галича. И отрекся от славы, и отказался от богатства, и отрыдал по Родине, и принял смерть в Париже.
стр. 23 Для тебя, Веллер, Монголия заграница...	Филфак Ленинградского университета тогда готовил в основном переводчиков с европейских языков, а элитная работа для них

была, разумеется, за границей — там смотрели мир, там куда больше зарабатывали, заводили связи на советско-торгово-дипломатическом верху, за год-два работы можно было купить потом в Москве или Ленинграде кооперативную квартиру, и т.п. Но для принятия на заграничную работу нужна была хорошая анкета, желательно — с указанием общественной активности, будь то комсомольская, партийная, профсоюзная и т.п. Думая о будущем, студенты «набирали очки», занимаясь общественной деятельностью. Я учился на русском отделении — стало быть, переводчиком за границу не мог ехать все равно, а читать лекции по русской литературе выпускали за бугор проверенных профессоров и доцентов,— т.е. с точки зрения карьеры моя комсомольская деятельность была бессмысленной, тем паче что я не думал ни об аспирантуре, ни о преподавании в вузах, и вообще был евреем без связей, то есть абсолютно непроходной пешкой. Самое смешное, что дружески-юмористическое пророчество сбылось: в двадцать восемь лет, алтайским скотогоном, я таки посетил заграницу-Монголию, где в шестидесяти километрах за пограничной чертой мы принимали на перегон монгольский скот. До сорока лет, когда пошла перестройка и я начал понемножку шляться по миру, Монголия оставалась моей единственной заграницей.

стр. 23
Велика Россия, а
отступать нам приходится
на запад.

Пародия на крылатую фразу «Велика Россия, а отступать нам некуда». Приписывается то политруку Клочкову, то лейтенанту Дееву — командиру двадцати восьми бойцов панфиловской дивизии, которые полегли, отражая в декабре 41 атаку немецких танков. В шестидесятые годы выяснились интересные вещи. Во-первых, не все 28 погибли, как объявили тогда. Некоторые остались живы. Во-вторых, когда Александр Кривицкий, корреспондент «Красной Звезды» (позднее известный журналист), привез в редакцию этот материал, главный редактор Давид Ортенберг логично спросил: «Слушай, если они все погибли, откуда же ты знаешь, что политрук Клочков это сказал? — Я уверен, что он должен был так сказать!» — ответил умный и политически очень грамотный Кривицкий. Так создавались легенды, на которых мы росли.— — Кроме того, «на Запад» — намек на эмиграцию семидесятых, когда «свободомыслящим и талантливым» места в Союзе действительно не очень-то находилось.

стр. 24
...автоматически
означала, что отец мой
вышибается...

Эмиграция происходила только по двум официальным причинам: брак с иностранцем или вызов от родственников (пусть подставных, несуществующих) на постоянное место жительства в Израиль. Как только человек подавал заявление о браке в ЗАГС, или как только приглашение на загранжительство в письме попадало на пункт перлюстрации зарубежной корреспонденции (а этим ведала контрразведка КГБ) особые отделы, они же режимные отделы, они же политорганы; и партийное руководство по месту работы всех ближайших родственников принимало меры, так как человек с сыном или братом, намеренным стать иностранцем, был потенциальным пособником потенциальных шпионов и явных врагов советского строя; таким родственникам доверять было нельзя, они автоматически становились подозреваемыми, неблагонадежными, ничего хорошего им по работе светить не могло, они делались гражданами последнего сорта. Никаких преувеличений! И меры к ним принимались раньше, чем, скажем, брак уже заключался (тому чинилось много препятствий) или вызов на постоянку попадал в руки адресата.

стр. 24
...вперед и вверх.
А там — хоть это не наши горы, но...

Парафраз из песни Высоцкого: «Вперед и вверх! А там — ведь это наши горы, они помогут нам!» К/ф «Вертикаль», 1967 год.

стр. 24
...тихо-тихо ползи, улитка, по склону Фудзи вверх, до самой вершины.

Исса. Цитата стоит в качестве эпиграфа к «Улитке на склоне» Стругацких. А также выбита на мини-монументике приза «Бронзовая улитка», ежегодно вручаемом Борисом Стругацким за лучшее фантастическое произведение года. Впервые в год основания «Бронзовую улитку» получил (1992) скромный автор (за рассказ «Хочу в Париж»).

стр. 24
...на промысловую охоту.

Самая красивая запись в моей толстенной и давно лежащей без дела трудовой книжке гласит: «Бригадный стрелок» (!). А как выглядела эта охота — описано в романе «Самовар».

стр. 25
...Заработка должно было хватить...

Главным было раздать две-три сотни в долг знакомым — и потом до следующего лета и отъезда на следующие заработки получать с них по десять-тридцать рублей, тут же отоваривая их чаем, сахаром, сигаретами и супами в пакетиках; на хлеб всегда можно было найти и сдать пустую бутылку или просто настрелять на улице по пять—десять копеек. Потому что основная сумма все равно кончалась 7 Ноября (см. выше).

стр. 25
...переложил печку в камин...

Две ночи я крал отборные кирпичи из штабеля у жилуправления, перетаскивая их за километр в сумке; отбор происходил на ощупь. Камин я клал четыре дня, разложив кирпичи «взрыв-схемой» по всей комнате. В последний день ко мне в гости зашел знакомый эстонский писатель и сделал комплимент моему умению, сказав, что и не слышал за мной о таких талантах. На что я чистосердечно ответил, что три дня назад и сам о таком таланте за собой не знал. Камин, надо признаться, более способствовал комплексному удовольствию от интимной жизни, нежели творческому процессу.

стр. 25
...удача благосклонна к тем, кто твердо знает, чего хочет.

Цитата из книги Марка Галлая «Первый бой мы выиграли» (нет, но каково название! таки да подсознание существует). Кто не знает — Галлай всю жизнь был летчиком-испытателем экстра-класса и в шестидесятые годы написал несколько очень хороших мемуарного характера книг об авиации.

стр. 25
Никогда не бывает так плохо, чтоб не могло быть еще хуже.

Распространенная английская пословица. В России конца XX — начала XXI века обрела вторую жизнь, если не бессмертие и стала слоганом политической и общественной жизни.

стр. 25
«Пронеслось четыре года. Три у Банковых урода родилось за это время неизвестно для чего. Недоношенный четвертый стал добычею аборта, потому что что-то к празднику папаша Банков прибавки к жалованью не получил. Это ново?..» — и т.д.

Саша Черный.

стр. 26
«Он один был в своем углу, где секунданты даже не поставили для него стула».

Джек Лондон, «Мексиканец». Этот образец победы в грязной игре нас долго поддерживал... Самый тиражный сов. автор!

стр. 26
Портрет на фоне Пушкина, и птичка вылетает.

Парафраз песни Окуджавы «На фоне Пушкина снимается семейство». На фоне Пушкина и пробка вылетает! И пуля вылетает! И деньги! И т.д. Гений!

стр. 26 Меня посетила знакомая.	Убей меня бог, не помню, кто это: «Меня недавно муза посетила — немного посидела и ушла». Высоцкий? «Во мне заряд нетворческого зла...»
стр. 26 ....танк, который гуляет сам по себе.	Киплинг, «Кошка, которая гуляла сама по себе». Англо-сакский германский замес подается из подсознанья, как снаряд.
стр. 26 ...мерзкую плоть...	Так назывался известный у нас некогда роман Ивлина Во — «Мерзкая плоть».
стр. 26 ...кэптен Джон Морган.	Знаменитого пирата и последующего губернатора Ямайки звали, разумеется, Генри Морган. Джо-

ном Пирпонтом Морганом звался американский олигарх рубежа XX века. Зачем мне захотелось обозвать пирата Джоном? По трафарету — Иван, Джон, Ганс, Абрам? По детской матерной песенке «Капитан, каких немного,— Джон Кровавое Яйцо»? Очевидно, для обогащения внесознательных ассоциаций. Соединить пирата с акулой бизнеса. Графика и фонетика имени «Генри» будет поинтеллигентнее «Джона» — крепковатого, простоватого и т.д.

стр. 28 Павлина ранили стрелой.	«Оленя ранили стрелой». Это цитата откуда-то из мировой классической драматургии, причем обыгрывается в русской

классике XIX века — не то у Островского, или еще где. Кто-то там величественный и пьющий бродячий актер, кто-то — чья-то несчастная дочь, и вообще алкоголь, поражение и благородство никчемной образованности. Автор издевается над собой изо всех сил.

стр. 28 б/у	— «бывшее в употреблении». Армейский профессиональный жаргон — о предметах вещевого довольствия, которыми до раз-

дачи уже пользовались другие. А то сейчас все знают «секонд хэнд», а родимые выражения могут и забыть.

стр. 28
...такой русской, хучь
в рабины отдавай...»

И. Бабель, «Начало» — один из автобиографических рассказов периода Гражданской войны.

стр. 28
...Рогинский, Малкиэль, Ольман...

Почти все после распада СССР разъехались: одни вернулись в Москву и Петербург, другие продвинулись в Германию и США. Выпить не с кем!

стр. 28
...из недодавленных
в Киевах и Ташкентах...

Среди «русскоязычной» интеллигенции Эстонии действительно был удивительно высок процент евреев — которые приезжали из Молдавии, Украины, Средней Азии поступать в эстонские вузы, что было вполне возможно на общих основаниях и без протекции и взяток, а «дома» действовали негласные инструкции евреев много куда не принимать, и на приличную работу устроиться здесь было легче. Эстонцы отчасти полагали, что лучше еврей, чем русский,— евреи, мол, тоже небольшой, неагрессивный и трудолюбивый народ, придавленный грубыми русскими оккупантами, отчасти собратья по несчастью. Хотя во время Второй Мировой войны все евреи в Эстонии были исправно уничтожены, и Риббентроп лично прилетал поздравлять эстонские оккупационные власти с решением проблемы и объявлением Эстонии «юденфрай» — свободной от евреев; но это было раньше. А потом стал действовать принцип «враг моего врага — мне если не друг, то все-таки товарищ по несчастью». Русские же полагали, что пусть будет в Эстонии процент эстонцев хоть чуть пониже, а прочих, даже и евреев,— чуть повыше, так что черт с ними, пусть селятся и работают. Их немного, над ними эстонские и русские начальники, много не навредят, и вообще они запуганы и управляемы, и корней у них тут нет, а эстонцы — скрытые антисоветчики все, родня сплошных «лесных братьев». В начале восьмидесятых был страшный скандал, когда финны обнародовали советский перспективный план развития Таллинна, по которому к 2000 году население города должно было достичь миллиона человек при соотношении русских

147

и эстонцев 3:1 (до этого было 1:1 при полумиллионе).

стр. 28
«За победителя боги, побежденный любезен Катону».

Восходит к фрагменту одной из частично сохранившихся речей Марка Порция Катона (234—149 до н. э.), более всего оставшегося в истории фразой: «А все-таки я считаю, что Карфаген должен быть разрушен». Воевал под Сципионом Африканским, позднее, уже сенатором, был врагом Сципиона и сторонником самой жесткой политики по отношению к побежденным. Но в старости сильно смягчился и подобрел — хотя никаких конкретных гуманных следствий его доброта уже не имела... Данная фраза должна была как бы демонстрировать его добросердечие и справедливость.

стр. 29
...хук правой в печень...

Представив себе нормальную левостороннюю стойку двух боксеров (левое плечо впереди, левая рука перед лицом), может логично показаться, что в правое подреберье противника надо въезжать своей левой. Но. На деле. Правое подреберье прикрыто правым локтем. Атака же требует подготовки, для хука плечо необходимо как минимум опустить и довернуть. Опустив, ты открываешься, а довернув левую из нормальной стойки — производишь полускользящий удар сбоку по низу правых ребер и прессу. Так в печень не въедешь, а хук требует достаточной траектории движения руки. Эффективный удар в печень производится крюком правой на контратаке: поймать противника на ударе его правой, уйти нырком — и вот тогда его правое подреберье находится как раз напротив твоей правой руки, а твое правое плечо находится в положении нормальной стойки, т.е. опущено и отведено назад, готово для нанесения удара; ощущение от такого пропущенного удара напоминает выпускание из тебя всего воздуха через дырку под ребрами.

стр. 29
...змеиное молоко, мы сами-то еле живы.

Отсыл к Стругацким, «Парень из преисподней»: «Какие у нас, змеиное молоко, братья, мы сами-то еле живы».

стр. 29
...что бы ни делал человек в России, а все равно его жалко.

Одно время фраза была крылатой. Когда в разгар «перестройки» группу бывших диссидентов пригласили из эмиграции на дискуссию по ЦТ, они долго мололи гуманистическую чушь, пока Владимир Максимов этой фразой не подвел невольно итог болтологии: телеаудитория была в восторге.

стр. 29
...по обе стороны океана...

Так был озаглавлен знаменитый в шестидесятые очерк Виктора Некрасова, опубликованный в «Новом мире» и удостоившийся личного и прицельного разноса генсека Хрущева: мол, низкопоклонство перед Америкой. С этого началась для живого классика советской военной литературы Некрасова бесконечная цепь неприятностей, кончившаяся в семидесятые его выдавливанием в эмиграцию — которая тоже оказалась для него несладкой.

стр. 29
...и нет для нас другого глобуса.

Парафраз знаменитого в семидесятые анекдота: в КГБ вызывают допускающего нелояльные высказывания еврея и предлагают добром уехать в Израиль; «Но я не хочу ехать в Израиль!» — «А куда вы хотите? Туда и езжайте!» — «А можно?» — «Можно!» — «А куда?» — «Куда угодно!» — «А подумать можно?» — «Думайте.» — «А... посмотреть по карте можно?» — «Вот идите в ту комнату, там есть глобус, выбирайте и валите.» — Через некоторое время вспотевший еврей возвращается из другой комнаты: «Простите, конечно... а другого глобуса у вас нет?»

стр. 30
...как космонавты на Андромеду.

Отсыл к знаменитому в шестидесятые фантастическому роману Ивана Ефремова «Туманность Андромеды» — эдакой величественной и фальшивой утопии.

стр. 30
...в журнале «Алеф».

Издается в Тель-Авиве тиражом всего тысяч в пять, но издатель — какая-то весьма ортодоксальная еврейская организация — рассылает его по массе мест, где есть еврейские общины. Тогда главным редактором был мой приятель Давид Шехтер, а потом — другой приятель, Павел Амнуэль. Уж лень теперь и копать подборку, какой именно мой рассказ из «Легенд Невского проспекта» был опубликован в «Алефе» в самом конце 92 г. А вот пиво пили марки «Маккаби».

стр. 30
...Юру Дымова.

Мы кончали с ним школу в Могилеве. До той встречи я и не подозревал, что Дымов — еврей. Ассимиляция или мимикрия?..

стр. 30
...перегруженный альбатрос.

Считать ли это намеком на известное стихотворение Бодлера «Альбатрос»? Или на его перелет через океан с багажом?

стр. 30
...ваши цветущие яблони на Марсе.

«Утверждают космонавты и мечтатели: и на Марсе будут яблони цвести!» Из известной официально-оптимистическо-лирической песни советских шестидесятых; авторов не помню и помнить не хочу; надеюсь, что хоть этого не пел Кобзон.

стр. 30
«Кэптэн Блад ошень любиль...»

Финальная фраза чудной детской пиратской книжки Рафаэля Сабатини «Одиссея капитана Блада»; она была особенно популярна у подростков начала шестидесятых. И, черт возьми, — Блад всегда побеждал!

стр. 31
«Я с самим маршалом Фрагга разговаривал...»

Стругацкие, «Парень из преисподней». Да. Бойцовый Кот есть боевая единица сам по себе.

стр. 32
У лакея свое представление о величии.

Лев Толстой, «Война и мир»: «Для лакея не существует подлинно великого человека, потому что у лакея собственное представление о величии».

стр. 33
У успеха много отцов.

Старая арабская пословица. «...поражение всегда сирота»

стр. 33
...большого ума
благородные доны...

стр. 33
...в любой луже есть гад,
между иными гадами
иройский.

стр. 33
Занять каждого своим
делом...

стр. 33
Ежли роман — зеркало,
с которым идешь
по большой дороге...

стр. 35
Можно простить
увольнение отца,
но не потерю
спецраспределителя.

стр. 35
Воскобойников

Боже, как мгновенно и как надолго стала разобрана на классику цитат «Трудно быть богом» Стругацких. А ведь Борис неоднократно утверждал мне, что «мы с Аркашкой не любим эту повесть». Ничего, другие любят! Второе место в рейтинге цитирования всей русской литературы!

Салтыков-Щедрин, «История города Глупова». Самый злободневно-антиправительственный всегда наш классик.

Бомарше, «Женитьба Фигаро»: «Займем каждого его собственным делом, и тогда ему некогда будет соваться в чужие».

— «Роман — это зеркало, с которым автор идет по дороге и которое отражает...» и т.д. Подчеркнуть нужное: а) Стендаль; б) Бальзак; в) В. Губарев, «Королевство кривых зеркал».

«Можно простить смерть отца, но не потерю вотчины». Макиавелли, «Государь». Похоже, все его ученики сегодня в России (кроме изгнанных).

И вполне был мягкий человек и не графоман. Что характерно: чем дольше я живу, тем больше среди моих знакомых и друзей оказывается сотрудников КГБ — при том, что общее число знакомых, естественно, сокращается. В новые времена оказалось, что меня самого хотели привлечь к агентурной деятельности, но в моем досье уже были записи, на основании которых резолюция на рапорте вербовщика гласила: «Привлечение к агентурной деятельности считать нецелесообразным». Иногда, встречаясь в Москве, мы с Женей

Григом, старым другом, бывшим замначальника отдела контрактов ВААПа СССР, отставным полковником Пятого управления, посмеиваемся на тему, что было бы, если б ему разрешили меня вербануть. Женя написал познавательнейшую книгу «Да, я там работал», вышедшую в конце девяностых.

И в том же конце девяностых я встретился в петербургском писательском клубе с Валерием Воскобойниковым. Мы пересеклись взглядами и промолчали. Показалось, что он настроен к общению, хотел бы что-то сказать. Но джентльмену трудно общаться с человеком, которого он обвинил в тайном сотрудничестве с репрессивными органами!.. Клянусь! — не по моей инициативе мы очутились позднее в одном вагоне метро, сидящими рядом. Он был терпим, добр и печален: вот вы написали, что я был связан с КГБ, а ведь на самом деле я это сделал просто потому, что его любил... вот, понимаете, и все. Я не чувствовал себя хорошо, глядя ему в глаза и выслушивая. Я чувствовал себя плохо. В любой момент и по первому требованию я готов ответить мордой за каждое свое слово — так нас воспитывали. Но тут этого никто не требовал. И вот теперь — я не знаю правды. Логика жизни — против глядящих в тебя печальных глаз.

Простите меня все...

стр. 36 ...к глазу Большого Брата.	«1984» Орвелла была одной из «главных» запрещенных книг в СССР.
стр. 36 Федор Панферов	Когда родился? Когда умер? Что написал? За всем этим теперь надо лезть только в справочники

и литературную энциклопедию. А ведь был классик, член ЦК КПСС, один из начальников нашей литературы, маршал, небожитель! Зачеты и экзамены мы на филфаке по нему сдавали. Все-таки история часто бывает справедлива. Бездари и суки уходят в нети, и как не было их никогда. Я за них рад. Они отравляли своим смрадом воздух и распределяли его по карточкам,— воздух, которым полагалось дышать нам. И ведь даже они были мучимы родным строем, в котором пристроились жрать кус!

стр. 37
А откуда, интересно, взялись в академической грамматике все ее правила? Очень просто: кто-то взял и вставил.

Очередной парафраз: «Когда мы пришли в Капитолий, Джек, в конституции штата не было половины тех законов, что сейчас. Откуда же они там взялись? Очень просто — кто-то взял и вставил».— Роберт Пенн Уоррен, «Вся королевская рать».

стр. 37
Ученого учить — только портить.

Пословица, пословица, русская, русская. И тем не менее каждая сволочь тебя наровит учить, если не боиться.

стр. 37
По законам, понимаешь, современной аэродинамики шмель летать не может.

Чистая правда. На конец XX века по известным аэродинамике законам не получается, чтобы шмель мог взлететь. Он напоминает процветание России!..

стр. 37
Не учи отца делать детей.

Салонный вариант. Опять же — современный фольклор, русская народная пословица: «Не учи отца ебаться».

стр. 37
...собственную книжку... снабдив ее надписью...

Сборник рассказов «Разбиватель сердец», изд. «Ээсти Раамат», 1988, тир. 40 000 экз. Боюсь, я сделал невольную бестактность.

стр. 37
...зря похаял редакторов: один меня поучил.

Айн Тоотс, мой первый редактор, и поучил, за что ему отдельное спасибо.

стр. 40
Характер у меня легкий, зато рука тяжелая.

Распространенная ироническая переделка устойчивой фраземы: «У него тяжелый характер, но легкая рука» — о человеке мрачноватом, но доброжелательном и несущем удачу. Тьфу-тьфу: у моих врагов жизнь не тоё...

* * *

Примечание в примечании: Этот комментарий написан также эмигрантом, живущим в изрядной изоляции.

Иногда, общаясь мало с кем и по преимуществу с олигофренами, я уже теряю представление, что общеизвестно — а что, наоборот, малоизвестно и трудно определимо, поскольку основной мой собеседник — я сам. Вот и получается, что комментарий написан иногда как бы для нерусских школ, для иностранцев, изучающих русский язык и историю русской культуры семидесятых годов двадцатого века. И то сказать: чем дальше от Советского Союза семидесятых, тем более чуждым и непонятным становится все, что составляло сферу интеллектуальной жизни культуропотребителей того времени.

* * *

стр. 40
Сам себя не похвалишь — ходишь как оплеванный.

Переделка иронической пословицы «Сам себя не похвалишь — никто <тебя> не похвалит», которая и сама есть переделка классической русской «Не хвали себя сам — жди, когда похвалят другие».

стр. 40
...с юстиниановым правом...

С легкой руки Наполеона Юстинианов кодекс, легший в основу Конституции Французской Империи, стал в течение XIX века правовой праосновой большинства «демократических» современных государств. (Черт, но наполеоновскую империю нельзя назвать «демократической». Ну, тогда «цивилизованных современных европейских государств» или что-нибудь в таком духе.) Юстинианов Кодекс — объемный свод римского права — составлен в Западной Римской Империи при императоре Юстиниане (527—565), византийце, уже после падения собственно Рима.— — В свое время поручику Бонапарту Юстинианов Кодекс попался на гарнизонной гауптвахте по случайке, он прочитал его от нечем занять буйный ум — и цитировал наизусть пятнадцать лет спустя французским правоведам, которым поставил задачу разработать достойное Великой Революционной Франции право.

стр. 40
...с юстиниановым
правом мы тоже
знакомились
не по Гегелю...

Отсыл к поэме Маяковского «Хорошо!»: «Мы диалектику учили не по Гегелю, бряцанием боев она врывалась в стих, когда под пулями от нас буржуи бегали, как мы когда-то бегали от них».

стр. 40
...кто-то должен был
прокукарекать первым...

Опять же присказка: «Наше дело прокукарекать, а там хоть не рассветай». Снижение пророка до поэта, а поэта до петуха.

стр. 40
Горенштейн, Фридрих
(род. ок. 1930)

Из поволжских немцев, с семидесятых живет в Германии. Обрел статус определенной известности в шестидесятые публикацией в «Юности» — а публикация в «Юности» тогда автоматически означала пропуск в литературную элиту — не то рассказа, не то короткой повести с коротким же названием, не подлежащим хранению в памяти: не то «Дом с мезонином» (Но это Чехов!..), не то «Дом и корабль» (Но это сов. писатель-маринист Александр Крон, был такой!..), не то «Мансарда с башенкой», но это звучит явно глупо. Сексуально закомплексован, постоянной нитью проходит проблема мужчины с траханьем: с кем может — не нравится, с кем хочет — не получается, вот так и подходит импотенция, старость и смерть. В новом веке на российском читательским рынке не существует. (Тоже еврей?!)

стр. 40
Войнович, Владимир

Родился примерно тогда же, все это одно поколение, которое вошло в двадцатипятилетие, в возраст рабочего жизненного разворота, во времена хрущевской оттепели, т.е. в конце пятидесятых — а тогда в сов. литературе для людей энергичных и способных настал период условий тепличных и до неправдоподобия благоприятных: за сталинские пятилетки все было вырублено, соцреалистическая графомания достигла стадии неграмотного бреда, и тут — расширили издательские планы! расширили штаты приема в Союз писателей! создали новые издательства и журналы!

155

(потому что уж ну вовсе же все уже было подохшим) — а писателей-то и нет, повывели! И всех чего-то стоящих молодых вносили в голубой вагон под руки — тиражи! слава! деньги! поездки! — был такой период, был...) — Обрел известность публикацией в 1962 году в «Новом мире» короткой повести про прораба «Хочу быть честным». Вошел в литературный истэблишмент, распробовал вкус денег и славы, в семидесятые свалил в США. В романе-антиутопии «2042 год» обкакал Солженицына, как умел. Придавал большое значение своему «советско-швейковскому» пародийному роману «Приключения солдата Ивана Чонкина» (кажется, название именно — или в общем — таково), юмор которого, на мой взгляд, отличается пошлостью и плоскостью: туповатый юмор простолюдина, сдобренный усердно фекальной темой.

стр. 40
Максимов, Владимир

Родился чуть раньше, в конце двадцатых (28? 29?), умер в девяностые. В семидесятые эмигрировал в Париж. Я не сумел узнать, что он написал. Но, кажется, именно он стал издавать в Париже литературно-внесоветский журнал «Континент», который для сов. русск. культуры был чем-то вроде герценовского «Колокола». Если ты напечатался в «Континенте» — тебя автоматически не печатали и выгоняли с работ в СССР — зато ты автоматически входил в обойму (обойма была емкостью с магазин ручного пулемета) «прогрессивных советских писателей», входивших в западный истэблишмент сов. писателей — переводимых, приглашаемых и т.п.

стр. 40
Севела, Эфраим
(Род. в конце 30-х)

Что-то вроде кинодраматурга по образованию, т.е. из людей, правильно понимавших службу в советской литературе: энергия, связи, деньги, хрен ли тратить жизнь на корпение над шедеврами, которых может и не выйти. В начале семидесятых, по его собственным утверждениям, проявил геройство, протаранивая сов. органы для разрешения вообще эмиграции евреев в Израиль, куда и отбыл с «первой волной» года где-то 73-го. Этой маленькой страны его буйному темпераменту хватило ненадолго, и переехал в США. Твердо знаю, что писал повести с еврейским элементом и юмористическим элементом. Очень мал ростом и занозист.

стр. 40

Эдуард Тополь

Один из самых кассовых беллетристов на российском книжном рынке середины и второй половины девяностых годов. Родился там же — конец тридцатых. Тоже из сценаристов — т.е. людей, которые мерили деньги не той меркой, что простые советские граждане. Дал о себе массу интервью, где сказал о себе много достойного и хорошего. Эмигрировал в США в семидесятые. Стал писать боевики с колоритом а'ля руссо-совьетико, что в горбачевский период «перестройки» и всплеска мирового интереса ко всему русскому — принесло успех, известность, переводы на иностранные языки. Как часто бывает, первые книги были энергичны и хорошочитаемы, хотя назвать откровенный боевик высокой литературой нельзя. Всего написал полтора метра произведений, если мерить собрание сочинений по толщине корешков. Последние книги — «Россия в постели» и «Новая Россия в постели» читать в общем трудно: сборник очерков и монологов о проститутках и вообще сексуальной жизни. Очень славолюбив... как, впрочем, и остальные: это так естественно. Но лучше многих!

стр. 40

Незнанский, Фридрих

Чуть постарше Тополя. Много лет в США работал с ним в соавторстве. Потом они отчаянно расплевались. Тополь объявил Незнанского графоманом, трутнем, самозванцем, которого он, Тополь, пригрел и поставил в соавторы из жалости; а теперь Незнанский лишь ставит свою фамилию на сочинениях, написанных «лит. неграми»...

* * *

Таким опусам надо, знаете, давать отлеживаться. Я перечитываю этот именной «меморандум Веллера» три года спустя после написания — и таращу глаза: а чегой-то это я злопыхаю, как самовар, растопленный сушеными мухоморами? Я — кроткий, приязненный и миролюбивый? Какая шлея натерла мне под хвостом? И вообще — какое мне дело до всего вышеупомянутого?

Позлословить с приятелем за бутылкой — это понятно. Но писать это зачем?! Если это самообнажение автора — то зеркало ясно диктует: такой стриптиз нам не нужен!

Граждане. Знали бы вы, что говорят неофициально писатели друг о друге и вообще о литературе! Самым приличным в этих речах является обычно слово «хуй».

Мое второе «я» утверждает, что ничего подобного я на самом деле никогда не думал и уж тем более не писал. А третье «я» подначивает: покажи, покажи им, как рубят правду-матку братья-литераторы, а то ведь читатель никогда не услышит звучание инструмента в отсутствие зрительного зала.

* * *

...по заказу издательства. Однако еще до эмиграции в семидесятые Незнанский успел выпустить в СССР книгу «Рассказы следователя» — так себе, но написал же. Из справедливости же надо сказать, что триллеры Незнанского ничем не хуже триллеров Тополя. Хотя по части самораскрутки Тополь, конечно, куда круче.

стр. 40
Аксенов Василий
Павлович
(род. 1932)

О нем уже писали мы здесь, да и так известно. Что факт — к сведению новых поколений в середине шестидесятых Аксенов действительно и безоговорочно был номером первым живой, современной советской литературы. Его простенькая повесть «Коллеги» и гораздо лучший, свежо-сентиментально-наивно-модерный роман «Звездный билет» были самыми известными — без официозной вони и треска — книгами у читающей публикий. В восьмидесятые и тем более в девяностые постарел в Вашингтоне, издает новые книги в Москве и зимует во Франции.

158

стр. 40
Лимонов

См. выше. Седенький, худенький, грустный, неугомонный.

стр. 40
Владимов, Георгий

Того же разлива. Рвясь в истэблишмент и отставая от передовиков, даже в оттепельные благоприятные годы пошел по линии написания соцреалистической книги, угодной партии, и создал роман о рабочем классе «Большая руда». Действительно, получил высокую премию, по роману сняли фильм, музыку к фильму написал Микаэл Таривердиев, то было его звездное время: «Та-рару-ра!» — запела страна: «Там, где сосны, где дом родной, есть озера с живой водой... ты не печалься, ты не прощайся — все впереди у нас с тобой!..» В разговорах фильм тут же был окрещен «Большая ерунда». Самые мастито-признанные ровесники-коллеги стали коситься на Владимова с неудовольствием и свысока: они, мол, так не халтурили. Владимов переживал. В семидесятом году, уже закручивались гайки и хрустели кости, Владимов опубликовал в «Новом мире» славный роман про мурманских рыбачков-траловых «Три минуты молчания». Написано было с полным знанием дела. Молва утверждала, что траловые и сельдяные знали не по одному рейсу молчуна Гошу Владимова, не подозревая в писательстве. Интеллигенция получила удовольствие и признала. Год по всем рыбацким клубам портов страны шли читательские дискуссии по книге. Вот и слава! Но шли глухие семидесятые, и Владимова, по утверждению людей близких, буквально выпихнули недоброжелатели — завистники, псевдодрузья, конкуренты, ревнители чистоты идеологии. Он стал пить. Умер в начале девяностых.

стр. 40
Зиновьев, Александр

То же поколение, но этот еще и философ с экономистом. Сначала свалил, потом стал на Западе публиковать свои книги: беллетристической ценности они изначально не имели, но издевка над совком была пронзительная — вышедшую около восьмидесятого года «Зияющие высоты» читала вся столичная интеллигенция, ее цитировали. К сожалению, оппозиционность и перпендикулярность оказалась кредо Зиновьева — не прерывая эмиграции, он стал врагом перестройки, потом — врагом нового разлива демократии, потом о нем и вовсе перестало быть слышно. Потом почти вернулся.

стр. 40
...кучка была могуча.

Весь XX век в истории русской классической музыки фигурировала т. н. «могучая кучка», цвет и гордость русской «прогрессивной» музыкографии, если можно так выразиться: Балакирев, Бородин, Мусоргский, Римский-Корсаков и забытый ныне Кюн. Название принадлежит идеологу кучки критику Стасову. Она же — Балакиревский кружок. За пределами России на фиг не нужны.

стр. 40
Стране открывали
ее героев...

Устойчивое и крылатое выражение сталинской эпохи: «Страна должна знать своих героев». Ага. Стахановцы. Лауреаты.

стр. 40
Мне есть очень мало
дела до всего вашего
семейства, сказал
Коменж.

Проспер Мериме, «Хроника времен Карла IX», глава XI, «Заправский дуэлянт и Пре-о-Клер». Эпиграф к главе вполне не лишен смысла: «И раньше, чем один из двух уйдет, другой испустит дух» («Дуэль между Стюартом и Уортоном»). Заметьте уж, читать это следует только в переводе Михаила Кузмина, поскольку в семидесятые—восьмидесятые годы масса хороших книг, переведенных на русский с французского и английского, была испоганена плохим и очень властолюбивым переводчиком Николаем Любимовым, умудрившимся под покровительством властей создать целую школу перевода и изгадить все, до чего он успел дотянуться: Флобера, Пруста и много еще чего.

стр. 40
«Где я был и что я видел».

Книга Бориса Житкова, знаменитого в тридцатые—пятидесятые годы советского детского писателя. Эта книга, для старшего дошкольного и самого младшего школьного возраста, переиздавалась множество раз. Это был гибрид жанра путешествия с малой детской современной энциклопедией. В шестидесятые годы ее переиздавать перестали в силу страшной примитивности литературной и устарелости примитивных же описываемых реалий.

стр. 40
Где ты был, ничего ты не увидел, хрен с тобой.

По строю, интонации, лексике — парафраз: «Чистый Карл Маркс,— сказал ему вечером военком эскадрона.— Чего ты все пишешь, хрен с тобой?» И.Бабель, «Конармия», «История одной лошади».

стр. 40
Дали боги дожить, и стало спартанцам не до чужих бед, своих хватит.

В «Истории» Геродота есть эпизод, где к молодому Киру (II, Великому, естественно), захватывающему греческие полисы в Малой Азии, явились в поверженную Лидию послы Спарты и предъявили сообщение, что Киру надобно подсократиться, ибо спартанцы этого его размаха и ущерба собратьям не потерпят долее. В ответ Кир, не хуже обитателей Лаконики владевший весомой краткостью речи, бросил: «Если боги позволят мне дожить, спартанцам будет не до чужих бед — своих будет достаточно».

стр. 41
Вот и у пчелок с бабочками то же самое.

Из студенческого анекдота семидесятых: Мать обращается к отцу: «Наш Жан стал совсем большим, пора объяснить мальчику суть взаимоотношений между полами. Пойди, поговори с ним как мужчина с мужчиной.— Гм. Как именно ты предлагаешь мне все ему рассказать? — немного смущается отец.— Ну, может быть сначала на примерах животных там, птичек, так все-таки приличней: про пчелок, про бабочек.— Отец вздыхает и послушно идет в комнату сына, долго мнется и наконец произносит: — Жан! — Да, папа.— Ты помнишь, в субботу мы с тобой ездили в публичный дом? — Да, папа.— Так вот, мама просила тебе передать, что у пчелок с бабочками точно то же самое.»

стр. 41 ...провались он пропадом со своей обгорелой тетрадкой и сушеной розой.	М. Булгаков, «Мастер и Маргарита», Часть вторая, гл. 19. Так кто не провалился — тот плавает поверху и жрет субсидии. А розы давно у нас не пахнут...
стр. 41 ...почему же почему так обрезали ему.	— Городской фольклор, стансы восходят к анекдоту об огорченной новобрачной, обнаружившей у молодожена-еврея чересчур уж короткий член.
стр. 41 — Господи, да конечно все это полная...	Многоточия в этом абзаце последовательно заменяют документальные выражения: а) хуйня; б) мудаки; в) поебень.
стр. 42 ...Вик. Ерофеев публично констатировал конец советской литературы.	— Сейчас даже не вспомнить заголовок статьи, опубликованной около 90-го года в «Литгазете» — а тогда, на пике миллионных тиражей, она послужила

к бурной и страстной дискуссии, быть или не быть далее в ближнем будущем великой советской и русской литературе. Надо признать, что выступивший в меньшинстве и почти в одиночестве Ерофеев оказался прав. Если бы имеющийся у него ум, а также энергию, образованность и даже талант Виктор Ерофеев употребил не на самораскрутку и разные прожекты, а на творчество, хороший получиться бы мог писатель. Смотришь на него в телеящике — и сам сомневаешься в эпитетах, отпущенных девять лет назад (см. часть 1)... Стареет все — даже комплименты. Убирите зеркало!!!

стр. 42 Гвардейская королевская рота обнаружила себя голой.	Отсыл к андерсеновской сказке о новом платье голого короля. Боже мой, и ведь это история едва ли не всего искусства XX века. Тяжко жить среди уродов, господа?
стр. 42 ...Со святыми упокой...	Одна из православных обрядовых похоронных молитв.

стр. 42
...ибо даже соловей, по справедливому замечанию классика, поет оттого, что жрать хочет.

М. Зощенко: «Вася, как вы думаете, отчего соловей поет? — На что грубый Вася отвечал: — Жрать хочет, оттого и поет».

стр. 43
Рафинэ...

— (raffineur — *фр.*) — изысканный, утонченный.

стр. 43
...не в кайф...

— (*слэнг*) — не нравится.

стр. 43
...сечь...

— (*слэнг*) — понимать.

стр. 43
«Илиада»
Гомер
«Улисс»
Джойс

Вопрос о степени идиотизма читателей определенно может свести с ума.

стр. 43
Двести лет назад обращение к маленькому человеку...

Принято считать, что в русской литературе впервые к «маленькому человеку» обратился Карамзин, сделавший «Бедной Лизой» «русский сентиментализм», и Пушкин в повороте в «Медном всаднике» от романтизма к реализму. В европейской же литературе, хоть в то же Возрождение, маленьких людей бегало как блох. Вечно бедная Россия отставала.

стр. 43
Подзорную трубу повернули другим концом...

Напоминает анекдот о высылке набора для ловли и упаковки крокодилов, включавшем в себя подзорную трубу, пинцет и спичечный коробок. Пользуясь трубой, следовало обнаружить в реке торчащую морду крокодила, затем перевернуть трубу к глазу другим концом, взять крошечного крокодила пинцетом и сунуть в коробок.

163

стр. 43
...Акакий Акакиевич...

Коли все мы вышли из гоголевской шинели, с него и пошла ведь канонизация маленького человека. Я часто думаю, каким спесивым и беспрекословным зверем стал бы Акакий Акакиевич, назначенный начальником канцелярии и быстро, при своей мягкости и бесхарактерности, доведенный до отчаяния и состояния аффекта более агрессивными подчиненными. О, маленького человека можно жалеть и призирать, но нельзя возвышать и давать ему власть — всем хуже будет! Примеров тьма. Нет господина хуже, чем вчерашний раб, сформулировали еще римляне. История советской власти дала тому тьму подтверждений.

стр. 43
...Вещий Олег...

Исторический прототип романтической баллады Пушкина.

стр. 43
...а чаепитие заглушило грохот сражений.

Парафраз чеховского «Люди просто сидят и пьют чай, а в это время рушится их счастье и складываются их судьбы». Ср. с отрывком «Театр» в «Кухне и кулуарах».

стр. 43
...Белый Дракон

По одной из древних восточных эстетических теорий ве́рхом изобразительного искусства является т.н. «Белый дракон», формально представляющий из себя чистый белый прямоугольник — как бы включающий в себя все семь цветов спектра со всеми оттенками и сумму наложений всех изображений; как бы сумма всего на свете дает ноль в итоге, а в ноле уже содержится закодированная развертка всего бытия. Кстати, вполне сочетается с эстетикой Аристотеля — т.е. искусство есть акт «приложения рамы» к чему угодно в жизни.

стр. 43
Верните мяч в игру, вздохнул старый авантюрист.

Старый авантюрист — это Виктор Борисович Шкловский (1898—1984), писатель, литературовед, солдат I Мировой войны, революционер, член партии эсеров, боец Гражданской войны, партизан, бежал от ареста **ЧК** через границу, жил в эмиграции, вернулся в конце двадцатых, трясся и молчал всю остальную жизнь — а когда-то обожал и умел устраивать скандалы везде и, несмотря на малый рост и раннюю лысину, был крайне силен физически, готовился в юности к карьере циркового борца и был, судя по воспоминаниям дам уже ушедших, отчаянным бабником и непревзойденным любовником. «Верните мяч в игру» — заключительная глава его книги «О несходстве сходного»: имеется в виду заключительная сцена из «Блоу ап» («Крупным планом») Антониони, когда люди играют в теннис, лишь условно обозначая игру при отсутствии мяча — т.е. игра нереальна, процесс условно-надуман и подразумеваемый смысл в нем отсутствует.

Самое престижное из теннисных соревнований? Ельцин, Тарпищев, Спортфонд, корт, — эпоха течет сквозь нас.

стр. 43
Кубок Дэвиса.

— Герман Гессе, вполне знаменитый писатель: «Игра в бисер» — самый, пожалуй, знаменитый его роман. А также обыгрыш евангельского «не мечите бисер перед свиньями».

стр. 43
Это ваши личные игры в бисер.

Литературную энциклопедию и словарь литературных терминов читайте сами, тупые бездельники. Тогда, кстати, вам будет понятнее, почему близ начала этого текста цитируется именно сага. О, эстетика саги очень близка современным «документально-художественным» писаниям, когда наивные критики пытались на реалистическом уровне отделять реального героя от него же, но описанного в тексте, даже если текст выглядит совершенно документальным, т.е. правдивым с соблюдением только реальных деталей. Это прискорбно, когда отделы критики ведущих современных литературных изданий знакомы с модными авторитетами нашего времени типа Барта или Гаспарова, но не знают и не понимают о по-

стр. 44
...шванк, фацетию, анекдот, хронику, сагу.

вествовательно-описывающей литературе того, что знал и понимал семьсот лет назад тот же Снорри Стурлусон. А потому что он сегодня не в моде. Черт; видимо, избытком вежливости я пытаюсь обычно компенсировать недостаток уважения к окружающим; сегодня я больше уважаю бандитов, чем литературных критиков — только потому, что бандиты лучше справляются с делом, которым взялись зарабатывать себе на жизнь.

стр. 44
Не поступимся принципами.

— «Не могу поступиться принципами» — так была озаглавлена вызвавшая необыкновенный шум статья в газете «Правда», опубликованная (уточняйте сами, ну вас на фиг) примерно весной 1989 года; автор — Нина Андреева — мужеподобная дама средних лет, что-то вроде преподавателя марксизма в ПТУ под Ленинградом, ратовала в ней за моральные ценности советского общежития; автоматически стала знаменитостью и одним из лидеров российской коммунистической партии. В последние годы картины жизни меняются так быстро и радикально, что еще через десять лет и это ведь уже мало кому будет памятно и понятно.

стр. 44
...кратко и исчерпывающе сказал Денис Горелов.

— (Род. 1967). Один из лучших российских кинокритиков и журналистов нового поколения. В описываемое время работал в очередной версии журнала «Столица». Отличаясь изяществом и блеском стиля, между делом выразился в глупом глянцевом журнале «Матадор» о современной литературной критике как о шайке безмозглых и неинформированных идиотов — в пристойных и сдержанных выражениях.

стр. 44
Геббельс, Йозеф

— Можно было бы и не объяснять, кто это такой, но как-то обидно для литературы выходит: текст о литературе, сейчас мы будем давать ссылки про Трифонова и Гроссмана, а про Геббельса, мол, и так все знают — он, выходит, гораздо зна-

166

менитее русских главных писателей в их собственной стране. Да, так это и есть, но им обидно было бы. Кстати: известность бонз III Рейха крайне выросла в СССР после опубликования семеновских «Семнадцати мгновений весны», а особенно, конечно, после телесериала. Можно сказать, Юлиан Семенов успешно популяризировал верхушку гитлеровской Германии в СССР. А шеф IV Управления Имперской Безопасности — гестапо — Мюллер — в исполнении Броневого стал на многие годы просто любимым историческим героем советского народа. Я все никак не могу собраться написать статью об истинных причинах и истоках притягательности фашизма для российской молодежи[1] — от интеллигентских эмоций тупых демократов на эту тему уже тошнит.— Итак, Геббельс (1897—1945) до того, как покончил с собой, был министром пропаганды — образованным и, как вы догадываетесь, талантливым и умелым. От большинства министров пропаганды в мировой истории его отличает также приверженность своим идеалам: во всяком случае, при крушении государства он покончил с собой, и вся его семья тоже,— случай нередкий для войн античности и средневековья, но достаточно исключительный для XX века.

стр. 44
Трифонов,
Юрий Валентинович
(1925—1981)

Знаменит был в глуховые семидесятые необыкновенно, причем удачно сочетал благосклонность властей с любовью интеллигенции. Из номенклатурной сов. семьи, рос в элитном «Доме на набережной», в двадцать пять лет шлепнул молодежно-патриотический роман «Студенты», получил за него тут же Сталинскую премию (позднее ее не просто переименовали стыдливо в «Государственную», но и ретроспективно стали писать всех лауреатами не Сталинской, а Гос. премии — см. энциклопедии). Вошел в советский официозный и официальный литературный истэблишмент и жил в нищей голодной стране (кто пом-

---

[1] Уже написал: глава в книге «Кассандра».

нит, что еще десять лет после войны половина «простых людей» на безлесных перифериях жила в землянках?) сытно и интересно, наверху. В 69—71 г. г. опубликовал в «Новом мире» (куда пробиться в те годы простому смертному без мощных связей было не просто невозможно, но исключено по определению, будь он трижды гений) три повести раздумчиво-реалистического характера — «Обмен», «Предварительные итоги» и «Долгое прощание»: усталые интонации среднеустроенных московских интеллигентов. Вот тут описанная им среднеустроенная и среднезарабатывающая интеллигенция и сказала его номером первым. В новые времена невостребован.

стр. 44
Рыбаков,
Анатолий Наумович
(1911—1998)

Лауреат Сталинской премии за роман «Водители» — шофера, как вы понимаете, тоже передовой рабочий класс. Советско-юношеско-приключенческо-гайдаровская повесть «Кортик» читалась широко и переиздавалась очень много. Будучи евреем, что справедливо явствует из отчества, в «период застоя» опубликовал роман «Тяжелый песок» о Холокосте в СССР в бывшей черте оседлости во время II Мировой войны: роман был прочувственно принят основной массой советской интеллигенции, бо евреев в ней был процент очень высокий, а среди неевреев было очень много юдофилов, поскольку быть юдофилом означало быть оппозиционером (скрытым, конечно), свободомыслящим, высокопорядочным и т.п. Поскольку о преследованиях евреев писать в СССР было не принято и запрещено, то «Тяжелый песок» был как бы книгой высокопорядочной и «прогрессивной». Но поскольку в нем же фальшиво и противно говорилось об отчаянной дружбе, взаимной любви и вообще гуманном торжестве интернационализма промеж евреев и русских-украинцев-поляков-румын, которые с согражданами-евреями были как друг, товарищ и брат, то на людей честных и понимающих книга производила скверное впечатление проституции на костях собственного и весьма придавленного народа. Самой высокой пробы благородство тех, кто укрывал евреев, рискуя — и часто расплачиваясь! — жизнью собственной семьи, трудно оценить в наступившие мирные времена. Но — и естественно — гораздо больше было тех, кто заранее прикидывал делить имущество соседей-евреев, да и практически все уничтожение евреев (за исключением нескольких концлагерей уничтожения, обслуживавшихся частями СС метрополии) производилось на местах силами местных формирований, нац. частей территориальных СС и местной полиции из жителей. Вспоминается случай, как на посвященной военной теме встрече белорусских и украинских писателей в Минске Олесь Гончар долго и помпезно говорил о геройских подвигах украинцев во время войны — из его слов получалась такая картина, что украинцы ну во всем же могут быть поставлены в пример скромным белорусам,— пока сидевший рядом в президиуме Василь Быков, лучший, самый талантливый и честный из советских писателей о II Войне, не пробурчал явственно: «Ага. К нам даже полицейские зондеркоманды присылали с Украины». Ибо бытовой и вполне массовый антисемитизм украинцев вполне известен еще со времен Богдана Хмельницкого и ранее. Так что «Тяжелый песок» оставлял тяжелое же ощущение работы на официальную линию коммунистической партии — провозглашение советского интернационализма. Хотя сторонники книги выдвигали тот аргумент в ее защиту, что изображение интернационализма понадобилось Рыбакову для того, чтоб под эту сурдинку вообще сказать вслух об уничтожениях евреев, что было запрещено упоминать даже в связи с Бабьим Яром (что и вызвало оживленную дискуссию в связи со стихотворением Евтушенко «Бабий Яр» еще в 62-м году, кстати же).— — Ну, а в конце 80-х Рыбаков опубликовал роман «Дети Арбата» — молодая московская интеллигенция в кровавые тридцатые, НКВД и т.п. Был шум, роман стал читаем всеми и знаменит — опять же, только да счет темы, взятой вовремя. Забавно, что на московской Международной (ежегодной сентябрьской) Книжной Выставке-ярмарке 1989 года австралийское издательство, выигравшее целый аукцион, устроенный по продаже прав на «Детей Арбата» по миру за пределами СССР, и уплатившее за права сто тысяч долларов, не сумело отбить свои деньги, потому что книга по миру пошла очень плохо. Средняя профессиональная беллетристика, а тема на Западе была давно заезжена вещами более крутыми. (И сериал не спас.)

стр. 44
Гроссман,
Василий Семенович
(1905—1964)

Вполне исправно благоденствовал на официальной литературе, пока в конце жизни не написал роман-эпопею «Жизнь и судьба», своего рода «Войну и мир» для бедных. Роман изъяли, Гроссмана придавили, бедолагу: он, как нередко бывает у процветающих творцов, сознающих изначальную халтурную заданность своих вещей и мучимых нереализованностью своего таланта и душевных сил, искренне ударился в честность, изображение правды, полный напряг способностей и знаний,— и тут-то и начались неприятности на главном и самом дорогом деле его жизни. Но — вам известны в истории мировой литературы случаи, чтобы писатель халтурил на потребу властей и своего кармана до пятидесяти лет — и создал шедевр после пятидесяти? Бедный Гроссман, его эпопея написана действительно кровью сердца и мозга. Опубликованная в конце 80-х, она стала на короткое время одной из «культовых», как сейчас стали говорить, книг советской интеллигенции. И вскоре канула в нети. Ибо там не было ни открытий интеллектов и психологии, ни художественной шедевральности и свершений в искусстве. Вот так оно...

стр. 44
Айтматов, Чингиз
(р. 1928)

Народный писатель Киргизской ССР, Герой Социалистического труда, живой классик в сорок лет, гордость «Советской литературы народов СССР», как назывался тогда этот предмет на филфаках университетов. В постсоветские времена удачно трудится по богатой линии типа посла Киргизии в БЕНИЛЮКС и т.п. Трижды лауреат Госпремий СССР (уже не Сталинских, уже позднее);

хотя Ленинскую, которая по статусу выше, крутые парни из Москвы так ему ни разу и не дали, промеж собой делили. Правильнее всего охарактеризовать его до поры до времени как Трифонова с национальным киргизским колоритом. Оставим сейчас в стороне то, что официально он писал и по-киргизски и по-русски, и были слухи о бригаде переводчиков-литобработчиков, и когорта редакторов «Нового мира» была хорошо вытренирована делать дерьмо из конфетки и конфетку из дерьма. Но в 80-м году он опубликовал роман «Буранный полустанок», и сразу стал ценим не только официально, но и почитаем сов. интеллигенцией. Слово «манкурт» действительно вошло в активный словарь русского языка! Почему Айтматова не читают сейчас и вряд ли будут когда-нибудь? По тем же причинам, что и вышеупомянутых. Кому нужны перлы — читают Набокова и Джойса. Кому нужны мысли читают Шопенгауэра и Аристотеля. Кому нужна мода — читают Бердяева и Кастанеду. Кому нужно чтиво по зубам для эскейпизма — читают Маринину и Шелдона. А большинство вообще не читает, делом занимается. В слой читателей четырех вышеупомянутых суперзвезд советской литературы перестроечного периода были, как течением в горле пролива, сведены самые разные струи: в широком море свободного государства и свободного рынка эти струи растеклись, дифференцировались, нашли каждая свое место, исчезли как общность. Так в условиях советского дефицита много людей любило сыр — просто сыр, одного вида, разных сортов не было; а когда предложили людям сто сорок сортов, по вкусу и карману, то на тот, первый, когдатошний, сыр — спросу нет никакого, да и сыр-то малоинтересен, ни то ни се, и качество средненькое, хрен с ним.

стр. 44
Какое время было, блин!
Какие люди были — что ты!
О них не сложено былин,
зато остались анекдоты.

— Игорь Иртеньев, год так примерно девяностый. Родился Иртеньев в 47-м, если не вру, году, и мы приятельствовали с этим славным человеком и в девяностые — знаменитым поэтом-сатириком,— и еще в семидесятые в

Ленинграде, два нищих непечатаемых литератора; в те времена друзья знали его как Гошу Рабиновича.

стр. 44
Дети, крепитесь,
с вашим дядей Авелем
произошло несчастье.

Отсыл не только к Библии. Парафраз притчи из книги Феликса Кривина «Божественные истории» (1966 г.): «Каин убил Авеля. И с тех пор всегда повторял своим детям: „Берегите этот мир, за который отдал жизнь ваш дядя“». Еврей Феликс Кривин родился около 1930 года и жил в Ужгороде; несколько его вышедших книжечек «постлитературных притч» были любимы знатоками. Уж не знаю, что он делает сейчас в Израиле.

стр. 44
...история по Гумилеву.

В начале девяностых Лев Николаевич Гумилев, сын, натурально, Николая Степановича и Анны Андреевны, не только не нуждался уже ни в какой рекламе, но и стал просто одним из самых популярных авторов страны, считая все литературные жанры. Пожалуй, никогда не было в России историка более широко читаемого публикой и известного ей. Его книги в пятидесятитысячных допечатках соседствовали на лотках с детективами и любовными романами, и по весьма коммерческим ценам разлетались как горячие пирожки. Чем еще раз доказывалось, что широкий читатель вполне интересуется серьезной наукой, если умный человек с хорошо подвешенным языком излагает ее увлекательно.

стр. 44
...война по Суворову...

Виктор Богданович Резун (р. 1947), фигура сегодня одиозная, офицер Главного РазведУправления Генштаба, резидент в Швейцарии, перебежчик, приговорен к расстрелу, живет в Англии, и т.д., и пр., своей книгой «Ледокол» настолько изменил мировую историографию о подготовке и начале II Мировой войны, что после «Ледокола» традиционная точка зрения уже невозможна. Только в первый год издания в России, после публикации в журнале «Дружба народов», книга вышла общим тиражом 700000 экз., тут же и прочно став одним из главных бестселлеров сезона. Смешно, что ни издатель, ни книготорговцы, по их собственным словам, не ожидали такого успеха. Зато автор вполне ожидал его, ради того и затеял оглушительный сыр-бор со своей жизнью.

стр. 44
Бунич

— Не путать петербургского историка и писателя Игоря Бунича с московским экономистом Павлом Буничем — последний, возможно, более серьезный человек, но гораздо менее интересный. В том же сезоне, что и «Ледокол» Суворова, «Золото партии» Бунича было просто-таки главным бестселлером сезона: история советской власти была дана под таким углом и в таком изложении, что у читателя дух захватывало, оторваться невозможно было. И счет царских червонцев, которые тут же были выкачаны из России по общему счету, и парад германских войск перед большевистским Смольным после отбития Юденича от Петрограда, и загадочные смерти всех министров обороны стран Варшавского договора в течение одного месяца, и т.д. Подтасовок море, домыслов масса,— но как свинчено, как изложено! Куда там беллетристам. Успех был оглушителен!

стр. 44
«Одлян»

— Нехитрая автобиографическая книга Леонида Габышева, обычного мужика, который еще малолеткой оттянул срок в колонии для несовершеннолетних — и на излете восьмидесятых, лет ему тогда было за тридцать, изложил это все вполне читаемо; «Новый мир», выходивший тогда сказочным, пример для истерии журнального дела останется навсегда, двухмиллионным тиражом — беспрецедентно в мире для толстого, серьезного литературного журнала — напечатал это: прочли все, Габышев прославился. Открывшаяся простая жестокость лагерного быта подростков ужаснула страну, поразила воображение, осталась в памяти. Как часто бывает в подобных случаях, более Габышев ничего заслуживающего внимания не написал, с большого горизонта исчез. Автор одной хорошей книги о своей жизни частый вариант. Но «Одлян» читали с жадностью!

стр. 44
«Желтые короли»

Уже я не помню, как имя автора, фамилия которого Лобас — советского эмигранта, опять же нехитро и читаемо описавшего жизнь нью-йоркских таксистов, каковым таксистом и сам работал. Напечатано в «Новом мире» в то же время. Шло на ура.

стр. 45
Гений успеха
Радзинский...
(р. 1936)

В двадцать восемь лет Эдвард Радзинский написал славную и нехитрую «молодежно-современную», с физиками и лириками, стюардессой лайнера и атомной проблематикой, пьесу «104 страницы про любовь». Через два года пьеса шла в сотнях театров страны, начиная с лучших и блестящих, как товстоноговский БДТ; фильм по пьесе был неплох и его посмотрела вся страна, но фильмы были и получше, и куда более любимые и запоминающиеся — время Рязанова, Козинцева, Гайдая, Кеосаяна, и вообще вершинное время советского кино, теперь это все именуется «золотым»,— а вот пьесы настолько кассовой в Союзе не было. Если не официозно, а «по жизни» — Радзинский стал драматургом страны номер раз. И сумел продвинуть свои пьесы на Запад, на Бродвей! Ух ты, для совка это было черт знает что. Что же касается денег, то материальное преимущество положения ставящегося драматурга, в отличие даже от киносценариста, не говоря о прозаиках, заключалось в том, что автору пьесы капали проценты от сбора после каждого представления в каждом театре: элита процветающих сов. драматургов считала ежемесячный доход тысячами и десятками тысяч рублей; это были официальные советские миллионеры. К чести и еще одному признанию ума Радзинского, он не лез в официальные литературные и театральные игры, не принимал и не участвовал, не получал никаких премий и не занимал постов — он занимался своим делом. Он писал так, чтоб публике было интересно. В новые времена интереса к жизни и истории он переключился на историю — и вывел свой успех на еще более высокую орбиту. А затем стал в кратко-устно-популярной форме излагать свои книги по телевидению — и оказался гениальным артистом в театре одного актера. Даже когда он излагал банальные для каждого как-то знающего тему вещи в своем «Наполеоне» (да и что можно сказать в трех получасовых передачах о Наполеоне, которому посвящены библиотеки) — слушать его было наслаждением, он завораживал. (Прекрасное опровержение мнения тупых телевизионщиков насчет нехорошести «говорящей головы в кадре» — мол, картинка и движение нужны: это смотря какая голова и что и как она говорит, оживление визуального ряда способно было только размыть и ухудшить впечатление от речи блестящего Радзинского.) Это искусство? Ну, во всяком случае вряд ли литература. Зато приятно, увлекательно, манко. В своем жанре — безусловно мастерски. Человек хотел успеха — и сделал его.

стр. 45
Васильева,
Лариса Николаевна
(р. 1935)

Прозаик и поэт, в советское время благополучно издавалась и вполне благоденствовала в официально выходящей литературе, но публике была практически неизвестна: так, все профессионалы в курсе, официально-фактическое положение вполне высокое, но для публики — сероватая фигура второго-третьего ряда. В новые времена тряхнула бельишко жен-вдов высшей кремлевской номенклатуры громкого сталинского периода, и сборник вольных очерков «Кремлевские жены» стал бестселлером, принеся славу (ну, с обогащением на гонорарах в новое время пока гораздо проблематичнее...). Не могу сказать, почему молва приписывает ей в отцы знаменитого конструктора знаменитого танка Т-34 Жоржа Котина: во-первых, Котина звали Жозеф, во-вторых, это никак не «Николай», в-третьих, Котин был генеральным конструктором тяжелых танков КВ и ИС, но не Т-34. (А каков юмор судьбы: Генерального конструктора танка Т-34 звали Кошкин! Котин и Кошкин — КВ и Т-34! Уж не Сталин ли мягко шутил с кадрами?..)

Шаламов
Варлам Тихонович
(1907—1982)

Отсидел, как известно, много лет в колымских лагерях, в пятидесятые был выпущен, реабилитирован, вернулся в Москву, писал рассказы о лагерях, не печатался, естественно. Ему повезло со своей литературой гораздо менее, чем Солженицыну,— его никто не тащил паровозом. Даже в хрущевскую оттепель, когда появились в печати произведения на лагерную тему,— рассказы Шаламова были слишком круты, честны, наги, и — без привнесения некоей «высшей организующей идеи» насчет того, что справедливость должна восторжествовать, что достойные люди даже в лагере остаются людьми, что чувство исторического оптимизма все-таки владеет автором и прочая херня, которую обязательно ввинчивали в свои писания авторы менее честные, упорные и талантливые. В результате редакторы давали Шаламову много советов и возвращали рукописи. А в литературе он понимал. И эстетической концепции придерживался собственной. Состояла она в том, что когда правда жизни настолько жестока, крута и владеет всем существом человека, как это было в колымских лагерях, то высшая задача автора — это суметь дать всю правду, только правду, ничего кроме правды — честным, простым, ясным и выразительным языком, адекватным для передачи этого поистине убийственного материала, который воздействует сильнее любой беллетристики, и безо всяких этих финтифлюшек и прекраснодушных домыслов. Рассказы Шаламова останутся в русской литературе навсегда. Это веха истории, документ эпохи, написанный так, что он не может стареть: там нечему стареть, там сугубый реализм обнажен до вечной сути.— — Да, так когда Шаламов, естественно переживавший свое непечатание, прочел в «Новом мире» «Один день Ивана Денисовича» Солженицына — который появился только потому, что полностью совпал с представлениями Твардовского, тогдашнего и самого знаменитого главного редактора «Нового мира», о том, каковой надлежит быть литературе, и Твардовский лично редактировал текст мрачного, несговорчивого и высокомерного Солженицына, и всеми своими возможностями лично у Хрущева пробивал публикацию,— когда Шаламов прочел эту повесть, достаточно слабую и вполне заурядную с чисто литературной точки зрения, но явившуюся «первой настоящей ласточкой», и ласточка эта на глазах превращалась в беркута, и слава Солженицына явилась мгновенной и мощной, и лагерный мир стал открыт широкому читателю ... (у Твардовского были свои представления о литературе, он издевался над «нетленкой» и «литературой для вечности», он отклонил «Мастера и Маргариту», что широко известно, он «рубил правду в матку», но не в самую матку, его отец был в тридцатые раскулачен и сослан, а сам Саша Твардовский написал «Страну Муравию» и получил за этот гимн коллективизации Сталинскую премию и орден Трудового Красного знамени, и поэтому всю жизнь пил и стал алкоголиком, и допустимую меру правды чуял безошибочно, и в результате напечатал в своем «Новом мире» массу сермяжно-реалистических произведений, которых давно никто не помнит за бездарностью и никчемностью...) — так вот, встретив на улице знакомого с «иванденисовическим» номером «Нового мира» в руках, Шаламов, жалковато улыбаясь, спросил: «А вам не кажется, что в советской литературе появился еще один лакировщик?» (Теперь уж и забыт советско-литературно-критический термин «лакировка действительности» — который в советские времена лепили к тем, кто сладко и розово идеализировал эту действительность даже по сравнению с тем каноном, который был предписан соцреализмом.)

стр. 45
Высоцкий

Любая справка тут унизительна́ для поэта, чья истинная слава в русской поэзии непревосходима на протяжении всей ее истории.

Сколь поучительно, естественно и прискорбно, что даже люди, обожавшие Высоцкого — а таких было десятки миллионов, полстраны уж как минимум — не считали его «поэтом». Здорово, конечно, до слез здорово, до дрожи, до глубины души и мозга костей,— но... «поэзия» — это нечто другое, изящество там, изысканность, тонкость кружев... ну, если не Мандельштам, то уж хотя бы Евтушенко: все-

177

таки традиционней, приличней, и слог повыше, и метафоры всякие красивые видны. Сколько сарказма в том, что народнейший всех времен поэт России искал рекомендаций официально признанных стихосложителей и, если верить слюнявым мемуарам разных там, гордился положительным отзывом кумира интеллектуалов Бродского, мертворожденного нобелевского лауреата для потребления внутри условно-эстетизирующего круга.

стр. 45
Жванецкий,
Михаил Маньевич

Кстати, ровесник Высоцкого — 1938 г.р. Он был уже в славе, восьмидесятые годы на дворе, когда меня на одной встрече с читателями спросили: «Скажите, пожалуйста, а вы считаете писателем Жванецкого?» Слоеная сомнительность комплимента, содержавшегося в вопросе, ввела меня в задумчивость. С одной стороны, всенародное обожание Жванецкого явствовало бесспорно. С другой, сам вопрос подразумевал, что скромный я-то — не только, значит, писатель, но и могу, имею известное право, значит, считать либо не считать Жванецкого писателем, т. е. как бы равным себе по профессиональной принадлежности — высокой принадлежности к славному писательскому цеху! — и это мое мнение для спрашивающего что-то значит, весит, имеет значение, влияет на его собственное мнение по этому вопросу: вот он знает, что я — писатель, а насчет Жванецкого, которого знает гораздо лучше — не уверен. Ну, спел я дифирамб, естественно, но дело не в этом. Трафаретность раскладов удручала.

стр. 45
Пикуль, Валентин Саввич
(1928—1990)

Стал знаменит года с 72-го — после выхода «Пером и шпагой». И был из тех знаменитостей, книги которых купить невозможно, но критика о нем не говорит ни слова, и журналы его не печатают. Положение изменилось, когда в 80-м году «Наш современник» напечатал «У последней черты», интеллигенция застонала об антисемитизме Пикуля, а роман подвергся критике главной идеологической канцелярии ЦК КПСС и лично идеолога Политбюро т. Суслова. Заметили, значит, наконец, Пикуля. По части антисемитизма (хоть Гоголя, хоть Достоевского): антисемитов много, а талантов мало: что за идиотское пристрастие моралистов подменять оценку работы оценкой «облико морале» — как правило это исходит от людей, которые стараются своей высокой моралью компенсировать свою профессиональную бездарность. В перестройку Пикуль успел хлебнуть признания от телевизионщиков и т.п. Но «серьезные критики» и эстеты до сих пор полагают, что «это, конечно, не литература». Почему? Потому что «он перевирает историю». А то Гомер был документалистом. По прошествии тридцати лет славы Пикуль не удостоился ни одного нормального критического анализа. Зато переиздается постоянно!

стр. 45
Штирлиц

Господа. А ведь Штирлиц — самый знаменитый литературный герой, созданный русской литературой XX века. А вот так вот. Ни больше ни меньше. Он пошел жить в фольклор. Он стал фактом общественного сознания. Именем нарицательным. Это ли не высшее признание писателя? И, опять же,— нет ни одного серьезного литературного, именно литературного, анализа творчества Юлиана Семенова. Фиг ли, мол, взять с патриотических боевиков. Попробуй сказать «высоколобым», чьи лбы плавно переходят непосредственно в задницы, что Семенов был умный, образованный, талантливый человек — скажем, талантливее, образованнее и умнее того же Трифонова! Да, и халтурил, да, и продавался,— но знал, черт возьми, цену себе и своей работе. Даже простейший текстовой анализ показывает, что и Пикуль, и Семенов владели и словом, и материалом гораздо лучше так называемых «серьезных писателей».

стр. 45
Стругацкие,
Аркадий Натанович
(1925—1992)
и Борис Натанович
(р. 1933)

С огромным отрывом от прочих лучшие и знаменитейшие советские писатели-«фантасты», которые в семидесятые годы переводились на иностранные языки примерно столько же, сколько все прочие сов. писате-

179

ли вместе взятые. Разбогатеть им не удалось — почти все деньги забирал ВААП (Всесоюзная Ассоциация Авторских Прав) для гос. казны. Цитируются наизусть уже третьим поколением читателей. В середине девяностых «Литгазета» устроила наконец «круглый стол» по Стругацким, где какая-то дубина заявила с достойно-покаянной интонацией: «Да, критика проглядела братьев Стругацких». Гм. Критика без особого напряга может признаться в своем снобизме. Но ни за что не признается, что снобизм — это замена самостоятельного отношения следованием общепринятым мнениям и оценкам: замена анализа знаком, замена мышления утверждением чего-то уже принятого и комфортного.

стр. 45
Леонов,
Леонид Михайлович
(1899—1992, если не вру)

Герой Соцтруда, академик, предмет сборников статей типа «Мировое значение творчества Леонида Леонова». Крайне напоминает стихи Эренбурга «Священные коровы»: «Есть такие писатели, их не ругают, их не читают, их не почитают». Уже в пятидесятые был классиком. Решительно же не написал не только ничего особенного, но даже ничего, что выделяло бы его из рядов Панферова, Бабаевского, Залыгина и пр. сугубо официально-условных столпов сов. литературы. Студенты сдавали по нему экзамены — но мне не известен ни один, кто читал бы Леонова. Удивительная фигура. Когда в 89-м году Горбачев лично поздравил его с 90-летием, телевизионный репортаж напоминал не то путешествие на машине времени, не то фантастический спектакль слияния реального и мифического: оказывается, Леонид Леонов действительно существовал, разговаривал, имел определенную внешность.

стр. 45
«Филумена Мартурано»

— Пьеса итальянского драматурга Эдуардо де Филиппо (Пассарелли) (1900—1984), которую в семидесятые годы ставили в Союзе все, кому не лень. После того как Софи Лорен сыграла в киноверсии, стадо и бросилось. Ну, нормальная коммерческая работа была.

стр. 45
Руцкой

В бытность свою вице-президентом при Ельцине Руцкой ведь абсолютно правильно ввел уже было чрезвычайное положение в Чечне. Как взвыла интеллигенция, как ему дали по балде сверху! И что? Через полтора года — кровавая война. Чуть-чуть не добрал хороший когда-то дядька Руцкой мозгом и кулаком. Комполка. Взлет-посадка, убитых списать.

стр. 45
...затурканного
интеллигента в главвора
страны!

Главворов в начале девяностых было около десятка, бывших номинальных интеллигентов из них — половина; затурканных, строго говоря, не было ни одного, не те характеры, но нетрудно определить, у кого был самый на вид непрезентабельный костюмчик и реноме совкового скромняги в быту,— а деньги там делались миллиардами. Не буду я называть фамилию — юридически это доказать невозможно, а человек он давно вполне серьезный. Вот так-то начинания, вознесшиеся мощно, теряют имя действия!.. чем я хуже лидеров думских фракций с их неназыванием фамилий главных взяточников и расхитителей. Не нравится? Ну, вспомните, от кого больше всех зависело? Кто заведовал материализацией духов и раздачей слонов? Вот ведь дался всем этот Чубайс!

стр. 45
...педерастическую
версию классики...

У Валентина Гафта среди прочих пародий есть и такая: «Не Питер Штайн, не Питер Брук, а просто пидор Р. Виктюк». На восхождении его карьеры я видел в Таллиннском русском драмтеатре виктюковского «Ревизора» — с него, строго говоря, шум и взлет и пошли. Голые сиськи городничихи и голые задницы статистов были таки да незаурядным решением гоголевской комедии. Стриптизов еще не было в Союзе, народ валил валом на «эротический спектакль». Возможно, по причине излишне возбудимого воображения, все связанное с гомосексуализмом вызывает у меня чисто физическое отвращение. Клянусь, Господь Бог не для того создал мужчину, чтоб другой мужчина трахал его в задницу. Лечиться надо! Гибнет, гибнет белая цивилизация.

стр. 45
...Пинштейн...

— Аркадий Пикштейн, старик уже сегодня, аргентинец, потомок российских эмигрантов, об «этническом происхождении» догадайтесь с трех раз; мультимиллионер, продюсер кучи латиноамериканских телесериалов-мыльных-опер типа «Просто Мария», «Богатые тоже плачут» и т.д.— эта страшная и дешевая муть, чудовищно примитивная и отвратительно снятая и поставленная, в первой половине девяностых не просто заполонила телеэкраны России, но и овладела душами масс, от рыдающих скотниц Сибири до бросающих все дела для передачи профессорш Москвы.

стр. 45
...Когда мужик не Блюхера и не милорда глупого, а весь Союз писателей по кочкам понесет?

— Некрасов, конечно, «Кому на Руси жить хорошо», у него «...Белинского и Гоголя с базара понесет», но ведь с тех пор выросло как многообразие русской литературы, так и объемы рынка, в который народ, увы ему, несчастному, вступил.

стр. 45
Блюхер, Гебхард Либерехт (1742—1819)

— князь Вальштатт, генерал-фельдмаршал прусской службы, командовавший прусскими войсками при Ватерлоо и урвавший свою часть лавров как сопобедитель Наполеона. В русской историографии стараются не упоминать, что в 1813—14 годах, после смерти Кутузова и вступления русских войск в Европу, Блюхер командовал объединенной русско-прусской армией.

стр. 45
Милорд Веллингтон, Артур Уэлсли (1769—1852)

— пэр Англии, герцог и фельдмаршал, командующий британскими и голландскими войсками при Ватерлоо, глуп, разумеется, отнюдь не был. В течение пяти лет (1808—13) он возглавлял успешную борьбу англичан и испанских партизан против превосходящих сил французов, достигавших в Испании 100 000 человек, а после войны был премьер-министром Великобритании (1828—30). Просто Некрасова очень раздражал зажим национальных героев: он был большой патриот и гуманист. Следует отметить, что наряду с олеографиями Блюхера, Веллингтона и прочих иностранцев и безродных космополитов на базарах и ярмарках продавались портретики Дениса Давыдова, генерала Раевского с сыновьями и без сыновей, Багратиона, Милорадовича (так гадко и глупо убиенного в 1825-м году Каховским) и прочих героев Отечественной войны 12-го года. Некрасову этого было мало: он хотел, чтобы мужик читал демократическую литературную критику Белинского. Он был темпераментный человек, Некрасов, и большой культуртрегер. И вот в XX веке Советская власть полвека вдалбливала в школьников Белинского. А человек не любит, когда в него вдалбливают. Он не тренажер для дятла. Лично я Белинского терпеть не могу, и ничего умного из него не вычитал. И портрет его люди понесут домой с базара в одном-единственном случае — если его строжайше запретят, и тогда «элита» объявит его гонимым гением; либо если за это будут хорошо платить. Но и то и другое Виссариону неистовому никак не грозит. Спите спокойно, Веллингтон и Блюхер! до того, как стать осыпанными золотом и обвешанными звездами маршалами, вы были умелыми и храбрыми солдатами; вам еще очень не скоро грозит забвение — люди больше любят победителей великих войн, чем литературных критиков.

стр. 45
Теккерей, Уильям Мейкпис (каково второе имя! почти «писмейкер»! кому что говорит это слово) (1811—1863)

Классик первого ряда великой английской литературы золотого викторианского века. Еще на моей памяти человек, не читавший «Ярмарку тщеславия», не мог претендовать на звание интеллигентного.

стр. 45
...Шерлок Холмс...

— Как широко известно, его создатель, сэр Артур доктор Конан Дойль, быстро возненавидел свое удачное и удачливое детище, и в завершение трех повестей и двух сборников рассказов убил сыщика. Конан Дойль хотел быть настоящим, глубоким, серьезным писателем! Он хотел, чтобы его знали и ценили за исторический роман «Белый отряд» прежде всего! Тупой же читательской толпе хотелось сыщика, и хоть тресни. Автор воскресил его, потерпел немного, снова убил. И так еще дважды. В результате никто не осведомлен о наличии в Лондоне музея Конан Дойля, а музей Шерлока Холмса на Бейкер-стрит 221-Б принимает толпы. Ах, доктор, это больше, чем литература — это жизнь.

стр. 45
...около эколо.

— По-моему, так назывался один из постмодернистских романов Валерии Нарбиковой. Где она?

стр. 45
Как в ересь,
в неслыханную простоту...

— Естественно, все знают, строчка Пастернака «...впасть, как в ересь, в неслыханную простоту». Я не люблю Пастернака, а его философская лирика очень напоминает мне умную женщину, каковая умная женщина как морская свинка, по старой мужланской шутке: и не свинка, и не морская... Вот такой гений и титан, как Лев Толстой, много лет к старости и в течение оной впадал в ересь и в неслыханную простоту; мода на Льва Толстого давно сошла, отношение к нему спокойное, и вот «Война и мир» остается колоссом среди романов мира, а его «простые писания» давно представляют интерес лишь для профессиональных изучателей его творчества и свидетельствуют профессионалам в области психологии искусства, что с вершины все тропы ведут вниз...

стр. 45
...в неслыханную
простоту, которая
грешнее воровства.

— Давно живет как русская народная пословица: «Иная простота грешнее воровства». Я все время пытаюсь приписать эту фразу то Державину, то Крылову.

— Светившая в годы перестройки «новая краткосрочная звезда ограниченно-элитарного радиуса видимости».

К сожалению, сначала ушел из жизни, а уже потом посветил недолго — в те же перестроечные годы, когда из сундуков, сусеков и загашников выгребли все, что не было опубликовано раньше. Модернизм и гомосексуализм не сулили ему лавров при советской власти. Так Букера дали Харитонову Марку.

— Из литературных анекдотов, приписываемых Даниилу Хармсу (Ювачеву) (1905—1942): «Однажды Лев Толстой написал детские стихи. Приходит к жене и говорит: — Послушай, Софьюшка, вот я тут детские стихи написал. Правда же лучше, чем Пушкин? (А сам дубину за спиной держит.) — Прочла она и говорит: — Ну что ты, Левушка, конечно Пушкин лучше.— Тут он трах ее дубиной по голове! И с тех пор во всем полагался на ее литературное мнение».

— Продолжение реплики: «А промеж моих свиней я сам самый умный». Старик Скотинин, «Недоросль», Фонвизин. Мне большенравится данное при рождении исходное написание фон Визин, этому немцу было чем гордиться кроме обрусения фамилии. Нагляден и скорбен конец жизни фон Визина, разбитого параличом и впавшего в ипохондрию и мизантропию, когда он, живший на Васильевском острове, велел кучеру править по набережной Невы к Двенадцати коллегиям, останавливал у Университета, и слабым треснутым голосом кричал выходящим студентам, потрясая над головой палочкой и указывая на себя: «Смотрите, молодые люди, до чего доводит образование!..» Вот вам и пропаганда ученья...

стр. 46
...позвонил из Ленинграда
приятель с радостной
новостью...

— Я имею честь считать себя другом (вот уже двадцать пять лет) Олега Всеволодовича Стрижака (р. 1950), писателя и человека энергичного настолько, что он оказывается в положении перпендикуляра едва ли не ко всему, с чем соприкасается. Он бесспорно заслуживает отдельной книги, а история наших отношений — второго тома этой книги. Как он был ленинградским кадетом; как бежал со сколоченной группой из училища, взломав оружейку и вознамерившись пробиться в Боливию к Че Геваре; как на флоте выслуживался в старшины, разжаловался за буйство, и так раз за разом; как, работая и кормя семью, кончил журфак с отличием за три года; как флотским ремнем гонял по всем Соловкам всесоюзный семинар драматургов; как получал премию за роман «Мальчик»; и т.д., и т.п. А как с ним хорошо было пить вдвоем!

стр. 46
...многотиражка
«Петербургский
литератор».

— С газетенкой связана одна из самых изящных и приятных историй в моей скромной, но многослойной биографии. В собственную бытность многотирастом, вполне молодым, длинноволосым и бородатым получателем ежемесячной зарплаты я закатился в пятницу на пьянку к другу. Друг был женат и имел собственную однокомнатную квартиру. Так он вместе с женой упылил куда-то на сутки, оставив меня вместе с двумя своими друзьями. Мы выскребли свои рубли и пошли за вином. Место незнакомое, дорогу спросили у встречной девушки, увлекли с собой, завлекли в гости, но скоро она ушла, к нашей печали. Но вскоре вернулась, к нашей радости,— с двумя подругами и бидончиком пива. На большее, очевидно, финансов трех юных созданий не хватило: они только что кончили школу, и было им, как выяснилось позднее (и правильно, что позднее) по семнадцать. Мы их не клеили — они сами дохли со скуки. Дальше было еще интереснее: допив к середине ночи вино и пиво, двое друзей куда-то ушли вдвоем. Они любили

186

друг друга. Девицы были ошарашены и уязвлены. Я был тоже ошарашен, но в данном случае — скорее приятно. Даже гомосексуализм, надо признать, может быть прекрасен — все зависит от контекста. Дальнейшее времяпрепровождение каждый представит себе сам — в меру своей испорченности, завистливости и сластолюбия, уравновешиваемых скептицизмом. Девушки не были красавицами, но у каждой имелись свои ярко выраженные достоинства: если у одной было красивое лицо, то у другой — большой бюст,— втроем они иллюстрировали встречающуюся иногда справедливость природы и гармонично дополняли друг друга. Так вот, много лет спустя, в описываемые девяностые (еще до пожара в петербургском Доме литераторов, после чего Ленсоюзпис стали называть союзом погорельцев — а газетенка помещалась в комнатке на верхнем этаже) — я пил кофе-водку днем в этом Доме писателей, и какая-то вполне нестарая и ничего еще баба стала меня разглядывать. Это была одна из трех, она узнала меня первой: она работала в «Петербургском литераторе» машинисткой и была горда своей причастностью литературе и личным знакомством с писателями. С высот этой карьеры она и спросила, чего это меня сюда занесло? Час я ее поил и выслушивал наставительные мнения о современной ленинградской литературе. Потом прискакал негодующий редактор газеты, начальник своей единственной сотрудницы, по ситуации выпил с нами, и из моего с ним диалога девушка узнала мою фамилию, оставшуюся ей неизвестной двадцать лет назад, как не знал ее фамилии и я. И тут же составила себе простое мнение, что в литературной табели о рангах я значительно выше ее начальника. Мелкое удовлетворение плебейского письменнического тщеславия мы оставим в стороне, это по́шло и неинтересно. Интереснее другое: в ее глазах яснее ясного читалось резко и высоко выросшее мнение о себе, чувство радостное и захватывающее. В ее жизни мгновенно случилось большое приобретение: да еще в семнадцать лет — и ведь это остается в самосознании на всю жизнь — она была на равной ноге (не будем развивать это выражение), запросто, свойски, дружески и т.п. не с кем-нибудь, а с писателем. Жизнь подверглась ревизии, прыжок самооценки воспринимался подарком, судьба стала удачнее, чем час назад, на лице плавало выражение невесты. В этом выражении имела немалое место благодарность мне — за то, что я не стал бомжом или грузчиком, и тем не уронил ее женского достоинства. И если сначала я развлекался, как тайно садиствующий циник и хам, то уходил с печалью обманщика, к которому относятся гораздо лучше, чем он того заслуживает... Вот и смейтесь после этого над снобизмом...

стр. 47
«Он пах духами...» и т.д.

— Из рассказа «Гуру», которым открывался сборник «Разбиватель сердец».

стр. 47
Арьев

— О славном человеке Андрее Арьеве, завкритикой журнала «Звезда», мне нечего добавить к сказанному в тексте.

стр. 47
К тому времени господин Мольер имел возможность... ...
...на всех углах.

— М. Булгаков, «Жизнь господина де Мольера». Его две жены, его беседы со Сталиным, его жизнь внутри бомонда и горе отлучения... А врачем работать уже не хотел!

стр. 49
«Уловка-22»

— Джозефу Хеллеру, давно почти классику американской литературы, не повезло с этим блестящим романом насчет российских изданий: первое, еще конца семидесятых, воениздатское, было в отличном переводе, но чудовищно усечено редактуро-цензурой; последующие переводы новых времен были полными, но худшими. А вообще разлагает армию.

стр. 49
...лейтенанта Шайскопфа...

— В переводе фамилия означает «дерьмовая голова». Кто хочет — может вскрывать аналогии о оттенки контекста.

стр. 49
...истории одной лошади.

— «История одной лошади» — название одного из рассказов «Конармии» Бабеля, каковой рассказ уже упоминался семью страницами выше в связи с «Где я был и что я видел».

стр. 49
...обсуждал с художником...

— Георгий Малахов был очень хороший график; он умер рано. Гравюра, пошедшая на обложку первого издания «Легенд» мне и сейчас представляется замечательной.

стр. 50
Вышеупомянутой чекой.

— Цитата из армейского анекдота: — Рядовой Иванов! — Я! — Ответьте, какой чекой крепятся станины гаубицы в походном положении.— Вот этой, товарищ сержант.— Неправильно! — Ну... железной.— Неправильно.— Ну... длинной этой.— Никак нет.— Окрашенной! — Неправильно.— Ну вот... с загибом на конце? — Плохо знаете матчасть, товарищ Иванов. Сказано же в наставлении: «Вышеупомянутой чекой»! Дивная модель культурных дискуссий.

стр. 50
О покойниках — правду или ничего.

— От латинской пословицы «О мертвом — хорошо или ничего». Отлично стыкуется с пословицей «молчание — золото».

стр. 51
У меня был когда-то рассказ, где покойник на похоронах последнее слово оставляет за собой.

— «Положение во гроб», впервые опубликован в «Огоньке» весной 90 г., переиздавался в ряде сборников. Никто не понял: писатель не умирает.

стр. 51
Дар

— Очень часто я напоминаю себе растерянного Чапаева из одноименного кинофильма с его бессмертным вопросом: «Кто такой?.. Почему не знаю?..»

стр. 51
...игру в испорченный телефон.

— А ведь на самом деле была когда-то такая игра — в ту же эпоху, что «бутылочка», «фанты» и приватные викторины на раздевание. Играющие по очереди повторяли каждому последующему игроку одну и ту же фразу, опуская в ней одно (первое, второе, третье и так далее) слово, которое тот должен был восстановить по смыслу и передать фразу дальше по цепочке, опустив уже следующее после восстановленного им слово: в результате, вернувшись по кругу к первому игравшему, который и запустил первоначальную фразу, конечная фраза не имела с ней ничего общего.

стр. 52
...новый поворот, мотор не ревет...

— Парафраз из очень-очень знаменитой на рубеже восьмидесятых песни «Поворот» молодого и любимого молодежью страны Андрея Макаревича с его «Машиной времени»: «Вот — новый поворот — и мотор ревет — что он нам несет — пропасть или взлет — ты не разберешь — пока не повернешь — за па-а-ава-а-рот!» Все дискотеки вопили это без устали.

стр. 52
...еле лапками колышет: сдох.

— Из детско-абсурдистких стихов, ставших фольклором: «А комар уже не дышит, еле лапками колышет — сдох».

стр. 52
Свет погасшей звезды.

— Кроме очевидного физического смысла и очевидной же следующей из него метафоры есть и еще значение: так назывался роман Александра Чаковского, еще не главного редактора «Литгазеты», еще не одиозной и многовластной в литературе сволочи. Роман, может, одиозный, сентиментальный, примитивно романтичный с советско-коммунистическим оттенком, а все-таки неплохой был роман, с искренней душевностью, с нитями военной романтики и той самой катарсической нотой оптимистической трагедии. Вышел он в самом начале шестидесятых, и фильм по нему был, и одно время его широко читали. А кто сейчас помянет добрым словом старую суку Чаковского, чиновного лакея Кремля? А ведь был и он человеком, и сердце имел, и над вымыслом слезами обливался. И талант имел когда-то. И редактором «Литературки» «Старый Чак» был крутым и крепким, толковый был редактор. Безоговорочно лучшим еженедельником страны была при нем газета, все за ней гонялись.

— Шекспир, «Генрих IV». Не вдаваясь даже в содержание трагедии-хроники, оставляя даже в стороне сам жанр,— отметим, что фраза имеется эпиграфом к главе XIII (именно тринадцатой) «Хроники времен Карла IX» Проспера Мериме — книги, также упоминаемой выше и точно в той же связи; в самой же главе капитан Жорж отстаивает перед всесильным адмиралом Колиньи честность происшедшей дуэли и подвергается оскорблениям адмирала (завтрашнего покойника) — будучи его сторонником...

— Киплинг, «Книга джунглей».

— Я надеюсь, что «Эхо Москвы» будет еще долго-долго лучшей и самой популярной российской радиостанцией, а вот как ловко выдавили с первого канала телевидения «Бомонд» блестящего Матвея Ганапольского, бывшего номером раз (и хронологически, и по качеству) среди наших телеинтервьюров-собеседников звезд — это поучительно и печально. Если человек человеку волк, то на телевидении — человек человеку скорпион, тля.

— Знаменитый американский классик фантастики, был в шестидесятые—семидесятые в Союзе одним из вообще знаменитейших и самых издаваемых мировых писателей, его читали просто все приличные люди. Новым поколениям в новых условиях уже не представить себе тот уровень известности, славы Брэдбери.

Народ так хотел развалить и свергнуть доставшую его власть и империю, что не желал понимать даже очевидных завтрашних последствий. Что русским в

191

оккупированной Прибалтике не приходится ждать ничего хорошего от завтрашней освободившейся Прибалтики — было ясно всем там живущим. Но коли демократы были за освобождение угнетенной Прибалтики — о ней полагалось говорить «хорошо или ничего». Сначала ТВ вопило «за нашу и вашу свободу», потом дружно перестроилось и стало так же огульно вопить про «угнетение русскоязычного меньшинства»: объективность и нюансы не входят в сферу интересов политиков и журналистов. Но если Бог чего не хочет, так он принимает меры: в день и час, когда я приехал с кассетами в Останкино, там кипел затяжной митинг-пикет чернорубашечников — а я приехал в черных брюках и черной рубашке, ну как специально: с соответствующим выражением на меня смотрели и пикетчики, и охрана, и журналисты. Ну не судьба была!

стр. 56
Ультима регис...

— Сокращение. Ультима рацио (*лат.*) — последний (решительный) довод; ультима рацио регис — соответственно «последний довод королей» — эта надпись порой отливалась в старину на стволах пушек.

стр. 56
«Так делают в Париже!»

— Флобер, «Мадам Бовари». Последний аргумент, которым клерк Леон, приобщенный отблеска столичной жизни, склоняет провинциалку Эмму предаться страсти здесь и сейчас, сев в фиакр.

стр. 56
География — наука психологическая.

— Отсыл к классическому «география — наука для извозчиков»: фон Визин, «Недоросль» (также упоминавшийся выше семью страницами).

стр. 56
...место возле параши...

— определяется в камере «народом» для тюремных париев. Вообще в девяностые тюремно-уголовный жаргон занял место французского языка для русской аристократии первой половины XIX века. Вторая сигнальная система отражает первую, будьте спокойны Социально-престижная функция языка.

— это такая страна.

стр. 57
Америка

стр. 57
Середняком в Риме, чем
патрицием в деревне.

— Парафраз цезаревского «Я предпочел бы быть первым здесь (в этой деревне), чем вторым в Риме»,— в ответ на философски-насмешливое замечание собеседника (в бытность Цезаря наместником в Галлии), что и вот в этой деревушке кипят страсти между теми, кто мечтает стать первым в этой ничтожной и безвестной дыре. Откуда: «Лучше первым в деревне, чем вторым в Риме».

стр. 57
...ощутил себя
гражданином великой
державы...

— Редьярд Киплинг, «Посвящение» к книге баллад «Семь морей»: «Действительно и по чести — в лишениях и опасностях под далекими чужими небесами отрадно сознание и слова: — Я принадлежу великой державе!»

стр. 57
Раз человек не остров,
а часть материка...

— Конечно, конечно: в семидесятые Хемингуэй был еще кумиром множества советских интеллигентов, и эпиграф из Джона Донна (1572—1631, англ. поэт — читали?) к изданному наконец «По ком звонит колокол» цитировался журналистами бесконечно: «Нет человека, который был бы как остров...» и т.д.

стр. 57
Я римский гражданин!

— Гордое восклицание римлянина при разных ущемлениях. Нищий плебей предъявлял этим свое достоинство. Мол, за мной законы и мощь Рима. Вроде как сегодня гордое заявление «я американец!».

стр. 57
...пробивают головами
стенку в соседнюю
камеру.

— Любимый мною, как и еще многими, Станислав Ежи Лец, остроумнейший и единственный остроумный из всех, кто когда-либо жили в Польше: «Стоит ли пробивать головой стену, чтобы

193

пробив, обнаружить, что она оказалась в соседней камере?»
Я был поражен, что великим и знаменитым королем афоризмов Ежи Лецом написано всего семь сотен подобных фраз — столько их публиковалось на разнообразнейшие темы: просто, значит, очень высок процент блестящих.

стр. 57
прохаря

— Сапоги, грубые рабочие башмаки, опорки — обувь зеков (шире — вообще обувь). Лагерный жаргон.

стр. 57
...и закон.

— Не тот, который Конституция или Уголовный кодекс, разумеется, а тот, по которому сосуществуют люди в камере и на зоне.

стр. 57
Правильная хата.

— Тот же жаргон: камера, где живут по закону, своим правилам, без «беспредела», по тюремно-уголовной справедливости, в отличие от анархии или голого права силы.

стр. 57
Кому повем мою печаль?

— Классические стихи, бывшие когда-то почти народной песней и забытые ныне — настолько забытые, что и сам концов не найду. Мелодия, естественно, минорная. «Печаль», конечно, рифмуется с «жаль». Посередине строки цезура.

стр. 57
...за одиннадцать
пфеннингов...

— Разменная монета Австрии и Германии называется правильно не «пфеннинг», а «пфенниг», без третьего «н». Откуда в русско-советской традиции взялось это третье «н», я лично понятия не имею. В девяностые годы от этого в общем ушли — но в предыдущие десятилетия пфеннинг писался по-русски именно так, и так звучал в наших головах, если заходила о Германии-Австрии речь.

стр. 57
На полпути к Луне.

— Так назывался рассказ В. Аксенова, давший название сборнику его рассказов, вышедшему в середине шестидесятых. Главный герой, крутой и незатейливый парняга-работяга, гру-

194

бый, но в глубине души чистый, по дороге в отпуск влюбляется в самолете в стюардессу, и весь отпуск проводит в самолетах, накрутив ужасные тыщи и спустив деньги,— а там и домой, в чертову глушь, на тяжелую привычную работу пора. Он, значит, уже не тот тупой, что был, он книжки читать начал, о жизни задумался, получшал, любовь его изменила — но и, конечно, интеллигентом не стал еще: короче, от одних отделился, к другим не пристал, пока, по крайней мере. Ни то ни се, маета духа, полурождение чего-то.— — А одновременно «отправить на Луну» — один из эвфемизмов Гражданской войны и первых советских лет, не самый распространенный типа «в штаб Духонина», «налево» или «в Могилевскую губернию», «в расход», но тоже имел место — расстрелять, значит. Вот и Пилат и Иешуа по лунному лучу...

стр. 57
...благородный дон, за неимением ируканских ковров...

— О блестящие Стругацкие! «Трудно быть богом»! Дона Окана приглашает Румату в будуар под этим предлогом: ковры показать...

стр. 58
...в кабинете главного редактора «Московских новостей».

— Таковым был уже демократичный Виктор Лошак, с которым мы и до этого были уже заочно знакомы и имели общих друзей; с Егором Яковлевым я не пил.

стр. 58
...и за литром кукурузного самогона...

— Виски был не кукурузный и пах не так плохо, но об этом двумя страницами ниже. Просто — эпоха дешевого импорта.

стр. 58
...любовь Дзержинского к маузеру.

— Здесь не столько про главу расстрельного ведомства ЧК, но более — отыгрыш известного анекдота: На международном конкурсе скрипачей наш занял второе место и так убивается, что сопровождающий его искусствовед в штатском сочувствует и утешает: — Ну что ты, второе место ведь тоже неплохо.— Да как ты не понимаешь: занявшему первое дают поиграть на скрипке самого Паганини! — Да ну и хрен с ней, делов-то. Тебе тоже дали настоящего Страдивари на конкурс.— Да ну как тебе объяснить... да для меня поиграть на скрипке Паганини — все равно что тебе пострелять из маузера Дзержинского! — — Во времена этого анекдота сотрудники КГБ под видом «одного из специалистов группы» сопровождали любые загрангруппы и делегации, все это знали, но тема была сугубо запретной к упоминанию, как бы все это считалось совершенно секретным. А теперь вот уже объяснять надо: нет актуальности — нет и шутки...

стр. 58
Человек звучал гордо.

— Не только советский сверхклассик Горький со своим (действительно хорошая пьеса!) «На дне»: «Человек — это звучит гордо»,— провозглашает карточный шулер и бомж Сатин. Но прекрасно развил тему Шендерович: «Человек — это звучит гордо, а выглядит мерзко».

стр. 59
Обезьяна, вставшая на задние лапы, взяла в переднюю палку...

— Этой энгельсовской обезьяной, которая посредством осмысленной палки двинулась в люди, задолбали поколения советских школьников и студентов. Труд вот так и превратил ее в человека, заклинали нас.

стр. 59
...и по этим рукам призывалось дать, и крепко дать.

— Из рассказа Ильфа про циркового дрессировщика-немца с говорящей собачкой. Репертуарная комиссия, составленная из ответственных идеологических товарищей, просматривает номер на предмет контроля и утверждения. Немец играет, собачка встает на задние лапы и трусливо поет по-немецки: «С головы до ног я создана для любви». Председатель комиссии просит перевести ему на русский и багровеет: «Что?! Любви!.. Нет, этой собаке нужно дать по рукам, и крепко дать!» В конце концов комиссия велит читать собаке политический доклад на десяти страницах.

стр. 59
Достать чернил
и плакать.

— Пастернак, «Февраль! Достать чернил и плакать». А не лучше: «Октябрь уж наступил. Достать чернил и плакать»? Или: «Вот и

январь накатил, налетел. Достать чернил и плакать». Или: «Зима катит в глаза. Достать чернил и плакать». Короче, Лиза утопилась.

стр. 59
...но щек на свете
меньше, чем желающих
врезать по ним дважды.

— Дискуссия с евангельским «если тебя ударят по левой щеке, подставь правую». Тут кладбища братвой заполнены!

стр. 59
Была бы шея, а любитель
по ней дать всегда
найдется.

— И снова фон Визин со своим «Недорослем»: «Была бы шея, а хомут найдется». Или это уже русская народная пословица сама по себе, а фон Визин тут и вовсе ни при чем! Э?

стр. 59
...человек создан
изменять мир...— и далее
до конца абзаца.

Желающих отсылаю к своему сочинению «Все о жизни» — здесь срезана одна из верхних точек сути упомянутой книги.

стр. 59
...джигит можэт быть
оборванэц, но чтоб
оружие в серебре.

— Владимир Гиляровский (1853—1935), «Мои скитания». В 1876 г., добровольцем в русской армии на Кавказе в ходе русско-турецкой войны, среди головорезов-пластунов, сын губернского судьи

авантюряга Гиляровский отчаянно хотел быть суперменом, стопроцентным бойцом: в их, как выразились бы сейчас, элитной отдельной диверсионной части была своя мода, вполне логичная: неуставная кавказская одежда кто во что горазд, небрежный вид — и дорогое, качественное, ценное и ухоженное оружие. Прибывший с инспекцией сверху старый боевой офицер, ветеран Кавказа, отмечал подобный вид с одобрением и удовольствием. Примерно так.

стр. 59
...о моменте истины.

— После вышедшей в 73 году и переизданной около ста раз книги В. Богомолова «Момент истины» («В августе сорок четвертого»), где момент истины — это когда контрразведчик колет теплого шпиона, и передачи Андрея Караулова «Момент истины», когда он также очень споро и умело колет знаменитых собеседников — как-то подзабылось, что термин этот из боя быков: когда, значит, они остаются один на один, и матадор на него храбро идет, значит, а зрители смотрят: вдруг бык сам его прикончит? кто кого? Ну и оперная музыка подразумевается, наверно.

стр. 59
Один даст съесть пуд соли — другой возьмет в разведку.

— Соединение, как вы понимаете, двух присловий. Одна старая — о том, что знаешь человека, он проверен временем и в разных ситуациях: «Мы с ним пуд соли съели», или «С ним раньше надо пуд соли съесть» — долго, значит, вместе жить и вместе питаться, чтоб узнать по-настоящему. Другая — послевоенная, пошла с сороковых: «Я бы с ним в разведку пошел (или не пошел)»,— т.е. в двух словах — человек надежный или ненадежный. Проверять солью — это, значит, долго, а разведкой — это сразу: берешь его или нет. Боже, и лишь потом предаст.

стр. 59
...жизнь острее, чем в бою, и мрачной бездны на краю.

— «Есть упоение в бою и бездны мрачной на краю».— Ну-с, так это Кушкин или Лермонтов? Обожаю поэзию.

стр. 60
«Вальтер ПП», 9 мм...

— автор вообще большой педант в деталях, поэтому считает нужным заметить, что калибр этого компактного карманного пистолета 7,65, короткий патрон, но варианты французского и турецкого производства есть под 9 мм парабеллумовский.

стр. 60
...забористого бурбона «Катти Сарк»...

— Вот упоминаемый тремя страницами выше «кукурузный самогон» может выступать как определение бурбона, американского виски, который гонят из чего ни попадя, в том числе и кукурузы, а также пше-

198

ницы, кленового сиропа и прочих фруктов-корнеплодов. Дешевый бурбон, и верно, не арманьяк, но снобизм не подобает тем, кто пил «Московскую» водку областных разливов; что же касается «Стрелецких», «Охотничьих» и пр.— так уже непонятно не только то, как мы могли пить эту ужасную рыгаловку, которая одним своим запахом включала рвотные рефлексы, но и откуда снизошел талант на виноделов, которые умели это производить. Поистине «у нас была великая эпоха».— — Что же до «Катти Сарк», то это безусловно скоч, т.е. виски шотландский, а скоч делается исключительно из ржи или ячменя, сорта же «бленд» (смешанные) производятся из смеси двух указанных злаков, пропорция смеси в каждом случае своя. Автор излагает это исключительно в подтверждение своих глубоких познаний по части игрушек для взрослых мужчин — но не может объяснить, для чего ему захотелось назвать «Катти Сарк» бурбоном: возможно, слово «бурбон» оформлено графически более адекватно для передачи состояния нажора. Поскольку пол-литра — не доза, опьянение свое объясняю и оправдываю исключительно тем, что за полчаса до этого я имел неосторожность хватить в первом попавшемся баре стопарь водки — а вот этого в 93-м году в Москве нельзя было делать ни в коем случае: этот ослабленно-бытовой вариант русской рулетки сплошь и рядом кончался отравлением, печеночной коликой и пр.— могли ведь и просто керосина налить.

стр. 60
...Нэн — короткой рубашки...

— «Катти Сарк» и означает «короткая рубашка»: шотландская народная ведьма по имени Нэнси обычно изображалась летящей в короткой рубашке, так вот первая, несчастная и романтическая любовь заказчика и владельца клипера была, по его мнению, на Нэн похожа; ведьма летела ростральной фигурой корабля; история легендарной «Катти Сарк» есть отдельная и знаменитая сага в истории мореплавания, будете в Лондоне — заедьте в Гринвич: клипер там!

стр. 60
...с непревзойденной
в истории скоростью
парусника...

— Не совсем так, «Катти Сарк» осталась просто самым знаменитым — и, возможно, самым совершенным — парусником, а максимальная скорость в 19 узлов при полном ветре в бакштаг — феноменальной; но вечный рекорд поставил бостонский чайный клипер «Джеймс Бэйн», который пер в шторм с незарифленными парусами и выдал 21 узел; это известно чуть менее.

стр. 60
Боги, боги мои.

— ...яду мне, яду! — продолжение фразы. Булгаков, как вы уже догадались, «Мастер и Маргарита».

стр. 60
— А я ведь хотел уехать
в Австралию, Бисмарк.

— Диалог восходит не столько к «Битве железных канцлеров» Пикуля, сколько к мемуарам Бисмарка, откуда Пикулем и взят приукрашенно; Бисмарк издавался в СССР в 1940-м году. Смысл диалога — что теперь вот и без Австралии все в порядке, устроили французам Седан и т.д.

стр. 61
...мемуарами Бунюэля.

— Русский перевод вышел году в 86-м. Луис Бунюэль (1900—1983, испанец и т.д.) был киношником феноменального вкуса и меры стеба: разве что «Амаркорд» и «Механическое пианино» сделаны на том же уровне. В отличие от не менее знаменитого Ингмара Бергмана, своего младшего коллеги (р. 1918), который был при всех талантах заунывен и зануден — но где ж тут потянуть шведу против испанца! только южане понимают наслаждение жизнью, а без этого нет кайфа и в искусстве. Кураж! вот что было у Бунюэля и не было у Бергмана.

стр. 61
...в двадцать седьмом году
сделать «Андалузского
щенка»...

— Строго говоря, «щен» таки правильнее переводить «пес», как по-русски и принято этот фильм называть, но ведь произношение несет свой шарм, непереводимый из «очка в очко»;

фильм вышел в 28-м году, но «крутить» его Бунюэль начал раньше.

стр. 61
...Евгению Рейну.

— Есть определенная несправедливость судьбы в том, что хороший поэт Рейн более известен широкой публике в качестве друга Бродского.

стр. 61
Ку де мэтр!

— Ни в коем случае не «Каков мэтр!», а вовсе даже «Мастерский удар!» (*лат.*)

стр. 62
Ростан, Эдмон
(1868—1918)

— не только франц. драматург-неоромантик, но поэт — его «Ненюфары» в период декаданса были почти манифестом неоромантиков.

стр. 62
И тут я — весь в белом.

— Из известного анекдота: Мужик приходит наниматься в цирк и излагает директору проект своего номера: — Мой номер основан на контрастах.— Это что значит?..— Ну вот, представьте: меркнет свет. Барабанная дробь. Под купол поднимается на канатах огромная бочка. Свет гаснет... Литавры! Бочка раскрывается... и весь цирк в дерьме!!! И тут — свет! музыка играет туш! Прожектор! И тут выхожу я — весь в белом!

стр. 62
Лютики-цветочки.

— «Лютики-цветочки у меня в садочке! Милая, хорошая, не дождусь я ночки!» — можно сказать, веселая народная песня о любви.

стр. 62
Не ходи в наш садик, очаровашечка.

— Из ленинградского анекдота. В шестидесятые годы «Катькин садик» — официально называемый тогда «Площадь Островского» (все-таки, полагали все почему-то, русского драматурга, а не советского патриота закалки стали) — стал одним из мест встреч гомосексуалистов. «Тундра»-«волки», то есть обычные обыватели-гетеросексуалы, в основном об этом даже не догадывались: им-то что. Итак. Заходит мужик в этот сквер с памятником Екатерине напротив Елисеевского, перед Александрийским театром. И чего-то один ему подмигивает, другой за попку щиплет. Сел на скамейку — сосед руку на причинное место ему кладет. Он подпрыгивает и в охренении бежит жаловаться милиционеру: что за дела! Милиционер слушает с ласковой улыбкой, похлопывает сочувственно по попке и советует: «А ты не ходи в наш садик... очаровашечка!..»

стр. 62
Каждый пишет, как он слышит.

— Булат Окуджава. «Дайте дописать роман до последнего листочка... Каждый пишет, как он дышит...» и т.д.

стр. 62
Медведь те на ухо.

— Интересно, это пожелание или констатация «Тебе медведь на ухо наступил», т.е. нет музыкального слуха?

стр. 62
«О время мое, украшают тебя мемуары, как янычары пашу: я не хочу писать мемуары, но фактически я их пишу».

— Леонид Мартынов (1905—1980) много издавался и был в фаворе и немалой популярности на рубеже семидесятых; из того же стихотворения насчет ненюфаров и мемуаров.

стр. 62
Соло для фагота без ан сам бля.

— Из анекдота. Выходит конферансье и объявляет: Выступает баянист Петров... гм... без ансамбля! Гм... Без... Ан? Самбля... Один, бля, выступает! — — Но сначала ведь — «Соло для фагота». Ну да, так кончается один из поздних и хороших «мовистских» текстов Катаева, где ранее он рассуждает, что наконец-то на старости лет стал писать без соблюдения всяких канонов и жанров, а так, как всегда хотелось: «Не роман, не повесть, не мемуары, а так, соло для фагота без оркестра».

стр. 62
...мы на аэродроме в Сиднее сидели и на кофе налегали.

Почему «на аэродроме», а не «в аэропорту», как было бы логично и правильно? А потому что цитата. «Мы на аэродроме в Копенгагене сидели и на кофе налегали. /Там было все изящно, комфортабельно и до изнеможенья элегантно/».— Евтушенко, «Встреча в Копенгагене» /живой Хемингуэй геройски зашел в бар выпить, сильно из толпы выделялся, ну прямо как Хемингуэй, так потом это он и оказался, постфактум поэт узнал/. Стихи года так шестидесятого.— — Вот вам и возврат к Копенгагену, с которого все и началось. И «литературная встреча», которой на самом деле скорее не было.

стр. 62
...старому немцу... Немец был мудр, самовлюблен и прожорлив. Ему нравилось обобщать.

— И две последующие его реплики насчет трагикомизма нашего положения и идеалистической философии.— Чистенький Шопенгауэр. Портрет и пара из ключевых формулировок из «Афоризмов житейской мудрости» и «Мир как воля и представление». Это, значицца, «Встреча с Шопенгауэром». Вы ощутили реальность происходящего?

стр. 63
— И реализм в литературе — на деле идеализм без берегов?

— Роже Гароди с его «Реализмом без берегов» был моден и популярен в Союзе в конце шестидесятых. Нет смысла здесь углубляться в его нехитрую в этом сочинении концепцию: в любом случае художник имеет дело только с реальностью, а трансформирует ее через себя он всегда, разница лишь в степени и направлении трансформации: так что любое искусство можно расценивать как реалистическое, каковым оно является в праоснове. Мысли в этом немного — т.е. расширить до предела границы реализма и тем самым лишить понятие всякого отграничительного смысла, т.е. лишить смысла вообще. Но к нашему тексту применение его концепции забавно и не лишено основания.

стр. 63
Я чувствовал, что тупею.

— Одно из моих любимых мест в «Трех мушкетерах» — часть первая, глава «Диссертация Арамиса», когда под тонкую теологическую дискуссию: «Д’Артаньян чувствовал, что тупеет».

стр. 63
Мишка Вайскопф.

— Известный израильский русский (нет, я все равно балдею от этих сочетаний) литературовед. По выходе текста страшно обиделся на меня за это, как он замечательно выразился, «амикошонство». Миша, прости, но мы в разных весовых категориях: ты написал про Гоголя, а я про тебя!!! (P.S. Уже простил.)

стр. 64
Михаил Генделев

— Кто не знает — очень хороший русский поэт, род. в 1950, ленинградец, с 1976 года живет в Иерусалиме; бесспорно звезда в русской культурной жизни Израиля. (P.S. Уже в Москве.)

стр. 65
Дизенгоф

— Менее знаменита в мире, чем упомянутые остальные три: центральная торгово-развлекательная улица Тель-Авива. Как везде в теплых странах, настоящая жизнь здесь закипает вечером. И: вечная страна — вечный фронт...

стр. 67
Евгений Клячкин
(р. 1933 г.)

Вскоре умер от сердечного приступа здесь, в Израиле, на средиземноморском пляже...

стр. 67
Куда мчимся, да? Птица тройка...

— Ну, заключительный авторский монолог из «Мертвых душ» все знают. А мчится на этой тройке, как тоже давно известно, приятный во всех отношениях господин Чичиков, старающийся сделать себе состояние на мертвых душах. (Это о писателях? О себе лично? О судьбе русской культуры вообще, или о былой славе России, или об ее эмигрантах? Прошу оценить возможную самоподставку автора своим критикам.)

стр. 67
впрягли в бричку...

— Нет, в бричке едет Чичиков. Так это кто и как его везет?

стр. 67
...лебедя, рака и щуку...

— У Крылова они «везти с поклажей воз взялись».

стр. 67
...мартышка в старости слаба мозгами стала...

— У Крылова «глазами» и «очки», переделку затеяли первыми, кажется, студенты Щукинского училища во времена Брежнева, и народ лежал: «Вертит мозги и так, и сяк... мозги не действуют никак!» Фольклор-с...

стр. 67
...кибитка потерял колесо...

— Максим Горький, «Дело Артамоновых»: в финале, уже рухнуло дело всей жизни, развал, финиш, пропажа смысла, нищета,— эти слова зловеще кричит сумасшедший татарин.

стр. 67
...и докатилось оно и до Москвы, и до Казани...

— А это уже из самого начала «Мертвых душ», из предположений мудачков-мужичков: еще бричка въезжала в светлые надежды жулика.

стр. 67
...Трансвааля, страны моей...

— Никак не могу дознаться, кто автор этой популярной в начале века в России песенки времен и про англо-бурскую войну. Все больше знаем ведь по строчке у Маяковского: «Трансвааль, Трансвааль, страна моя, ты вся горишь в огне». А дело знаем исключительно по «Капитану Сорви-голова» и отчасти «Питер Мариц, юный бур из Трансвааля». Где горит, там и родина души. А где родина, там и горит.

стр. 67
...земля-то — она круглая, и вертится.

— «Вертится» — это Галилей, а вот «земля-то — она круглая» — это уже волкодав и скорохват старший лейтенант Таманцев, любовь души полковника Владимира Богомолова в «Августе сорок четвертого».

стр. 67
А борт трещал, как пустой орех...

— Песня Бена из фильма «Последний дюйм», крутой шлягер рубежа шестидесятых: «Трещит земля, как пустой орех, как щепка трещит броня. А Боба вновь разбирает смех: какое мне дело до вас до всех, а вам до меня!» И далее по тексту: «...и в памяти не храня, не ставьте над нами печальных вех... какое мне дело до вас до всех!» Слова Марка Соболя, музыка Исаака Вайнберга. Где мы, где вехи?..

стр. 67
...балда в проруби...

— Ну, да, эвфемизм, «говно в проруби», это и так все знают.

стр. 67
...меж хлябью вод и небесной...

— Библейскай лексика, канонический текст, но вот насчет Люцифера, который был там даже не ангелом, а вообще прямо духом света, что-то такое сбоку памяти болтается...

стр. 67
А я отнюдь не убежден, что кто-то там наверху хорошо ко мне относится.

— Курт Воннегут, «Сирены Титана», заключительная фраза книги, когда душа главного героя уже отправляется в путешествие в горнюю высь, а он в счастье воображаемых картин спрашивает у посланца-сопровождающего, за что ему такая милость: «По-моему, кто-то там наверху хорошо к тебе относится».

1 января 1999 года.
1 января 2003 года.
Здесь

ПИР ДУХА

КУХНЯ И КУЛУАРЫ

Мимо тещиного дома
я без шуток не хожу.
Частушка

Не плюй в колодец...
Пословица

Да нет, не та кухня, которая литературная, а та, которая обычная, шестиметровая, где чай пьют и реже — водку, да и то и другое все реже, и судят обо всем обстоятельно и (мой дом — моя крепость) безоглядно храбро. Не пожрать, так хоть потрындеть; а в литературе кто ж не специалист. Как там звали парнишку, накатавшего «Школу злословия»? не пивал он наших чаев, не сиживал на кухоньках, задвинутый плотно и глухо, как в танке. Кости мо́ем — белей снегов Килиманджаро, учись, пиранья.

Разрушение легенд

— Издание, наконец, вещей, бывших полвека подзапретными легендами, сослужило многим из них дурную службу. Вообще редкий оригинал может сравняться с легендой о себе. Выход же общедоступными тиражами Хлебникова или Замятина многих разочаровал: интересно, талантливо, но вовсе не так хорошо, как в почтительном незнании ахалось, мудро-сокрушенно качалось головами и ставилось выше известного.

— По психологии запрета и незнания всегда воображается черт-те что, а узнаешь — с ног не падаешь, ничего сверхъестественного, и даже многое, уже бывшее известным, лучше.

— У кого это было: «Стоит обезьяне попасть в клетку, как она воображает себя птицей»?

Такт и ярлыки

— Уж такие мы тактичные: ни подлеца подлецом назвать, ни гения гением, пока не канонизирован покойник, либо не «сформировалось мнение всей общественности». В кулуарах вечно такая полива — святых выноси, матерок свищет, а нажрутся — все друг другу гении, а в печати или с трибуны — не то горло спирает, не то промежность натерло: все на цырлах, закругленные формулировки, тьфу.

А я прямо скажу, и за слова свои отвечаю: Симашко в «Емшане» и «Искуплении дабира» — гений, и Маканин в «Где сходилось небо с холмами» — гений: без преувеличений, верх мирового класса. А Марков Георгий Мокеич — бездарь и подонок со своим штабс-капитаном Ерундой и дедом экс-щукарем Епишкой или как его, и обливанием грязью и Быкова, и Евтушенко, и Эренбурга, и Солженицына с высокой трибуны. И Иван Стаднюк со своей «Войной» — писатель для солдат с четырехклассным образованием и тупица.

— Всех тупиц не перечислишь. А х-хорош-ша секретарская литература!

«Как закалялась сталь»

— Что касается закалки стали, то мозги нам действительно сумели закалить до чугунного состояния, чего нельзя сказать о нервах.

— Бедный парень: искренне верил в то, за что дрался, герой идеи, жизнь положил, слепым трупом на койке —

писал! боролся! и не хуже других. Конечно, с литературной точки зрения ничего это из себя не представляет...

— Да? так вы что, не слышали, что на самом деле писала это за него бригада профессионалов? совершенно известная история. Он действительно пытался... а нужно было создать легенду, знамя, ударную книгу сталинской молодежи.

— Слушайте, я в литературе не сильно волоку, но один случай там интересный; примечательный. Про узкоколейку. Все помнят, да: строили, метель, зима, дрова возить, голод, герои?

Так вот. Я как-то на шабашке строил с бригадой узкоколейку в леспромхозе. Валим просеку, обсучковка, режем стволы на шпалы и укладываем, потом рельсы накладываем и пришиваем. По десять часов, в заболоченной тайге, гнус жрет,— пахота. И за месяц вдевятером сделали километр. Тяжело; спали спокойно, жрали каши-макароны — от пуза.

И вот в выходной как-то я вспомнил — и задумался: а сколько же они там километров-то сделали, в «Стали»? Интересно...

Прилетел домой — схватил книжку с полки.

Изумительная вещь обнаружилась! Я там такого вычитал — семьдесят лет назад бедные комсомольцы сами не подозревали! Явная диверсия была устроена — и до сих пор не раскрыта!!!

Ну, что городские власти в ноябре обнаружили, что скоро будет зима, а дров нет — это по-нашему, по-советски; это уже неплохо.

Сколько послали комсомольцев? — Триста.

Сколько верст надо построить? — Шесть.

Кто проходил в первом классе арифметику? Сколько будет разделить триста комсомольцев на шесть верст? — Будет один комсомолец на двадцать метров. Д в а д ц а т ь метров!

Объясняю, что такое двадцать метров. Это двадцать пять шпал и три звена рельсов (они шестиметровые). Шпала-кругляк под узкоколейку весит килограмм двадцать пять. Рельс тогда под узкоколейку шел практически весь ТИП-18 или ТИП-22 — это восемнадцать или двадцать два килограмма на погонный метр, а весь рельс, стало быть, сто десять — сто тридцать кило. И вот эти двадцать пять шпал и шесть рельсов на человека они и делали геройски бесконечные недели!! эпопея!! причем шпалы лежали уже готовые, только подноси и клади! да мы им эту вонючую дорогу вдевятером за месяц сделали бы!

Организация — сверхбездарная! куча народу без толку. Делись на три смены вкруглосуточную, доставай любые тележки возить шпалы и рельсы вдоль трассы,— да там на два дня максимум работы для такой оравы!

А самое главное — на кой черт они долбили в мерзлой твердой земле ямки под шпалы??!! Какой идиот, какой саботажник им это велел?! Рабочая ветка на пару месяцев, скорость на ней не нужна,— на фига копать?! кладут прямо на землю! все, всегда, везде!!

Да — холодно-голодно-бандиты. Конечно. Так не два дня, а шесть: четыре шпалы и одна рельса в день. Норма дистрофика с нарушением координации. Да нет — просто смехотворно. Апофеоз идиотизма. Прообраз наших строек. Боже мой!

Закалка стали? Молотом по яйцам это, а не закалка стали!

«Повесть о настоящем человеке»

— В санчасти как-то после войны уже лежал, скука, читать нечего, мысли разные, и вот «Повесть о настоящем человеке» стал вдруг что-то читать не как книжку, ну, а как летчик. И возникли, должен сказать, вопросы. Кому их задашь? замполиту? или школьной учительнице — жене командира?

Маресьев, конечно, герой, книжку писал не он; хотя потом уже я узнал, что в сороковом году, во время воздушной битвы за Англию, над Нормандией был сбит на своем «Спитфайре» английский капитан, командир эскадрильи, который успел выброситься с парашютом и при приземлении сломал о б а п р о т е з а. Ног не было выше колен. Немцы были настолько потрясены, что на следующий день сбросили на его аэродром вымпел, где просили скинуть для него с парашютом протезы в назначенном месте. И на этих протезах он благополучно прожил в лагере до освобождения. (При этом, естественно, он не был ни русским, ни коммунистом, и комиссара Воробьева не знал; но это я сейчас такой умный, в свете перестройки и гласности).

Но по порядку. Бомбардировщики разгружаются над объектом, истребители прикрывают, немцев в воздухе нет, что же делает командир конвоя? — удаляется один в сторонку немножко пока повоевать. Тут на бомберов и мессеры свалились.

Это какая-то ахинея первая. Увлекся, понимаешь, рвением горел! Да если прикрытие — по любой причине! хоть на минуту! — оставляло бомберов, и немцы срубали хоть один, то командир истребителей автоматически шел под трибунал — и в редком случае шел в штрафбат, а так — расстреливался. Грубейшее нарушение приказа — охраны вверенных бомбардировщиков! Таково было положение, закон.

Дальше. Взяли его в клещи — сажать повели. Да на кой он им сдался? новая секретная машина, или ас знаменитый? или делать им нечего было? жгли всех пачками, а тут решили истребителя сажать.

Ну ладно: ведут. И тут он уходит наверх, вырываясь из-под верхнего. Только зацепить успели. Чтоб «И-16» ушел от «Мессершмитта» на вертикалях — это спорно. На горизонталях — ладно: скорость ниже, крыло короче, радиус разворота меньше,— маневренней на горизонталях, можно ускользнуть. Но на вертикалях — с меньшей скоростью, меньшей мощностью, меньшим темпом набора высоты,— не знаю, не слыхал.

Ладно: ушел. Тянет домой с обрезанным движком. Явно не дотягивает, внизу лес, садиться некуда. Вопрос: почему не прыгает с минимальной высоты, пока можно? Это ж самоубийство, почти нет шансов остаться в живых, в лучшем случае переломаешься в труху! Объясните мне, летчику, зачем втыкаться в лес?!

Лежит. Медведь подходит, шатун. Ходил я на медведя... Если на лес грохнется с неба самолет поблизости, то медведь тут же обделается и удерет от этого необъяснимого ужаса, и приблизится очень нескоро и очень осторожно. Ну, шатун, жрать хотел — пришел. Когтем цапнул — комбинезон не подался. Да он цапнет — жесть раздерет, голову оторвет! «комбинезон не подался»! Понюхал — решил: мертвый. Это, может, Полевой решил бы, что мертвый, а медведь — он как-нибудь разберет, кто мертвый, а кто живой. И свернет шею. Голодный — закусит сразу, сытый — прикопает, чтоб запашок пошел, но сытый шатун — это редкость большая. Короче, глупый медведь попался и несчастливый. Потому что человек тут же, лежа, выстрелил в медведя из пистолета и убил его. Это, стало быть, лежа, навскидку, одним выстрелом, из пистолета ТТ — какого ж еще? — калибра 7,62 — уложил медведя. Странно еще, что не из рогатки он его убил. Как пропаганду мощи советского стрелкового оружия я это понимаю, а как рецепт охоты на медведя — пусть мне писатели растолкуют, это я не понимаю. Эту живучую махину — из этой пукалки? в сердце — фиг, на дыбки поднимать надо, иначе не попасть, с черепа рикошетом соскользнет, позвоночник из этого положения такой ерундой тоже не перешибешь. Короче, охотник на привале.

Кстати. Курс свой он знал, карту имел, расстояние до линии фронта представлял,— чего он тогда медвежатиной не запасся? Или исключительно ежиков и клюкву предпочитал?

А вот дальше он чувствует, что похоже, переломал плюсны стоп. Похоже, даже раздробил. И что же он делает? Снимает унты... Пока меня первый раз не ранило, я не понимал, почему на раненых одежду срезают, а не снимают нормально. А потому что движения эти всё в твоей ране смещают, давят, трут, кажется — просто мясо у тебя с костей завернется пластом, если штаны на тебе не разрежут, а снимать начнут с раны. И сапоги срезают, и валенки. А когда раздроблены все мелкие косточки стопы — снимать обувь,— это пытка чище любого испанского сапога. Так мало того — он потом унты обратно натянул! Тут я не выдержал, спросил у доктора в санчасти. Удивился доктор, прочитал, помычал, уклонился. Так он потом еще встал на эти ноги и пошел!!! По горячке после ранения и на обрубках пойдешь, но это первые минуты только, а потом всё! это где ж вы видели, чтоб люди на раздробленных ногах шли да шли?!

Как хотите, но все это чушь.

С тех пор хотелось мне как-нибудь с Маресьевым встретиться и узнать, как на самом деле все было. Если только не случилось так, что вместо собственной памяти у него теперь сочиненное хреновым, я вам доложу, писателем Полевым.

Госкомиздат

— Гениальная контора, достойно координирующая наш бред в области книгоиздательства. Особенно радостно это выглядит на параллельных изданиях:

В течение нескольких лет десять разных издательств издают «Трех мушкетеров», скажем. Десять редакторов редактируют, десять художников художничают, десять корректоров вычитывают, десять наборщиков набирают и т.д. Почему не отдать все одному издательству и одной типографии? Потому что тогда тираж съест всю бумагу и всю мощность этой типографии, и издательство придется закрывать. И слава богу, закрыть! другие книги будут издавать другие издательства. А планы? штаты? зарплаты? Десятикратно будем повторять мартышкин труд и жаловаться на нехватку всего.

Полиглот

— Военная биография начальника Союза писателей СССР Карпова вызывает глубочайшее уважение, литературные же упражнения и заслуги представляются, как бы это сказать, менее бесспорными.

Когдатошние его ташкентские знакомые отзываются о нем как о парне очень славном; но почему творческий союз должен возглавлять генерал, лучше объяснят, наверное, генералы, нежели писатели.

А казус, утверждают, произошел следующим образом:

Вновь назначенный Карпов сидел в президиуме на какой-то пресс-встрече с иностранцами, и, представляя его, сказали, что он в прошлом кадровый офицер, генерал в отставке, фронтовик и разведчик, прошедший всю войну и захвативший семьдесят пять «языков». Девочка, переводчица-синхронистка, мало знакомая с военной терминологией, перевела в запарке, что за время войны он овладел семьюдесятью пятью языками. Иностранцы замерли в изумлении перед столь необычайными способностями разведчика. Пока кто-то из наших не понял, наконец, в чем дело, и захохотал невольно, и устроили радостную овацию. Кто-то проорал в восторге: «Полиглот!» Так это прозвище за глаза и прилипло.

«Дата Туташхиа»

— Если бы Амирэджиби умел немного лучше, короче и тщательнее писать, этот роман занял бы место в мировой классике. Замах, контур, идея — величественны; боюсь, это тот самый обидный случай, когда есть все для гениальности, кроме достатка профессионального мастерства.

Лучший в мире читатель

— А я тебе так скажу: делать нечего — вот и читают. Покупать нечего — покупают книги. Выделиться нечем — выделяются библиотекой как ингредиентом престижа. При нужде найти невозможно — хватают нужное и ненужное при первом случае.

Кто читает? высоколобые книги я имею в виду? интеллигент читает. Кто есть советский интеллигент? человек с высшим образованием и низшей зарплатой, без всяких возможностей создать себе материальное благополучие, работая по специальности. Он не может основать собственное дело, заработать миллион на изобретении, иметь всегда перспективу роста, работать по своему уму и способностям от пуза и расти без предела, — масса его умственной энергии невостребована, сенсорный голод не удовлетворен, объездить мир невозможно, купить свой хороший дом невозможно, оставить детям состояние невозможно, поэтому он всегда немного Манилов. И он читает — вдумчиво, истово, эмоционально. А создать ему американские условия — бросит читать к чертовой матери, вместо этого будет жить, работать и развлекаться.

Для нас чтение — отчасти сублимация, компенсация, опиум, онанизм и самоутверждение. Вопрос «Вы читали...?» заменяет обычно вопрос: «Вы отдыхали во Флориде?» или «Вы купили клинику?» или «Вы совершили то-то и то-то?».

С каким умным и образованным видом судили пять миллионов интеллигентов о среднепробной беллетристике «Плахи» или «Детей Арбата»! Нет светской жизни, нет свободной жизни, — даешь духовную жизнь!

А что делать? водка? футбол и рыбалка? выпиливание по дереву?

Когда человек урабатывается — ему не до сложных книг. А если в работе еще и видит смысл своей жизни — ему не до второй серьезной работы, каковой является чтение серьезных сложных книг.

Книг у нас больше покупают, чем читают, и больше читают, чем понимают. Потому что нет у нас, нет ста тысяч читателей Пруста! Зато есть пять миллионов, которые за треху охотно поставят его на полку, а себя — на ступенечку выше в табели о рангах: образованность у нас все же престижна.

Так просто: серьезные книги ведь серьезны не абсолютно, сами по себе, а относительно большинства других, менее серьезных, и воспринимаются небольшой частью читателей, более склонных и способных к этому, чем большинство. Это элементарно, да, Ватсон?

И глупо сетовать, что большинство все более предпочитает ТВ и видео. Рассказ о событии был заменой собственного увидения этого события, книга — заменой устного рассказа, а кино через эдакий диалектический виток предельно приближает нас к увидению и познанию события во всех красках, движениях и деталях: лучше один раз увидеть, утверждали, чем сто раз услышать.

Читать хорошо. Но жить все-таки лучше.

Пушкин и русский язык

— Весь восемнадцатый век на русский язык, фигурально выражаясь, натягивалась по возможности немецкая грамматика; общеизвестно. А в первой трети девятнадцатого у Пушкина (в прозе) и особенно у Лермонтова — у него это просто ясно видно — появляется нечто совсем новое: они как бы пишут французским языком по-русски, или русским языком на французский лад, если угодно: строй фразы, ее синтаксис — не русские, с точки зрения русской грамматики — местами буквально не мотивированы, а калькированы с французского. Любимые лермонтовские точка с запятой между отдельными словами, двоеточие как знак скорее интонационно-оттеночный, нежели несущий какую бы то ни было конкретную грамматическую функцию,— столь же характерны для художественного французского языка той эпохи, сколь нехарактерны для русского.

Вот это изящное и фривольное офранцузивание русского языка и стало началом и основанием языка русского литературного классического.

Дивная тема для кучи диссертаций. А что? Образованные дворяне того времени овладевали французским часто раньше и основательнее, чем русским; вот вышеупомянутые и впали в ересь: смешали языки — в хорошем, высоком смысле — придворный аристократический французский и житейский родной русский: вот и легкость, и гибкость, и блеск, и длинное дыхание фразы.

«Герой нашего времени»

— С руки Эйхенбаума принято возводить родословную Печорина к Констану-Шатобриану. Да-да, конечно. Но:

Почему Лермонтов бросил «Княгиню Лиговскую»? Такая штука: Печорин уже, от рождения, имеет все то, к чему бедный герой «Лиговской» стремится. Ну, достигнет... не в энтим счастье.

Вопрос: читал ли Лермонтов «Красное и черное»? Не знаю. Но по логике вещей — должен был, вероятно, прочитать.

И он, что естественно для человека толкового, в данном случае — для гения, начинает там, где другой кончил. Печорин, как и Сорель, красив, умен, горд, полон жизни,— но ему уже ничего не надобно добиваться, то, чего вожделеет один — другой уже имеет. И вот что из этого вышло.

Зачем было писать «Княгиню Лиговскую», если «Красное и черное», то бишь «Путь наверх», было уже написано. И он пишет уже «Жизнь наверху»: следующую и другую ипостась той же, в сущности, коллизии.

Хронологически, по датам, это вполне совпадает.

Психологически, творчески, тоже было бы естественно.

Сопоставительным анализом эта версия легко простраивается в подробностях и доказывается. Странно, что до сих пор этого никто не сделал.

Впрочем, в массе своей литературоведы такие же тупые люди, как и прочие граждане.

«Тарас Бульба»

— Гоголь, конечно, был гений... упаси Бог, я не замахиваюсь... все мы из шинели, так сказать, хотя большинство из телогрейки... но изучение «Тараса Бульбы» в школе... ну я не знаю...

Они же там всех режут, и это так, значит, замечательно, когда они режут; а вот когда их режут, это ужасно и мерзко. То есть когда они бьют — это хорошо и похвально, а когда их бьют — это плохо. Сплошной гимн дружбе и интернационализму! Сплавали за море пожгли турок — молодцы. Порезали поляков — молодцы. Евреев потопили — молодецкое развлечение. Жиды трусливые, жалкие, грязные, корыстные и пронырливые, и их потуги спастись от смерти вызывают только смех. Полезная для школы книга. Особенно полезно ее изучать, наверное, именно евреям, полякам и туркам. Удивительно гуманный образец великой русской классики.

Тургенев

— Характером и духом великий либерал, что видно из его биографии и произведений, был не слишком кремнев; Виардо в их любовном дуэте его переломила и подчинила навсегда, следствия чего прочитываются и без изучения психоанализа Фрейда. И все его герои не есть сильные люди, даже если хотят таковыми казаться и кажутся окружающим и даже себе: авторские антиномии, пертурбации, коллизии и мелихлюндии начиняют их всех.

И только в одном случае попытался создать Тургенев сильный м у ж с к о й характер, каким сам не обладал и который мечтал себе выработать, иметь хотя бы для самосознания, самоуважения: это отец Владимира из «Первой любви». И когда он взмахивает хлыстом, а она смотрит неизъяснимо и целует на своей руке след его удара, вспухший рубец,— вдруг понимаешь, чувствуешь, что это неправда, не было, не могло быть, но очень хотелось, чтобы было: безумно мечтал Тургенев быть вот таким мужественным, повелительным, забравшим полную власть над любимой женщиной, предавшейся ему всем телом и душой.

— Если нет в тебе крутизны — крутого героя не сделаешь. Тот, кто так обращается с любимой женщиной, уж с нелюбимой женой еще лучше разберется; а тут — ах-ах, слезы-мольбы, дай развестись — хочу жениться, все плачут, болеют, умирают и уезжают. Да, Тургенев пытался иногда представить себя таким крутым, и в письме, естественно, сублимировал, но даже не знал, бедный, что дальше-то будет делать такой крутой! и давай его плакать...

— Бедолага! Недаром солдафон Толстой издевался в «Современнике» над его «демократическими ляжками»: «Шлепну шпака, как мух-ху!»

Бунин

— Да нет, не тот, конечно, который начальник в Лениздате, а который Иван Алексеевич. Уж так он себя любил, так щемяще и пронзительно любил, что просто не знаю... и жалел. Неприлично, не по мужски, неловко иногда читать, в конце концов. В чем-то — основу его творчества составляет внимательная, понимающая, трогательная, с сочувствием и жалостью любовь к себе, любимому.

— Любил барин клубничку и себя в клубничке, и болезненно скорбел по отсутствию оного.

Литература и язык

— Блеск блеском, ан не блестящие произведения остаются вершинами; блеск литературы условен, понимание истин человека и бытия — абсолютно: энергию таланта следует скорее направлять на их постижение, нежели на шлифовку формы; хотя этим оправдываются и банальные бытописцы, но заурядность всегда найдет чем оправдаться...

Не блестящий мэтр академик Мериме, но «скверные стилисты» Стендаль и Бальзак остаются вершинами французской литературы; а достигнув формального совершенства, она в XX веке решительно деградировала. А поперла американская — грубоватая, мощная, витальная.

Блеск российского «серебряного века» — это талантливость мастеров, в совершенстве овладевших всей изощренностью высокого искусства любви — но утерявших могучий и неразборчивый инстинкт ее подлинной страсти. Толстой, не говоря о Достоевском, «плохо писали»,— но в результате неплохо вышло. Мысль и страсть решают все! Привет пассионарности.

Поэты и кумиры

— Каждый чего-то не может понять, в силу, видимо, своей ограниченности. И вот моя ограниченность не дает мне понять, как на I Съезде письменников, когда встали у сцены метростроевки в алых косынках и с отбойниками на плечах, Пастернак у ближайшей пытался взять отбойник и держать сам, он не может, чтоб девушка тяжесть держала, а потом сказал, что даже не знает названия этого тяжелого «забойного инструмента»; моя тупая ограниченность не позволяет мне понять, что это он сделал искренне и естественно. Это вполне согласуется с «какое там, милые, у нас тысячелетье на улице?», но никак не согласуется со вполне здравыми и рассудочными поступками жизни Пастернака, а уж в 34-м газеты, радио, кинохроника так трубили о метро и шахтерах-стахановцах. Боюсь, что это тоже — создание имиджа.

И никак мне, скорбному умом, не понять, как можно неоклассицистов Ахматову и Мандельштама, при всем моем к ним человеческом уважении и преклонении перед трагичностью и муками пути, и поэта внутри поэзии Пастернака, и благородного интеллигенто-авантюриста Гумилева, писавшего стихи для гимназистов и барышень (помесь рашен Киплинга с рашен Рембо плюс эстетская циничноватая самоирония Северянина) ставить в один ряд с Поэтом милостью Божией Мариной Ивановной Цветаевой, естественной и страстной во всем, боль и нерв, надрыв и удаль, саможжение и безоглядность. Голову склонить — но не ряд, не чета, не ровня.

Ворошилов, Жюль-Верн
и космополитизм

Покойный Евгений Павлович Брандис рассказывал:

В сорок девятом его, кандидата-филолога-германиста, за пятый пункт турнули из Пушдома и напугали на всю оставшуюся жизнь. И остался он без работы. И никуда не брали. А семья, дочка, кормиться надо. Изредка разрешали где-нибудь платную лекцию или выступление. Да таллиннская «Вечерка» брала статьи к юбилеям русских писателей.

Но какой-то детский клуб вела его добрая знакомая, и вот она приглашала его почаще рассказывать детишкам о всяких интересных книжках. А круг дозволенных интересных книжек был сужен до предела. Одним из незапрещенных оставался Жюль-Верн: нет, в плане борьбы с низкопоклонством перед Западом тоже не издавали, но поминать запрещено, вроде, не было. И через несколько лет такой жизни Брандис, подначитавшись и поднатарев в безопасном и безвредном Жюль-Верне, даже написал трехлистовую брошюрку, и даже ее маленьким тиражом издал как-то под каким-то скромным методическим грифом.

А тем временем умер Сталин, пошла большая чехарда в верхушке, и первый красный офицер Ворошилов оказался на курировании культуры. И директор Гослитиздата, соответственно, и явился к нему подписывать планы выпуска литературы на будущий год.

Ворошилов встретил его благосклонно, проворошил нелюбовно пачку листов, закурил: решил поговорить немного о литературе, наставить, поруководить издательским процессом.

— А вот ты такие книги, интересные там, приключения издаешь?

Директор напрягся, поймал, решил, сориентировался:

— А как же, Климент Ефремович, конечно, издаем!

— Какие?

— Э, м-н, ну, вот скажем...

— А я вот в детстве, помню,— откинулся на спинку Ворошилов,— очень любил Жюль-Верна.— Задумался мечтательно.— Очень был интересный писатель... Издаешь его?

— А как же, Климент Ефремович! Конечно издаем!

— Вот это хорошо. Это правильно! А что именно?

— Эгм. Да! Избранное!

— Что?

— Собрание сочинений издаем!

— Это дело. А сколько томов?

— Широкое собрание!..

— А?

— Двенадцать, Климент Ефремович! Двенадцать томов!

— Вот это — молодцы. Правильно. Хорошо.— Подмахнул план: — Пришли экземпляр в подарок, перечитывать буду.

— Слушаюсь!

Директора вытряхнули из лимузина у родного подъезда в предынфарктном состоянии. Выпил коньячку, закусил валидолом, рыкнул секретарше: — Всех специалистов по Жюль-Верну — срочно ко мне! Срочно!!! И — на — впечатай в план — в первый десяток позиций! — Жюль-Верн, собрание в двенадцати томах!

— Что?..

— Исполнять!!!

Все забегали, закрутили телефоны, залистали справочники, и к концу дня выяснили, что специалистов по Жюль-Верну в Москве не осталось ни одного. Кончились как-то специалисты. Кого посадили, кто помер, кто съехать успел давно, кто на фронте погиб, кто в эвакуации сгинул, а кто, возможно, скрывает, открещивается.

— Найти хоть на Камчатке!! Завтра утром!! Это — приказ!! — и палец в потолок.— Знаете, чем пахнет?!

Короче, вечерком у Брандиса вдруг звонит телефон, который уж давно онемел:

— Евгений Павлович? Как поживаете? Как чувствуете

себя? — Дымшиц звонит, та еще сука, тогдашний начальник ленинградской писательской организации.

Евгений Павлович в трубку мычит потрясенно, что мол, спасибо, все хорошо, ничего.

— У вас не было в планах съездить в Москву?

— Нет... А что? Пока не было... А... что?..

— Через часок пришлем за вами машину, вы соберитесь пока, билет на «Красную стрелу» шофер передаст. Съездите в командировочку, проветритесь, возможно и дела какие-нибудь окажутся.

Брандис уже сползает по стенке и воздух ловит:

— А в чем дело?..

— В Москве вас встретят, все объяснят.

Брандису худо. Жена плачет и собирает белье и шерстяные вещи. Если опечатают квартиру — к кому идти жить? С кем это все может быть связано?

Доставляет его машина к «Стреле», дает шофер билет и командировочные. В Москве на перроне ждет топтунок:

— Вы — Брандис? Пойдемте.

В машину — везут. Привозят. Что за подъезд — не Лубянка, не Петровка... мало ли контор. Коридоры, кабинет, начальник:

— Вы Брандис? Садитесь. Значит, специалист по Жюль-Верну?

О господи, молит Брандис, неужели и за этого уже сажают, что делать.

— Да нет, что вы!.. Какой я специалист?.. Я и вообще-то германист, а не романист, так что...

— Жюль-Верном занимались?

— Да нет практически...

— Что?!

— Ну, детишкам там рассказывал...

Директор вынул из ящика и шлепнул на стол брошюрку:

— Твоя книга?

— Ну, какая ж это книга... незначительная компиляция...

— Что?! Что ты тут выеживаешься?! Твоя?

— Моя... но...

— Значит, так. Мы в этом году издаем двенадцатитомное собрание сочинений Жюль-Верна. Что тебе надо, чтобы сейчас составить содержание?

Брандис на миг потерял сознание.

— Ты что — спишь?!

— Но надо работать... библиотека...

— Сейчас тебя отвезут в библиотеку, после обеда привезешь содержание! Все!

— Но — собрание...— слабо соображая, прошептал Брандис.— Нужны комментарии, справочный аппарат...

Директор чуть задумался.

— Хорошо. Сколько времени надо на том? Три дня хватит? Через месяц подашь комментарии и справочный аппарат.

— Но это гигантский труд!.. я настолько не компетентен... я не могу...— пискнул Брандис.

— А тебя, тля, никто не спрашивает,— ласково разъяснил директор.

. . . .

— Вот так,— рассказывал Брандис,— у нас вышел роскошный, по сути — академический, двенадцатитомник Жюль-Верна, какого никогда не издавалось во Франции, да и нигде в мире. А я сделался специалистом по Жюль-Верну и потом получил уведомление от международного Жюль-верновского общества, что меня приняли в его ряды — а в нем всего триста человек. Правда,— вздыхал он,— на его ежегодные заседания меня в Париж так ни разу и не пустили.

Стиль Платонова и Толстой

— Платонова не люблю и читать не могу. Как не могу пообедать только икрой, или только медом, или только солью. Дегтярная вязкость и густота языка — подряд, в едином и очень условном ключе, на пространствах длинной прозы, вызывает рефлекторное отторжение. То, что хорошо как приправа и нечастый очень сильный элемент, в неограниченных дозах начинает с раздражением восприниматься искусственным, вычурным, специально придуманным. Так нельзя написать вещь, где каждое предложение, для усиления общего эффекта, кончалось бы восклицательным знаком. Пусть объяснят мне смысл конструкции «Он произвел ему ручной удар в грудь» вместо «ударил» или «но сам он не сделал себе никакой защиты» (от удара) вместо «никак не защитился» — и тогда я, туповатый недоумок, произведу благодарность просветившему мое понимание.

— Строго говоря, ничего принципиально своего Платонов в языке не изобрел. Он взял и возвел в абсолют и принцип своего письма то, что было у Толстого; но у Толстого, который плевал на прописные догмы грамматики, исповедуя точный смысл, оно встречалось изредка и всегда было наилучшей формой выражения, краткой, точной, нужной. А нестандартность, аграмматизм лексических и падежных сочетаний — та же. «На лице его промелькнула та же улыбка глаз»,— это Толстой. «Улыбка стыдливости перед своими чувствами»,— и это Толстой. «Она не решилась сделать вопрос»,— и это он. «Переноситься мыслью и чувством в другое существо было действие, чуждое ему». «...и без помощи внешних чувств она чувствовала их близость». «Увидав этот страх Наташи, Соня заплакала слезами стыда и жалости за свою подругу». Вот вам и весь Платонов с его «сытостью организма» и «для силы своего ума».

— Так ведь он таким образом и воплощал всю неестественность, беспросветность, уродливую заемную фразеологию и абсурд происходящего! Этот мир искажен во всем, в том числе и на уровне языка! И через язык также дается его искаженность!

— Понимаю. Но читать не хочется. Неинтересно. Здесь степень деформации языка выше степени трансформации материала и сюжета: одеяло перетягивается, мера нарушена, и главным остается общее впечатление, а для полного его получения достаточно и пары десятков страниц, дальше — просто излишне, все уже ясно и постигнуто.

226

Красивое вранье Паустовского

— Долго не мог понять: Паустовский — так хорошо пишет, и чем он мне не нравится?.. Пока не перечитал «Снег». Боже мой: война, эвакуация, карточки, ребенка кормить нечем, вечно хочется есть, холодно, дров нет, сортир во дворе — тоже зимой кайф для горожанки, известия с фронтов убийственные: жить, выжить, ребенок, и — о господи: рояль, витые свечи, заснеженный сад, красивый офицер, отдыхавший до войны в Крыму — да кто в том Крыму тогда отдыхал?! бунинская, понимаешь, элегия!.. тут помыться бы теплой водой, мыла бы бельишко постирать да починить, ребенок заболеет — чем, как лечить... какие свечи, какой рояль!

Или, из знаменитых же — «Ручьи, где плещется форель». Смотрит зимой часовой вслед саням: «Ах, сейчас бы глоток горячего вина!» очень изячно. Об чем думает такой часовой, притоптывая по снегу? сколько там еще до смены! погреться бы! пожрать! выпить! эх, сейчас бы вот с такой бабой! куда она поехала, к кому, интересно? развлекаются, сволочи! Или — лошадей в гору гонит вскачь,— надоели ему эти лошади, что ли? так он их еще с бега посреди дороги решил попоить ледяной водой из горного ручья — пусть обопьются, родимые, авось сдохнут! зато рыба-форель в ручье хвостиком взмахнула — красиво, понимаешь!

Я бы этот стиль назвал романтизмом, а вот эпитета к этому романтизму никак не подберу: не шоколадный, не цветочный, не рождественский, а не знаю даже какой...

Гайдар

— Писатели любили хвалить его «Голубую чашку»: «Ах, какой замечательный, лучший рассказ» — «А жизнь, товарищи, была совсем хорошая» — последняя фраза; тридцать восьмой год на дворе; привет всем, дивный рассказ.

А есть у него рассказ славный, маловспоминаемый — «Патроны». Наскакали, значит, белые на село, всех в сарай под замок, там плачут, расправы ждут,— вдруг стрельба

227

кругом, удрали белые, мальчик спрятавшийся подходит к сараю: «Ну, как вы там? сейчас открою».— «Погоди, сынок, пусть наши откроют».— «Какие наши?» — «Товарищи, красные».— «Да нет никаких красных...» — «Как же? а стрельба!» — «Да это я кругом деревни в кустах костров нажег и патроны в них побросал, рваться начали, вот белые и сбежали. Так что — выходите... обождите, замок собью...» Нехитро, но смысл хорош; часто вспоминаю; не будет тебе никаких торжественных освободителей — давай своей собственной рукой, попрозаичней.

Битов и фортуна

— ...и вышла в начале шестидесятых книжка, и все ничего. А тут Михаил Лившиц, известный борец за реализм и нравственность, ее походя полил. Неприятно. Но тут полемика как раз разразилась между Лившицем и Эренбургом, и Эренбург, громя и поливая Лившица, и о Битове упомянул: и здесь, мол, неправ глупый ретроград Лившиц, прекрасный молодой писатель Битов, и книжка замечательная. Круги пошли, критики подключились, большая пря, и в эту прю Битова и втащило, попал на язык: которые, значит, за Лившица, те поливают, а которые за Эренбурга, превозносят. И оказался он как бы участком поля битвы, которую прогрессивная эренбурговская группа выиграла. Короче, сидит дома, никого не трогает, звонят: Ленсовпис, просим зайти. Заходит: рады познакомиться, знаем, что ж ничего не несете, давайте можем заключить договор. И вот слегка обалделый Битов выходит из Совписа с договором, ни сном ни духом о нем ранее не ведая. Так вышла книга «Большой шар», а Битов оказался в большой литературе...

Владимир Гусев

— Каким редким даром, каким удивительным талантом надо обладать, чтобы сделать непереносимо скучное чтиво из биографий таких героев и авантюристов, как Гарибальди и Лунин! (Есть выражение «из дерьма конфету сделать», так здесь как раз наоборот.)

— Так вот потому он больше учит других, как надо писать.

Александр Чепуров

— В бане паразит один клеветал; хотел я его шайкой ляпнуть, так в пару не разглядеть было, кто.

Когда-то (рассказывал) Ленинградскую писательскую организацию возглавлял стихотворец Александр Прокофьев, по-простому в обиходе — Прокоп. Круто деловой. Лауреат, черная машина, брюхо типа дирижабля «Граф Цеппелин» — эпоха, табель о чинах.

Вот подкатывает его лимузин к Союзу, а из дверей приятный такой молодой человек выходит. Узнает его через стекло, здоровается умильно и дверцу раскрывает заодно: уважение оказывает старшему, все равно рядом, вежливый такой.

И еще как-то раз также кстати выходит он. И еще. Мол, какие интересные совпадения. И уходит ненавязчиво своей дорогой.

И уже в коридорах Союза встречая, стал с Прокопом здороваться — у з н а в а л с я. Разговора удостоился: приятнейший молодой человек, начинающий, бедный, и какой-то ненавязчиво приятно-полезный. Книжечки на автограф, как водится. И, короче, пригласил его Прокоп в литсекретари.

Что такое денщик босса? это маршальский жезл, сунутый тебе в ранец под груду хозяйского груза и грязного белья: топай, парень! дотащишь мое — и свое получишь. Прокопу-то брюхо мешало до шнурков на ботинках дотягиваться, так Саня Чепуров вообще незаменимый мальчик был.

Прокоп, скажем, возвращается из Москвы на «Стреле», а Саня его уже встречает с цветами и женой (прокоповской): пожалте встречу. А Прокоп выплывает из вагона под руку с бабой. А Саня, не усекя, ему букет и ножкой шаркает, на супругу кивает. Прокоп почернел, ткнул ему обратно букет и потопал один. Мило услужил. Еле отмолился.

Вот так Саня и двинулся в начальники Ленинградского СП, каковое и возглавлял много лет весь «застойный период».

Новаторы и консерваторы в литературе

— Та самая энергия, которая заставляет человека стремиться изменять искусство, заставляет его стремиться изменять и жизнь. Спорить о новаторах и консерваторах глупо — это диалектическая пара. Примечательно, что сейчас это размежевание в искусстве и политике удивительно совпадает. Традиционалисты-реалисты-деревенщики н е - и з б е ж н о оказались консерваторами и реакционерами: и одно и другое обусловлено их сущностью, их как бы недостатки со всей яркостью есть продолжение их как бы достоинств.

— Забавнее, что те, кто раньше умилялся: «Ах, Распутин... О, Белов...» — теперь сокрушаются: «Ай-я-яй, Распутин... ой-е-ей, Белов...» Хотя ни как писатели, ни как личности они совершенно не изменились. Никогда там не было большой литературы. Тот самый недостаток внутреннего потенциала, не дающий выйти за рамки общепонятной литературной традиции, не дает выйти и за рамки горестной традиции политической.

— Но эти ребята безусловно вызывают уважение. Честностью, стойкостью и последовательностью. Раньше их бесспорная заслуга была в том, что они открыто писали правду, не боясь неприятностей — правду, которую очень многие знали и написать в принципе могли, но избегали портить себе жизнь. Однако минуло дикое время, когда акт гражданского мужества провозглашался актом художественного свершения: сказать правду еще не есть литературное достоинство, этого мало. А теперь многие — без риска! — пошли в говорении правды и анализах гораздо дальше, и стоики-деревенщики в неизменности своей позиции из авангарда оказались в арьергарде...

— И — логично и прискорбно — в этом арьергарде сомкнулись с аппаратной швалью, повинной в бедах, за которые болит их сердце.

Напутствие молодым

— В семьдесят третьем на Конференции юных дарований Северо-Запада — нормальная пустая болтовня, бодяга, но по молодости-то и литературной девственности щечки горят! похвалы вдохновляют, поучения бесят! при том, что руководителей презираешь как мелочь второсортную — а признания хочешь! суета-с...

И вот — закрытие: маститые с трибуны слова говорят, старики-Державины, так сказать, изображают, что готовы передать свою лиру, хотя и лира у них не лира, а пищалка дурацкая, и вцепились они в нее, как голый в свечку. Михалков вещает, записку из зала зачитывает: подхалимская такая, низко-льстивая записка: ну, перебрал молодой по неопытности с лестью, решил, должно, что Михалков оценит и, скажем, познакомиться с ним захочет. А на фига ж Михалкову такие знакомства? И, зачитав, он с сокрушенно-язвительно-умной улыбкой говорит: по литературной речке много всего плавает, и большие рыбы, и поменьше, и маленькие, а есть и то, что плавает поверху! Заржали все охотно: мол, достойно ответил Михалков. Ах, думаю, умный кит пресноводный, уж ты ли не плаваешь всю жизнь поверху?

И тут Гранин напутствует. От легкой жизни предостерегает, от соблазнов сладкого литературного пирога, благ и льгот, легких денег: это, значит, опасно, вредно для личности и творчества, не надо увлекаться слишком ранними публикациями, спешить в печать, строже к себе быть, суровее к себе. Я чувствую — белею! было б что под рукой запустить в трибуну — запулил бы, и плевать на все!

Семьдесят третий год на дворе! нас всех давят всмятку, и еще лет тринадцать давить будут, душить наглухо серой подушкой, в печать не пробиться, нас дворницкие ждут, спивание, психушки, эмиграция, отчаяние, а великий Гранин, понимаешь, нас остерегает от опасности легких литературных денег! Подыхающему с голоду — о вреде обжорства!

Часто упоминает — галстук он не любит. Правильно не любит. Потому что носить его не на чем. Галстук носят на шее, а шеи там нет, только и всего. Чем не причина для распашного демократизма.

Рекомендациями ихними, что творческими, что в печать, можно было подтираться сразу, но очень было забавно наблюдать, как кто-нибудь из руководителей с видом важным и ответственным начинал давать советы: ковал, значит, молодые таланты, влиял на течение литературного процесса. Это по какой-то странной ассоциации напоминало мне старинный анекдот о йоге, занимающемся онанизмом, лупя себя молотком по мошонке — зато промахиваясь он испытывал гигантское наслаждение.

Правда, вымысел, ложь

— «До свидания, мальчики» Балтера, книга в свое время знаменитая,— автобиографична и таковой выглядит. Выглядит она просто безусловной правдой, это р а с с к а з о рубеже юности своей и друзей, выдумать это невозможно — смысл исчезнет. И вот, читая это лет в семнадцать, я задержался на одном месте — где он, днем, на песке: «Я не могу так тебя оставить...», берет свою Инку. «Я еще подумал, как трудно будет вытряхивать песок из густых Инкиных волос». И вдруг, перечитывая, п о ч у в с т в о в а л: неправда. Не было этого. Все было, а этого не было. Вот не знаю, почему, но хоть ты тресни — не было! И деталь, и психологический штрих, долженствующие подтвердить, увеличить правдоподобность, реальность,— «подумал», «песок, волосы»,— не подтверждают, а наоборот, меша-

232

ют. Ну, может, целовал он ее, трогал на этом песке, но не брал — ну голову заложить готов!.. Ну вот по всему остальному — не получается, мелочи не сходятся, рисунок не совпадает, разнобой получается.

Через много лет познакомился я с одноклассником и довольно близким приятелем Балтера в школьные годы, завел разговор. Да!!! Он ее любил, а она его не очень, первая любовь, ничего не было, все знали.

Когда пишется по правде, присочинять нельзя ничего. Иной ключ, иная тональность, иная система условностей: уши всегда вылезут.

— Бедный хороший Балтер.

Имидж

— О, без умения построить и поддерживать эдакую легенду о себе — нет славы! Уж Наполеон, презирая толпу, умел именно играть свою роль. И стараются, как могут. Небрежно рекламируют свою короткую близость со столпами мира сего и публикуют фотографии с ними. Евтушенко не дает забыть, что он с глухой сибирской станции Зима, где и прожил-то крайне короткое время, Вознесенский культивирует свои клетчатые пиджаки и шейные платки, Семенов рассказывает о дружеских беседах с главарями мафий и Отто Скорцени, а Пикуль позирует в бескозырке и рассказывает о своем богатейшем и редком историческом архиве, коий он глубочайше знает.

— Без паблисити нет просперити. Простым людям приятны легенды: подай героя, необыкновенность, им и восхищаться не стыдно, и подчиненная близость к нему возвышает.

— Ах, боже, как смешно и самолюбиво поддерживал Фолкнер легенду о себе как о боевом летчике Первой мировой, на которую он попасть не успел. Маленький, мирненький,— слава большого драчливого Хемингуэя, кого он не переваривал, покоя ему не давала?

— Хемингуэй — вот непревзойденный мастер легенды о себе. Какой еще полутыловой санитар итало-австрийского фронта снял столько дивидендов с полуслучайного ранения, чтобы тянуть на героя? Кто еще из бойцов интербригад Испании снял славы с той войны столько, сколько тыловой журналист Хемингуэй? Какой профессиональный охотник на тигров-людоедов ознаменитился так, как покупавший тур сафари Хемингуэй — со слугами, оруженосцами, поварами и джипами? Какой клошар столько состриг со своей бедности в Париже? Когда же он рассуждает о Второй войне в духе, что не любит танкистов, потому что прикрытие неуязвимой брони делает людей наглыми — это просто бред самоуверенного дилетанта-туриста, не ведающего, каков век танкиста на фронте и как они горят.

— Он тоже знал, что делает. И продал он себя сознательно, в двадцать девятом году, Полине Пфейфер, за введение в высшие круги и рекламу среди вершин — сливок снобов, плейбоев и законодателей искусств. Что дало ему славу и богатство, но, естественно, не счастье. Вот он и задергался, страдал раздвоенностью желаний — и славы, денег и величия хочется, и делать чего хочется — тоже хочется. И, дрожа и дорожа своим реноме у магнатов, в пику им рекламно же нажирался с люмпенами и грозил дать в морду не понравившемуся гостю.

Фиеста

— И лучшей вещью Хемингуэя остается написанная в тридцать лет «Фиеста», — так и не прочитанная глупыми критиками во главе с Кашкиным, требовавшим ставить ударение в своей фамилии на втором слоге и принимавшим за чистую монету вежливые комплименты Хемингуэя.

А суть в том, что «Фиеста» — это «Идиот» в осовремененном американизированно-европеизированном варианте и вывернутый наизнанку. Все герои — грешные, аморальные, ненадежные, и делающие все — чисто по Достоевскому! — наоборот от нормального! Пылкая красавица любит исключительно импотента, который никогда не

234

сможет ее удовлетворить. Он, любя ее, выступает в роли сводника, прекрасно понимая, что это не кончится хорошим ни для нее, ни для юного матадора, который ему также крайне симпатичен. Аристократ-богач-алкоголик, жених красавицы, оказывается стеснен в средствах — а только его деньги и были нужны. Но при этом — все эти люди приятны, милы, симпатичны, несчастны и вызывают любовь и сочувствие своей е с т е с т в е н н о с т ь ю — нормальные живые люди, вот уж с такой судьбой и в таких обстоятельствах: они ходят по путям сердца своего. А единственный, рационально рассуждая, положительный герой — Роберт Кон, не такой как все, еврей, с комплексами, носитель морали и нравственных ценностей, любящий героиню бескомпромиссно, который не просто выступает всегда носителем морали — но и борцом за мораль — причем с кулаками, боксер, любого укладывающий на пол; тем не менее он всех раздражает, для всех лишний, и читателю неприятен: тоже князь Мышкин наоборот! Что подтверждается демонстративно: Хемингуэй в это время читал Достоевского, так последняя фраза «Фиесты» дословно повторяет последнюю фразу «Униженных и оскорбленных» в переводе Констанс Гарнет, каковой Хемингуэй и читал; не такой был мальчик, чтобы допустить случайное совпадение с чем-то финальной фразы своего первого романа!

— Идиоты эти литературоведы!..

Пикуль

— Кто высунулся, того и хают. На девять тысяч серейших письменников никто и не плюнет за ненадобностью, а у него полстраны читателей — давай польем! покажем, чем он плох!

«Ах, он врет, он фальсифицирует, он искажает и передергивает!» Да, врет, да, передергивает, ну и что? Он берет самые сенсационные, давно забытые всеми, кроме профессиональных историков, версии, и выдает дивный беллетристический вариант исторической сплетни. Или легенды, если хотите, или байки, или анекдота. А люди обожают легенды, байки и анекдоты, и ничего плохого здесь нет.

— Но он выдает их за правду!

— Как всякий хороший рассказчик.

— Но люди верят!

— Лучше верить Пикулю, чем Георгию Маркову или Галине Серебряковой, что, впрочем, и невозможно.

— Он шовинист!

— Верно. Но шовинистов много, а тех, кого можно читать — мало.

— Он плагиатор! Он перекатал дневники Бисмарка страницами, и массу еще чего!

— Да читателю-то какое до того дело? Он поучает, развлекая.

— Его читать невозможно!

— Значит, полстраны делает невозможное; что, правда, вполне в нашем характере. Да, бывает и слишком длинно, разваlisto, нудно,— но «Пером и шпагой» куда как неплохо. Масса людей и поныне бы у нас не узнала, что был Фридрих II, и Семилетняя война, и Олений парк Луи XV, и прочее.

— Так можно лучше читать книги по истории!

— Оставьте ваше ослиное фарисейство! Их и так-то читать невозможно от скуки, и где кроме читалок Москвы и Ленинграда они есть?

— Ох, писал бы он лучше свои морские романы.

— Вот это-то и не так. Там масса ляпов, драть дармоедов и тупиц редакторов. То у него «каталина» падает с неба на четырех звенящих моторах... она б, сердешная, и падала на четырех, да у нее всего два было. То, описывая шимозу в Цусиме, он порет нечто, не удосужившись, видимо, заглянуть в Брокгауза, шо це такое и как его делают. То котельное железо называет крепчайшим, хотя всем известно, что оно мягчайшее и в качестве преграды для снаряда подобно картону; то не знает отличия фугасного взрывателя от осколочного, а снаряды из морского орудия у него видны в полете и кувыркаются, как городошные палки, что, правда, списано из другого автора, но все равно чушь: снаряд наблюдается только от орудия, когда он удаляется от тебя и угловой скорости относительно тебя не имеет, а кувыркаться он, пройдя по нарезам и будучи стабилизирован вращением, не может никаким каком, кроме одной ситуации, но о ней Пикуль не упоминает: когда сблизившись с водой под очень острым углом, он рикошетирует — вот в таком рикошете и может лететь беспорядочно.

А вот в «Караване PQ-17» он делает вещь скверную. Англо-американский мощный конвой оставил караван, бросившись на перехват немецкой эскадры с «Тирпицем», чтобы отрезать его от баз и превосходящими силами уничтожить в стороне от грузовых коммуникаций, обезопасив их и на будущее, но до этого торпедированный «Тирпиц» ушел, и союзники его не встретили, а немецкие подлодки расклевали беззащитный караван. Пикуль же подает это как предательское и трусливое бегство союзников ради спасения собственной шкуры. Недостойно.

Юлиан Семенов

— Он умный. И образованный. И все понимает. И понимает, что продал большой, энергичный талант за деньги и не самой высокой пробы, с оттенком иронии, славу.

— А чего еще?

— А — истина. Отложенные на потом и так не взятые вершины в искусстве. Поэтому он на самом деле печальный писатель. И его умные, печальные и образованные герои прокатывают воспоминания и изрекают пространные сентенции, вовсе не требующиеся ни по образу, ни вообще по книге: это мысли и знания самого Семенова, которые ценны и хороши, и которым жаль дать пропасть втуне. Он сам не столько Штирлиц, сколько Мюллер; не столько Дорнброк, сколько Бауэр.

— И однако для меня несомненно, что он больший

писатель, чем, скажем, Распутин или Нагибин. Больше смысла, больше искусства, да и просто гораздо интереснее, наконец. Да, есть и халтура, есть и своего рода шедевры. Лучшие его штуки и п е р е ч и т ы в а т ь приятно — а это симптом!

Не уподобляйтесь во мнениях эстетствующим снобам — это то же тупое стадо, только на уровне окололитературных кругов.

Критика

— Банда кретинов, боже мой! Что за профессия: профессиональное высказывание мнения? Дивно: зарабатывать на хлеб обгаживанием чужого хлеба. И ведь понять не удостаивают: им некогда, критика — их регулярное занятие, быстро проглядеть — и выдать мнение. И не потому, что нравится или не нравится, а работа такая. Тяп-ляп — ускорение. Нет, несколько человек найдется, раз-два-три, но прочие, все эти пристраивающиеся к мельницам Клопы-Говоруны и ... ...— что бы они стали делать, если бы те, по кому они «проходят», перестали писать? Поразительная поверхность, поразительная заданность в раздаче ярлыков, поразительное невидение написанного. Вдуматься в смысл текста, допустить возможность, что они что-то элементарно не знают и не понимают — отсутствуют принципиально, принципиально отсутствует та самая интеллигентность мышления, коя есть сомнение и неудовлетворенность собственными достигнутыми результатами. Особенно это видно у нас на критике о Пушкине: работает целая кондитерская фабрика по выработке елея, патоки и глазури для Пушкина, каждое слово берется за эталон, каждая запятая заведомо гениальна, Пушкина как автора для них нет, есть идол, канонизированный гений, сияющий пророк, протрубить которому — не акт критики, не дань признания, но символ веры и причащения божества. Не то минигеростраты, не то лягушки, пашущие на головах волов... И при этом думают, что они умные, только на том основании, что любого умного могут обгадить и объявить глупее себя. История нас, конечно, рассудит; все это было бы смешно, когда б так сильно не тошнило.

«Молодая Гвардия»

— Сижу фанза, пью чай, никого не трогаю. Денег нет, журналы все рукописи возвращают, книга в издательстве двигается со скоростью построения коммунизма, работа двигается с той же скоростью, бессонница: короче, нормальная, жизнь: застой. Шарах — пакет из «Молодой Гвардии». Что за черт — я ведь им ничего не посылал, никого не знаю и знать не собирался. Письмо: уважаемый, тра-та-та, Вашу книгу нам рекомендовал Сергей Павлович Залыгин, предлагаем прислать рукопись, включив в нее лучшее и из той, первой книги, не затягивайте, давайте, рецензию на книгу прилагаем, она Вам на периферии Вашей может сгодиться, все же центральное издательство, тра-та-та. И рецензия — Роберт Штильмарк, автор дивной «Наследника из Калькутты», расхваливает меня, грешного, на все лады. Ну — ура, ура, вся шайка в сборе, как гласит известный американский марш. И подписи — завредакцией Яхонтова, старший редактор Шевелев. То есть выпить необходимо на радостях, так ведь нет ни копейки. Ну, праздник!

Немедленно вынимаю из машинки неоконченный рассказ — сочиняю ответное письмо; такое письмо — это ведь дипломатический документ, составляется обдуманно, просчитанно, с толком. Рад, благодарю, тронут, вышлю,— максимум приязни при скромности, но с достоинством. Из последних своих семи экземпляров книжки той упомянутой единственной надписываю тепло и трогательно два и назавтра же несу бандероли на почту.

Денег на машинистку не бывало в помине, доступа к светокопировке тоже не бывало: долблю, как дятел, по пятнадцатому разу перепечатываю собственные рукописи двумя пальцами, аж в глазах все зеленое, и тошнит: шлепаешь-шлепаешь, а они пропадают везде, и вместо того, чтобы новое писать, тюкаешь бессмысленно. Уж все переносы строк наизусть помнишь там, тридцать страниц в день даешь — и в глазах белый свет мутнеет и двоится. Интеллектуальная работа. Полезное занятие, с толком лучшие годы тратятся.

Через пару недель узнаю телефон той редакции, узнаю отчества подписантов радужного того мне письма, звоню солидно: получили ли письмо. Как-же-как-же, спасибо, чудесно, давайте к 1 Мая, и мы это тогда просто в будущем же году издадим. Огромное спасибо, непременно, крайне благодарен, только что не целую.

Дописываю еще несколько вещей, срок висит — непривычно, никогда не просили нигде ничего, нервирует срок. Верчу содержание так и эдак, поудачнее чтоб, поправильнее, поорганичнее, и чтоб не больно круто, не больно то есть мрачно и резко все это в совокупности выглядело, а то, говорят, «„Молодая Гвардия“ придерживается заголовка „Оптимизм — наш долг“,— говорит государственный канцлер», как писал Кестнер. Ни хрена не получается сильного оптимизма. Тогда сопроводиловку пишу: мол, сделал все согласно всем требованиям, что именно так, как шел у нас разговор, выполнил, то есть, Ваши требования.

Через пару месяцев звоню ненавязчиво,— мол, не потеряла ли почта, а то она неаккуратная такая, клевещу по-черному в оправдание своего звонка; спасибо, отвечают, все чудесно, получили, отдали на рецензию, позвоните через пару месяцев, рассчитываем уже иметь рецензию, и сразу в план и в работу. Суперспасибо, простите, всех благ, всех благ.

Боже, чудесно-то как; считаю сроки, считаю гонорар, иду в читалку посмотреть книги того же редактора, тираж смотрю, объем: во, поехало дело, лиха беда начало, скоро нарасхват буду, оценили.

А скоро звонят мне: тут Шевелев приехал из Москвы, в союз заходил, про тебя спрашивал, встретиться хотел, они тебя издавать будут, знаешь? позвони, он в «Олимпии» живет.

Навожу справку, звоню: о, искал вас, приходите, когда

сможете? чудесно, поговорим, познакомимся. Мою́ голову, глажу рубашку, одалживаю деньги, кладу в портфель коньяк: покатился.

Улыбается Шевелев и руку жмет, приязнен, весо́м, рассказывает, кого он вот так нашел и в литературу вывел. Варвик — делатель королей. Через год рассчитываю вас выпустить. Балдею.

И от рассказа о себе переходит к расспросам обо мне. Кто, как, откуда, какие с кем отношения. А как вы знакомы с Залыгиным, что он рекомендовал вас?

И вот тут мой распущенный мысленно павлиний хвост затемнил мне мозги. Мне бы щеки надуть, паузу выждать, полуулыбнуться со смыслом и сказать типа: ну, это старое знакомство, нас с Сергеем Павловичем довольно многое связывает, и чтоб ясно стало, что детальнее лезть бестактно. А я бухаю ему правду неловко как голый зад: что отлили мне жутких комплиментов на одной региональной литговорильне, Залыгин присутствовал, подошел после, руку пожал и книгу просил прислать, когда выйдет. Ну, я прислал, на ответ по занятости его уж безусловно не рассчитывая. И вот уже два года прошло, я и думать забыл, а Залыгин, видите, доброжелательный какой и незабывчивый человек.

И думаю, вижу по лицу шевелевскому ясно: что ж это я несу, болван, кем же я себя выставляю, роняю в прах собственные акции!

Поговорил он еще о нейтральном, а потом с некоторой такой не совсем уклюжей интонацией спрашивает: «Простите, а кто вы этни... А, наконец-то мы дошли до... смотрит он мне доброжелательно вроде, но в упор, и взглядом не встретиться — как некогда иезуитов учили.

И тут я объясняю ему, что этнически со мной произошло большое несчастье, можно сказать, даже катастрофа, но поделать ничего нельзя, смиряюсь как со стихией: бывает, Онегин, я скрывать не стану, еврей я, вот что тут. То есть и в паспорте у меня так же же...

там записано — монтигомо ястребиный коготь? и в паспорте, и в военном билете, и везде, где можно записать. Пытался я, мол, обменять одну национальность на две судимости, но — не удалось, предложение превышает спрос.

После тридцати, знаете, как-то легче к этому относишься. Вот лет в четырнадцать, в комсомол нас в райкоме принимали, все хорошо, приняли, первые в классе, молодцы, билеты выписывают, и тут вдруг она спрашивает: национальность! Я даже одеревенел, и деревянным голосом в воздух проговорил: еврей. А следом Марика Лапиду принимали, так он побагровел и выдавил в ответ: «Как у него...» Интересно, она у него до сих пор как у меня, или он с ней что сделать сумел?..

Шевелев, однако, выражением лица понимает, сочувствует, считает это нормальным и выражает всяческое нормальное и хорошее отношение. И вскоре мы крайне дружески расстаемся, и он дружески воспринимает мои речи, имеющие подтекстом трудную мою жизнь, которую я живу не жалуясь и принимая как должное. Звоните, говорит, вскоре.

И через два месяца, копая с археологами остров Березань, добираюсь я баркасом до берега, пру по жарище на почту, плавлюсь там два часа — жду, когда Москву телефонистка даст,— и Шевелева не застаю. И еще рейс: болен. И еще: отъехал. И достал: нет, рецензии пока нет, не волнуйтесь, давайте через пару месяцев.

Звоню через пару, осень дождливая: нет, еще нет. А что, не прочитал? Прочитал... но не написал? не написал... Не понравилось? да как-то, знаете... мы другому дадим. Звоните. Через пару месяцев.

Звоним через пару месяцев. Нет, не написал, но это ~~ва~~жно, я сам сейчас прочту, это важнее, оно определяет. ~~И~~ я понемногу понимаю при всем своем идиотизме, ~~что~~г тут уже, похоже, определять.

~~Опя~~ть звоню. Да, говорит, рецензии-то есть... Что, ~~по~~ложительные? Да, вы знаете... но ничего, мы ~~попро~~буем.

~~Я~~ эту глупую историю и думать забыл.

Но к 1 Мая приходят две бандероли из Москвы. Иду на почту: вот они, родимые, две мои папки по пятьсот страниц — два экземпляра. Спасибо — вернули ведь!

Пришел, сел, закурил, ножницами аккуратно разрезал — пакет приложен. Письмо. Так мол и так, уважаемый, книга не получилась ни оптимистичная, ни жизнерадостная, как вы утверждали, и нам она не подходит. А также прилагаем две внутренние рецензии, с которыми издательство согласно.

И рецензии. Одна — забавная: автор раз за разом разносит рассказы, завершая: может, такое и имеет право на существование, но он лично не приемлет и рекомендовать не может. Разносит он именно те опусы, которые год назад в ихней же рецензии Штильмарк поощрял.

Но вторая — о це да. Шрифт портативный, нечищеный, бумага серая, через полтора интервала лупит. Сразу видно — профессионал. И что лупит! у меня сигарета на штаны упала. И скрытое надругательство, и замаскированную издевку, мазохизм и мизантропия, садизм и пацифизм, только терроризма и онанизма там не было, кажется.

Я вначале отказы собирал. На память. Для счета. И чтоб потом показать им же. И т.п. Потом бросил. Чушь. Маразм. Дело делать надо, а не говно коллекционировать. Так что кинул я это в камин, сжег, и фамилии рецензентов близко не помню — на хрена? зачем держать в доме ли, в голове, злые бумаги, не любящие тебя. Еще не хватало.

И уж много спустя рассказал это приятелю одному,— повеселил. Они ж тебя, говорит, не за того приняли.

Я их тоже не за тех принял.

Вот и вся история, как я печатался в «Молодой Гвардии».

И хрен с ними. Жаль только до сих пор — ведь пятьсот страниц сам перепечатывал! Шевелев попросил двадцать листов представить,— естественно, рецензенту тоже заработать надо, ему же с листа рецензируемой рукописи платят, по десятке за лист; так что двое засранцев по две сотни на мне срубили. И хрен с ними.

— Когда читаешь два разных перевода одной и той же вещи — в прозе, я сейчас имею в виду,— кажется, будто переводчик кладет перед собой уже имеющиеся переводы и старается, чтобы ни одна фраза не совпадала — хоть словом! — с тем, как она уже была переведена. И думаешь, что и сам неплохо мог бы быть переводчиком, имея уже один перевод — как подстрочник.

— А что ты думаешь? Так оно часто и есть.

— И сплошь и рядом ухудшают то, что удалось предшественнику!

— В этом плане гигант, конечно, Николай Любимов! Мало того, что подгреб под себя французскую литературу и изгадил кучу вещей, так еще поимел репутацию мастера и наставника. Каков был блестящий перевод «Мадам Бовари» Ромма — русский язык по нему писателям изучать можно было! — наш гигант все перепортил: где у Ромма «белевшие на земле щепки» — там у Любимова «валявшиеся на земле щепки» — лишнее, паразитарное слово, чего никогда не мог допустить Флобер. А как перевел некогда Михаил Кузмин «Хронику времен Карла IX»! — наш Колюня и Кузмина похерил, читайте теперь блестящего Мериме в его бестолковой обработке.

— Э... В старом переводе «Трех товарищей» было (Карл — призрак шоссе) — «победоносный навозный жук», в новом — «непобедимый замарашка»... спасибо вам за такой перевод.

— Страшно вымолвить, господа, но мне, глупому, кажется, что и Пастернак был далеко не такой хороший переводчик. Бо ни смака в нем, ни сока, ни раблезианства, ни иронии, а ведь Шекспир, кроме всего прочего, был гениальный кичмен, не боявшийся ни «литературщины», ни «дурного вкуса». «Кто это сделал, лорды?» вопрошает Макбет. Где эта неулучшаемая в контексте, а д е к в а т н а я фраза? Где «мою любовь, широкую, как море, вместить не могут жизни берега»? Пастернак всю жизнь был р а ф и н э, что и подчеркивал сам утрированно не без пользы для себя, и лучше всего ему, видимо, дались бы переводы французского декаданса.

— Ах, боже мой... Да встречал ли ты в литературных кругах человека, который не подтвердил бы, что слава Гамзатова — это плод удачного сочетания выигрышной социалистически-расцветшей биографии сына маленького народа и хороших стихов Хелемского и Козловского, или Гребнева, кого там еще? по мотивам его нехитрых сочинений, которые никто, кроме аварцев, в подлиннике не читал.

— Ну, расцвет малых и отсталых народов при социализме — вообще особая статья. Своего рода директивная литература, которой предписано быть и цвести, подтверждая тем учение. И вот — свободные для них позиции в издательских и редакционных планах, и лихие литволки-поденщики пашут по полуграфомании, выколачивая из буквы рубль.

— Я вам, братья, банальное скажу: кто может писать свое — чужое переводить не станет, а кормиться уж лучше ночным сторожем, не свет клином сошелся на литфондовской даче и путевке в Коктебель.

Театр

— Не театр, а недоразумение божье. Р е ж и с с е р с к и й театр!

Раньше играли что? пьесы. Теперь играют что? с п е к-т а к л и.

Некогда драматург писал пьесу, актеры играли, зрители смотрели что-то новое. А режиссер был как бы начальником труппы, завлитом, администратором и так далее. И была основой театра драматургия. Дважды два, конечно.

Синематограф театр подрезал крепко. Так же как теперь ТВ подрезало синематограф. Смотреть лучшие вещи в лучшем исполнении, не слезая с собственного дивана,— так какой же осел теперь попрется в убогий областной театр наслаждаться хрестоматийным Шекспиром в третьеразрядном исполнении.

Теперь режиссеру драма как таковая не нужна. Ему нужно сырье для воплощения собственного гениального замысла. Литературная основа низведена до роли служебной, вторичной. А главное — засадить все под таким углом, с таким вывертом, чтоб все сказали: «Ух ты! как гениально он это прочитал! / поставил! / увидел! / трактовал!»

Главным конфликтом театра стал конфликт между режиссером и текстом, от которого он отталкивается, как прыгун от трамплина, чтоб навертеть свои сальто и кульбиты. Предпочтительны постановки по нашумевшей прозе, и чем труднее перевести ее в театральный ряд, тем больше чести, одновременно и рекламы.

Если может быть колбаса без мяса, почему не может быть театра без драматургии.

Массовость кино и телевидения лишили театр смысла играть уже известное или уже известным образом. Разделение специфики. Или убогое эпигонство, или оригинальность.

Голая городничиха, трясущая сиськами перед Хлестаковым — обычная ныне такая оригинальность. Вскоре мы увидим, как Хлестаков на авансцене трахнет Городничего. Привет Гоголю от Моголя.

— Чехов оказал театру... э-э-э... неоднозначную услугу, гениально давая чувства героев подтекстом обыденных фраз. И поехало: чем дальше текст от подтекста, тем, стало быть, театральнее. Телефонная книга как предмет постановки. Почему не справочник глистогона? Актер вздыхает: «Ох, что-то у меня спина болит», а зритель должен понимать: «Долой царизм КПСС! Да здравствует свободная любовь плюс землю крестьянам!» А если драматург сразу напишет то, что и должен понимать зритель, то режиссеру это на фиг не нужно: в чем же тогда проявляться гениальности его, режиссера?

Поэтому я лично хожу в кино. Пусть театр кризисует и умирает без меня. У каждого свои проблемы.

Будущее нашей культуры

— Похоже — заграничное... Театры, балеты, музыканты — уже живут и работают больше там, чем дома. Киношники, сценаристы, актеры — по возможности тоже хотят там — открытый богатый мир, большие заработки. И если все пойдет, как намечается идти — открытие границ, демилитаризация и превращение агрессивной сверхдержавы в сырьевую колонию — эмигрируют или уедут на заработки на неопределенное надолго двадцать-тридцать миллионов человек...

— Если только Запад границу им не перекроет.

— Возможно... и люди искусства, как многие прочие, предпочтут жить и писать за границей, а в Россию приезжать в отпуск, возить подарки родным, вдохнуть дым пенатов и причаститься истоков.

Нобелевка

— Шведы тоже странные ребята, не усечь мне их логики. Бунин получил премию, а Набоков — нет. Синклеру дали — а Уоррену, написавшему великий, видит Бог, американский роман «Вся королевская рать» — не дали. Неужто Уайлдер был меньший мастер и мудрец, чем Хемингуэй? ерунда. Что, новеллистика Акутагавы или Борхеса меньшее явление, чем Зингер? Я уж не говорю о Райте и прочей ерунде. Увы — и здесь ошибки и вкусовщина и всякие внелитературные факторы-с... Прямо даже уменьшается желание получить ее.

60-е, 70-е, 80-е и т.д.

ПРИХОЖАЯ И ОТХОЖАЯ

Рукописи не горят

— Эту булгаковскую фразу знают все (все, кому следует это знать) — но не знают, что за ней стоит: как-то это ускользнуло пока от комментаторов. И хоть тресни — вот не записал сразу, по глупости, и забыл, и никак не вспомнить теперь автора и название книги, и не могу найти концов: кучу историй перерыл. Дело было так:

Вот Испания, и инквизиция, и XV век, и жгут моранов и не моранов, и блюдут чистоту веры. И приходят среди прочих к одному ученому и почтенному раву, и выгребают у него все свитки и пергамент, и устраивают аутодафе, и пусть радуются, что пока жгут не его самого, а только его книги.

Площадь, толпа, костер, искры, палач горящие листы ворошит. И пригнанные евреи стоят у помоста, принимают назидательный урок. И просветленный седой рав, окруженный учениками, отрешенно смотрит в огонь, беззвучно шепчет и улыбается иногда.

И один из учеников, не выдерживая, спрашивает:

— Раби, чему вы улыбаетесь? Ведь горят ваши рукописи, весь смысл и труд вашей жизни?

На что тот отвечает:

— Рукописи не горят — горит бумага... а слова возвращаются к Богу.

Квартирьер Сильвер

— Все нормальные люди читали (уже нет?..) в детстве «Остров сокровищ». Мы его знаем в классическом и отличном переводе Корнея Чуковского. (Знаток английского был известный и Стивенсона любил.)

И вот уже взрослым человеком решил я повторить удовольствие: перечитываю. И в одном месте, по гнусной привычке зануды, задумался...

Одноногий кок Сильвер рассказывает молодым матросам, которых склонил к пиратству, кем он был и чего стоил когда-то... «Вся команда как огня боялась старого Флинта, а сам Флинт боялся одного только меня». Ничего самохарактеристика.

Кто помнит, как назывался корабль капитана Флинта? «Морж». А кто помнит, кем был на этом корабле Сильвер — еще молодой, с двумя ногами? Это вспоминают редко. Ну? — здоровый, сильный, храбрый, жестокий? Нет? Квартирмейстером он был!

Ребята — с чего бы? Почему самый крутой головорез на пиратском корабле, которого боится сам капитан этого отчаянного сброда, числится по судовой роли квартирмейстером?

И что делает квартирмейстер на пиратском корабле? Квартиры раздает? Так каюты только у капитана, штурмана, главного канонира, по закутку у боцмана, плотника и кока — прочая матросня живет в кубрике или двух кубриках, либо же просто подвешивает на ночь парусиновые койки на батарейной палубе, как было заведено в тесноте на военных парусных судах. (Размеры-то были маленькие, а народу на паруса и пушки требовалось до черта. Даже линейные трехпалубные ста-стадвадцатипушечные корабли конца XVIII — начала XIX века имели длину порядка 50 метров, а экипаж на них доходил до семисот человек, и тысячи, и почти до полутора доходило на стасорокачетырехпушечных громилах первого ранга, и сельди в бочке жили просторнее, чем они. А в XVIII веке сравнительно быстроходное и вооруженное артиллерией судно, годное пиратам, имело водоизмещения не полторы-четыре тысячи тонн, как эти пузатые гиганты — а двести, четыреста, максимум семьсот. А народу требовалась хотя бы уж сотня человек — на паруса всегда плюс на пушки или для абордажа в бою. Нормальная команда такого судна — не менее полутора-двух сотен. Какие каюты!)

Я полез в словарь и удостоверился, что quartiermeister (*нем.*) ведает распределением военнослужащих по жилым помещениям. Похоже, хитрюга Сильвер сумел выбить себе непыльную должность.

Но. Но. Он был не совсем quartiermeister. В оригинальном тексте он был quartermaster. Ну, потому что по-английски, а не по-немецки. Вот такая незначительная, чисто языковая разница в написании.

Однако. Master по-английски — это начальник, старший, хозяин, командир. «Мастером» на многих флотах (неофициально — и на российском поныне) называют капитана. А «квартер» — это четверть, четвертак, четвертый.

А «квартердек» — буквально «четвертая палуба» или «четвертьпалуба». Своего рода надстройка над верхней батарейной палубой. И помещалась она на юте не всегда. А в XVIII веке поднималась уступом непосредственно позади изогнутого выступа форштевня, за креплением в корпусе бушприта, и занимала значительную часть между фоком и гротом, первой и второй мачтами. И расположена была, таким образом, на уровне скулы и за ней, вдоль носовой выпуклости борта и начала его ровной продольной линии.

Именно этим местом корабль прежде всего касался корпуса противника, сближаясь и сваливаясь с ним в абордаже. Отсюда прежде всего перепрыгивали на вражескую палубу. Здесь собиралась перед сваливанием абордажная команда.

«Квартермастер» Джон Сильвер был командиром квартердека, то есть абордажной команды! На корабле пиратов он командовал отборными головорезами, авангардом, морским десантом, группой захвата!

То есть: по должности он был главный головорез. Вот сам Флинт его и побаивался. И был этот первый боец команды вполне на своем месте. Вот вам и «квартирмейстер». Нюансы различий немецкого и английского правописания...

В истории художественного перевода много таких смешных блох: поколения читателей как-то свыклись с ними и не замечают. Что вам Чуковский, специалист по истории парусного военного флота, что ли.

Два слова о коммерческом переводе

— Не том переводе, которым деньги, а том, который для денег — с английского, как правило, на русский коммерческой литературы. Не той литературы, которая про коммерцию, а той, которая издается ради прибыли. Более или менее массовая, стало быть.

Переводчику платят с объема, и платят мало. А «качество» никто не проверяет, и никому оно, строго говоря, не требуется. Потребитель и так схавает: чего с балды взять, полагает издатель. Имя раскручено? — купит. И блестящее качество перевода спрос не повысит, тираж не увеличит, прибыли больше не даст. Так нечего переводчику переплачивать, и нечего много от него требовать.

И трудяга-переводчик стрекочет по клавиатуре и порхает пальцами и мыслью, как сын дятла и бабочки. И по десять страниц в день лудит, и по двадцать, и больше некоторые выгоняют, и мы имеем то, что имеем. Параперевод сублитературы.

Но некоторых книг все же жалко. Скажем, Мак-Линн был хороший писатель.

И вот у него в одном месте корабль запускает истребитель, вооруженный катапультой. Представьте себе, скажем, «спитфайр», у которого сверху пристроена такая древнеримская метательная хреновина с булдыганом, заряженным в ковш огромной ложки. Сюрреализм!

В оригинале все нормально: оснащенный катапультой корабль выстреливает ею в воздух самолет (разведчик). Переведя все слова, дама-переводчик посильно связала их грамматически быстрыми хирургическими узлами. Еще так ткачихи-станочницы молниеносно и автоматически связывают порванные нити.

— Хе! Когда-то у нас роман Митчела Уилсона «Живи с молнией» перевели «Жизнь во мгле». Правда, это уже была идеология.

Философия для образованцев

— Общеизвестно, что «Легенда о Великом инквизиторе» Достоевского — образец философской глубины. В эту глубину я пытался нырнуть полжизни, аж гирю на ногу и камень на шею привязывал. Не ныряется. Где глубина мысли-то? Пока не дошло — что: в эпоху специализаций филологи не читают философии, а философы — литературы. По разумению филолога, «Легенда о инквизиторе» — глубокая философия на общем фоне прочей литературы, а по мнению философа — его мнение о ней просто не просвещено. Глубина увидена и создана филологами, сравнивавшими философию «Братьев Карамазовых» не с Кантом или Декартом — они их не читали,— а с письмами Чаадаева или Монтескье. Так что не надо пытаться увидеть в «Легенде» философскую глубину относительно уровня философии вообще. Это глубина относительно уровня беллетристики.

— Однажды я всю осень читал Кастанеду. Я его читал всеми способами. И тоже искал глубину. Я нырял и бился головой о бассейн, в котором не было воды. Пока до меня тоже не дошло. Умных и образованных людей мало. А полагающих себя таковыми — много. Вот для таких он и писал. Человеку свойственно хотеть знать, как устроен мир и как жить, чтобы правильнее и лучше. Настоящая философия сложна образованцу. А Кастанеда — то, что надо: все просто и на пальцах, даже думать не надо. Это такая массовая субфилософия, парафилософия для толпы с полумозгом и полупретензией.

— А еще есть парафилософ для образованцев — Ричард Бах. Притчи для бедных умственно. Этот бродячий проповедник нового времени как раз удовлетворяет представлению толпы о том, каковой надлежит быть «вумной и хвилософской прозе». Массокульт для желающих причислить себя тоже к интеллектуальной элите. А ведь таково большинство покупателей некоммерческой прозы.

— Беги толпы. Беги толпы. Каждый контакт с нею портит твою жизнь.

«Классика должна быть скучновата»

Вот уж пошлая сентенция. Вот уж заблуждение полуинтеллигентов.

В идеале от книги требуются три вещи:
1. Блеск языка.
2. Глубина мысли.

3. Сила чувства.

Невредны еще две вещи:

4. Яркость картинки.

5. Интересность сюжета.

При наличии этих пяти моментов книга не может быть скучной никаким каком. Ну — не все классические произведения таковы.

Язык в большинстве случаев устаревает с веками или быстрее — и становится архаичным, неестественным и трудным для восприятия. Поэтому классика существует «живьем» только для настоящих любителей литературы. На прочих она может воздействовать лишь косвенно, через формирование всего литературного потока, достигшего читателя современными произведениями.

Нельзя сказать, что читать Достоевского скучно — читать его трудно, ибо язык его ужасен и трудноперевариваем. Эта работа по переводу корявого многословия в мысли и чувства большинству читателей трудна, неприятна, излишня, надоедлива. Сегодня это писатель для «профессиональных читателей»: кто въехал — мыслей и чувств там хватает.

Скажем иначе: «Классика скучна для большинства». Вот это во многих случаях чистая правда. Во-первых, по устарелости языка. Во-вторых, по чуждости материала. Фиг ли нам эти мертвые души, дай-ка сегодняшние дела, реальные.

Философское сочинение большинству непереносимо скучно и в общем бессмысленно. Кто философию знает, интересуется, любит — будет на одном ловить кайф, на другом кипеть от несогласия, третье отбросит за глупостью: но скучно ему не будет.

В классику попадают двумя путями: кричат «ура» сразу или вытаскивают и поднимают из потока потом. Но в обоих случаях классика перед канонизированием вызывала живейший интерес. У всех? Нет — в первую очередь у знатоков, профессионалов, ценителей и любителей. Они всегда правы? Нет, все смертные могут ошибаться. Есть ли в пантеоне классики плохие книги? Гм. Так сразу не назовешь. Да пожалуй что и нет. Ну, а все ли классические произведения гениальны и шедевральны? А вот уж тут фига.

Человека известили (в школе): эта книга гениальна уже потому, что она классика. Чего ждет человек? Откровения. Блеска, кайфа. Открывает. Не находит. Скучает. Плюет. Уважает, но не читает: а не любит! Скучно.

Господа. Книга не может быть скучна или интересна сама по себе. Сама по себе — она лишь набор черточек на бумаге. Скучной или интересной она становится в процессе чтения конкретным читателем.

И «Собор Парижской Богоматери», и «Отец Горио», и «Красное и черное», и «Ромео и Джульетта» могут быть многим скучны.

Каждый мерит по себе, вот и весь фокус, часть первая. Воспитанным на комиксах и «Три мушкетера» скучны. Серьезно высоколобому и Кант интересен.

А вот вторая часть фокуса. Книга явилась в литературе ступенью и вехой, реформировала родную литературу и язык. А потом все так стали писать, это стало обычным, нормальным, иначе уже и невозможно. О вехе следует знать. Зачем? Ну, чтобы иметь представление о процессе. Конкретному человеку знание этого процесса на хрен не нужно, откровенно говоря. Не нужен современному человеку — среднему — «Евгений Онегин». Иностранцы о нем не слыхивали, а живут, и некоторые неплохо.

Но. Так передается культура. Так копятся человечеством знания. Стараются передать потомкам все, отстоявшееся как ценное. С веками что-то из этого все равно канет. А что-то пригодится кому-то, чтобы развить. Передача знаний — это неводом да в самосвал, а не удочкой в бидончик. Кого тошнит в школе от Пушкина — терпите. Окончите — можете забыть. Кому надо — не забудет.

Еще. Книга существует только в общем контексте эпохи. Надо знать пушкинскую эпоху, чтобы оценить сделанное им. А для девственно невежественного читателя он обязательно будет скучным — да сегодня многие пишут занятнее, понятнее, интереснее, и такой малопросвещенный ум больше извлечет для себя из бульварной книжонки, чем из Пушкина. Так не читай!

А ему велят читать. Мучат. И он, стараясь уважать «культуру», оправдывает классику: «она должна быть скучноватой». Она когда-то — вся! — была современной. Скучное отбрасывали.

Откровенность мне вредит, но поздно учиться притворяться, притвор и без меня полно. Я никогда не видел в «Мертвых душах» хорошей книги. Никогда не мог уловить в Гоголе юмора, ну ни разу же улыбнуться не хотелось. Архаика, неуклюжесть, многословие. Куда там «Ревизору» до блестящего Грибоедова!

Был блестящий юморист Зощенко. Жив блестящий юморист Жванецкий. А кто был юмористом во времена Гоголя? Смотришь сейчас — а никто. Да — французы и англичане были раньше и лучше. Но в России — Гоголь, можно сказать, юмор в литературе заложил, с него все это пошло. Он скучен — на взгляд с нашего сегодняшнего юмора, краткого, развитого, неожиданного. Его горе. Устарел для живого чтения. Наше горе — язык реформировался, многие классики отошли в генералы истории. А английский Диккенса — и сейчас смешон, изящен, тонок, легок (правда, не в переводах на русский).

То есть. Все устаревает. И многое в классике — формально устаревает. И процесс «реставрации» классического текста навевает скуку на среднего читателя. Но это не «классика должна быть скучноватой»! Живой была, из рук рвали!

Еще. Языки устаревают быстро. Ну — несколько веков, вот и архаика. А мысли не устаревают вообще. Кроме того, Аристотель справедливо заметил: «Мысль, высказанная в блестящей форме, теряет половину своей глубины». Коряво — но главное в сути должно быть. А имеют в виду, что классика должна отличаться глубиной мысли прежде всего. Достоевский, опять же.

Граждане — а какая глубина мыслей в «Декамероне»?! Скабрезные байки. Классика! Почему?! А потому что за Средние века людишки так озверели — церковь так всем кислород перекрыла, глотку и промежность так всем зажала — что сальная шутка стала актом протеста, свободы, отрицания клерикальной культуры, прорывом к живому, человеческому, естественному. Сейчас такой «Декамерон» никому не нужен — а тогда это был скандал, событие, бунт! А вот шедевральности мысли и слова там искать не надо — нет их и не было. Но — нескучно!

Скажем иначе. Многое из классики с годами и веками скучнеет и выходит из живого оборота. Печально, но так идет жизнь. Но скучноватость — отнюдь не обязательный признак классики. В основе своей классика всегда была интересна! Но и другого не надо — пыжиться, что вся она интересной осталась «вживе».

Элитарная и созидательная

— Заметьте: ни Диккенс, ни Гюго, ни Толстой элитарными писателями не были. У них было достаточно много читателей, порой — ну совсем много. И слава была... универсальная.

— «Элитка» — явление и порождение авангарда, модерна и постмодерна. Своего рода «постлитература».

— С таким же успехом можно именовать фекалии «постедой».

— Без пошлостей! Я попрошу-ка.

— Во главу угла элитарной литературы поставлена формальная оригинальность и высокая степень трансформации реальности — на базе учета и переработки литературы предшествующей. Так проявляется высокая степень мастерства — так умелец пишет письмо на срезе рисового зерна.

— И так исчезает прицел на мысль, чувство, блеск и создание нового своего мира. По сути, вся «элитка» — это римейк, сиквел. Это переставляют мебель и переклеивают обои в доме, уже созданном до тебя и обжитом жильцами.

— Все сферы в XX веке дробились и специализировались. Элитарная литература — для профессионалов, знатоков и любителей: они ловили кайф на том, к а к это сделано. Расширение возможностей.

— Креативности в ней нет. Нет героев, бунтов, высоких трагедий — и комедий кстати тоже. И вообще писать занудно и невнятно гораздо легче, чем увлекательно, мощно и просто.

— Шекспиром быть не могу, Трифоновым не соблаговолю: я — модернист.

— Пусть цветут десять тысяч цветов. Но зачем объявлять вывих неповторимой индивидуальностью походки?

— Увы: модернистский балет как бы оригинален и сложен, свеж относительно классического — а по сути примитивнее, проще, беднее.

Культовое

— Этим словечком «культурологические» СМИ расписались в заведомой ориентации на паракультуру низколобых. Слово «культ» как-то в течение девяностых сменило отрицательную стилистическую окраску на положительную. Если раньше это означало примерно «бездумно и некритически превозносить до небес и религиозного поклонения», то теперь скорее «знаменитый, знаковый, которого почитают». Культовое кино, культовая книга, культовая песня... сотворение мини-кумиров для ежедневного обихода.

— И чего, собственно, плохого? У каждой эпохи своя лексика, свой условный стиль. Cultus и означает «почитание». Ведь вправду же говорят: «Я преклоняюсь перед этим режиссером/певцом/писателем/художником» и так далее.

— Ага. Визжащие фанаты, заемные мнения, эрзац-мысли и эрзац-страсти. Это все из области субкультуры, где господствуют субэстетические субкритерии. Есть мнение: считать вещь культовой.

— Не устраивает вот что. «Культовый» означает: не надо думать — положено восхищаться.

— Вот именно. Слово емкое и характерное. Не «блестящий», или «гениальный», или «знаменитый». «Культовый» отрицает самостоятельный подход, отрицает эстетическую, моральную или какую-либо иную оценку, не обращает внимания на вклад в культуру, или что там это дает для ума

257

и сердца. Лэйбл, этикетка, ценник на рынке потребления искусства: «культовый»? — занимает место в мозгах потребителей, место в креслах первого ряда. А почему занимает — неважно, плевать. Раскрутили, или наскандалили, или гуру так поучили, или массы сами увлеклись,— не суть. Это — в мозгах и на устах, вот и довольно информации.

— О! «Культовый» — это высокое место в информационном рейтинге. Это не оценка — это констатация частоты цитирования и обращения.

— Это еще и как-то эстетически оформленная искусственная точка приложения эмоций потребителя. Чем «культовее» вещь — тем в общем больше эмоций она вызывает у масс.

— А можно сказать иначе: тем больше эмоций толпы, нуждающихся во внешних точках приложения, прицепляются к «культовой» вещи.

— Еще вариант: «культовый» — это то, чему придают большое значение. А почему придают — уже неважно.

— Категорически не устраивает меня вот что. «Культовый», как ни верти, означает: мы это не анализируем, не критикуем, но сообщаем — это очень знаменито, и это хорошо. Присутствует момент высшей оценки вещи — но без анализа, без мысли, без самостоятельного подхода. «Культовый» — и финиш! Плевать, что творец кретин и народ дурак. Не надо думать — достаточно преклоняться.

— То есть. Оттенок похвалы, признания, поклонения — принципиально без вникания в суть. Определение эпохи массовых субкультур и информационных технологий. «Пушкин написал культовый роман в стихах» — как вам?

Тусовка и диктатура

— Я долго пытался уяснить, из кого состоит московская литературная тусовка. Она ведь во многом определяет и формирует общественно-литературные мнения и вкусы. Расспрашивал знакомых и специально посетил несколько тусовок — увидеть.

Получилось примерно следующее. Критики. Редакционные сотрудники: главные редакторы некоторых изданий и замглавные, заведующие отделами литературы и искусства. Отдельные писатели, принимающие личностное участие в «живом литературном процессе» и хэппенингах вокруг него. Журналисты про литературу и вообще культуру. Функционеры разных культурных и литературных фондов. Несколько социальных ролей часто совмещается в одних лицах. Координаторы и члены жюри разнообразных премий.

Объединяет их, кроме понятного совпадения жизненных интересов, либерально-демократическое мировоззрение и, как бы это точнее выразиться, современность эстетических представлений. То есть все это люди мыслящие, свободомыслящие, продвинутые, образованные, сторонники и отстаиватели свобод слова и мысли, и вообще всяческих свобод и прав личности. Враги тоталитаризма и единомыслия, непримиримые противники цензуры и вообще насилия над личностью. Можно сказать — люди передовых, гуманистических, широких взглядов.

И что характерно. Широта этих взглядов категорически не включает в себя ничего инакомыслящего по отношению к ним. Инакомыслие они категорически не приемлют, отрицают, ненавидят. Инакомыслию отказано в праве на существование. Если по какому-то вопросу ты имеешь иное мнение — это не просто неправильное мнение, но мнение плохое, интеллектуально неполноценное и морально сомнительное. Вот таким диалектическим кульбитом свобода превращается в монолитное единомыслие, нетерпимое к любому диссидентству.

— Если принять во внимание, что латинское dissidens и означает несогласный, противоречащий, инакомыслящий — это делается забавным. То есть: мы не за любое инакомыслие в принципе — мы исключительно за наше единомысленное инакомыслие.

— Ага. «За нашу победу!»

— Такая мелочь: сказал я как-то вскользь, что по моему сугубо личному мнению не есть Фолкнер большой и гениальный писатель. Так Саша Минкин (понятия не имею, входит ли он в «тусовку», но либерал известный) потом долго белел и шипел, как облитый холодной водой самовар, что я много себе позволяю и неизвестно что о себе мню. Не смеешь ты иметь своего мнения, понял! Есть два мнения: одно наше, все приличные люди его придерживаются,— а другое неправильное.

— Милые мои... Так это в прежние времена и называлось забытыми словами «групповщина», «клановость», «кружковская идеология» и тому подобное.

— Но откуда эта нервозная нетерпимость к инакомыслию? И как она может совмещаться с либерализмом воззрения? Если у человека есть догмы, кумиры, фетиши, и он не в состоянии признать за любым другим человеком любое другое — равноправное — мнение, то он же просто упертый тоталитарист! Если это иное мнение не покушается на устои общечеловеческих ценностей, но носит сугубо эстетический или интеллектуальный характер,— ну так и кому какое дело? Ты думаешь так, я эдак, и разговаривать интереснее.

— Может, это просто зависть?

— А может, ревнивая охрана своего положения — замкнутости круга избранных, умственно-эстетически привилегированных?

— Получается, однако, так. Объявляющий себя инакомыслящим человек гордится своим положением и убеждениями инакомыслящего — а на самом деле нетерпим к любому инакомыслию. Это просто вариант тоталитарного мышления, тоталитарного мировоззрения. Как всегда: мое мнение хорошее и правильное — другое нехорошее и неправильное, и лучше бы его вообще не было.

— Как склочны и болезненно ревнивы были всегда и везде люди искусства!

— Примерно так же, как все прочие люди. От гениев до тупиц и от крестьян до генералов.

— Декларировать демократию на словах и выгрызать на деле все, что лично тебе не нравится.

ЧЕРНИЛА И БЕЛИЛА

ЛЕДОКОЛ СУВОРОВ

После «Ледокола» история Второй Мировой войны в прежнем виде не существует.

Сидели за литровой бутылкой: полковник, журналист, военный историк и писатель. Каждый предпочитал лезть не в свое, так что авторские ремарки после прямой речи бессмысленны: «кто сказал» и «что сказал» перемешались в окрошку. Все — стратеги.

— Ведь ничего принципиально нового Суворов и не сказал. Помню, еще студентом читал я «Записки заместителя начальника Генерального штаба» генерала Штеменко. Шестидесятые годы, советские мемуары, военная цензура, все в порядке. И вот: сентябрь 39-го, освобождение Западной Украины и Западной Белоруссии. Входим в Польшу. Едем ночью в «эмке» к месту назначения. Кажется, сбились с пути. Стоп: начинаем разбираться в карте. Заблудиться —не стоит. Боимся заскочить за демаркационную линию к немцам.

Эге, думаю: как так? А? Еще бои идут у немцев с поляками кое-где. Еще мы с немцами не встретились, не сошлись. Еще никаких совместных советско-немецких парадов победы в Бресте не было. А демаркационная линия — уже есть!!

Значит — заранее провели? Значит — еще до встречи договорились, кому что? Значит — заранее была проведена граница? Значит — был, что ли, предварительный сговор, тайные протоколы к пакту «Молотов—Риббентроп»? А уж так мы их отрицали!

Прокололся генерал-полковник Штеменко. Прохлопала военная цензура. Опаньки! Поделили с немцами Польшу еще до 1 сентября.

Вот тогда до меня доходить и стало — что мы точно так же, как немцы, хапали все, что могли. И верить официальным версиям невозможно.

— Дорогой мой, ну как же можно было и до этого верить официальным советским версиям? Вся Прибалтика отлично помнила, как в 40-м году происходили «революции» и «приглашались» красные войска. Берешь толстенный том «Советская Эстония», раскрываешь раздел «История», листаешь до 1940 года — и кушаешь пилюльку: ветеран вспоминает: «Мы знали, что вскоре будет революция»! Не «готовили», не «боролись», а «знали»! И как одновременно, как вовремя три эти революции произошли! А вот и фото счастливой встречи населения с попрошенными освободителями: жидкие цепочки на тротуарах, и то на один квартал лишь хватает, и кучка активистов у головного танка с транспарантом. И все яснее ясного: нормальная оккупация, прикрытая для приличия фиговым листком.

Чтобы врать — нужна голова как у лошади: большая. Обязательно всякие несуразицы наружу вылезут.

— Почему Сталин до последнего запрещал сдавать Киев? Да потому что по всем военным законам немцы не могли его взять!!! Наступающий должен иметь трехкратное численное превосходство над обороняющимся — это закон старый. Один в землю врылся, местность пристрелял, запас накопил — другой прет на него по чисту полю, уязвимый для всех видов огневого воздействия. Так преимущество по всем видам было под Киевом у нас, обороняющихся! Нас было больше, а не их! И что? Разнес нас фриц в пух и прах!.. Жуков-то уже хоть знал, что воевать мы не умеем, а до товарища Сталина все не доходило, что войск вроде много — а толку мало.

И сразу вопрос: а на хрена же собрали столько войск и чему их учили? Если наших больше, а обороняться они не умеют — для чего их столько и что они умеют?

— Погодите. Будем справедливы. Суворов — человек упертый. Во всем видит только советскую агрессию. До абсурда доходит. Вот он пишет с нажимом про БТ: «танк-агрессор». Понял, да? Агрессия уже на уровне проектирования техники. А про «танк-защитник» ты когда-нибудь слышал? Мирный советский танк с пушкой для самообороны, ага.

Да танк — любой — это в принципе оружие наступательное, оружие прорыва, взлома обороны, наступления. И Суворов это отлично знает. Но никак ему не удержаться от передергивания: смотрите — все, что было у СССР военного, было исключительно для агрессии.

— А с тяжелыми бомбардировщиками? Мол, построили бы мы тысячу «Пе-8», и могли бы одним рейдом обвалить на германские тылы пять тысяч тонн тротила, это пять килотонн, это уже атомная бомба,— и хана Германии, и подавили бы мы первой же ответной бомбардировкой немецкую мощь, и обрекли на провал немецкую агрессию: вот лучшее оружие обороны! Но Сталин отказался от стратегических бомберов — не ждал нападения, сам хотел нападать, и все средства вложил в самолеты нападения, сопровождения своей армии вторжения.

Ну, во-первых, в пятитонной бомбе тротила не пять тонн. Основной вес приходится на корпус сталистого чугуна. Да и в любой бомбе взрывчатка весит лишь меньшую часть. От силы 20%. Так что не пять килотонн понесет эшелон в тысячу машин, а только одну. Но это — мелочь.

А вот во-вторых: союзники за войну наклепали 30 000 (тридцать тысяч!) стратегических четырехмоторных тяжелых бомбардировщиков. Но «выбомбить» Германию из войны не смогли. Довоенная «доктрина Дуэ» себя не оправдала. Так что наша одна тысяча ничего бы не решила, и Сталин, получается, был прав.

В-третьих: прав он был не от избытка агрессивности, а от недостатка мощностей, материалов и двигателей на все военные программы. Пять тысяч потребных двигателей (потому что пятый стоял в фюзеляже для наддува на высотах в остальные четыре) съела истребительная и бомбардировочная фронтовая авиация, потребность в которой была острее, настоятельнее.

— Суворов вообще — принципиальный перпендикуляр. Ищет ложь во всем, опровергает все утверждения, что были до него, и впадает сплошь и рядом в бред сам. Вот одна из устоявшихся версий: перед войной истребили свои командные кадры, поэтому воевали хуже и потери несли больше. Нет, говорит Суворов! Вот читайте дневники Геббельса от весны 45-го: «Плохи наши генералы, вот русские генералы лучше». А отстреляли бы немцы перед войной, как товарищ Сталин, четыре тесячи бездарей в генеральских погонах — глядишь, и у них бы генералы нашлись получше, говорит Суворов.

Во-первых, плохому танцору генералы мешают. Пока, значит, в 41-м — 42-м немецкие генералы били и гнали превосходящего противника — они были Геббельсу хорошие. А когда в 45-м уже не могли сдерживать многократно превосходящего противника — стали плохими. Надо же найти виноватых в поражении! Не сама же нацистская верхушка политически проиграла войну!

А во-вторых — ну не было у немцев четырех тысяч генералов. Не Россия. Все командиры дивизий, корпусов, групп, их заместители, штабные аппараты — и половины столька генералов не наберется. Это пришлось бы расстрелять всех, и еще полковников прихватить. Это большая потеря для нас, что Суворов не родился раньше и не работал до войны главным советником Гитлера.

— Раньше писалось, что у нас в начале войны техника была хуже немецкой? Ну так он пытается утверждать, что немецкая была хуже, плохой была и глупой. Оригинальность! Неожиданность! Создание скандалов, перевороты в истории, привлечение масс читателей! Да он же просто шоумен от военной истории. Жириновский сорок первого года!..

Вот сверхпушка «Дора» обстреливает Севастополь. Да: можно считать, что расходы по ее созданию, транспортировке и охране себя не оправдали. Однако знаменитую 30-ю батарею она все-таки уничтожила: снаряды прошли толщу брони и бетона и разрушили башни и казематы. Суворов это, очевидно, знает, но умалчивает.

Зато пишет другое. Во-первых, стреляли по карте, артиллеристы цели не видели, такая стрельба не может быть точной, эта пальба по квадратам неэффективна: обалдуи эти немцы! Суворов придуривается, что не знает о стрельбе с закрытых огневых позиций, об арткорректировщиках и артразведчиках, и так далее: якобы он не слышал об азах артиллерии.

Во-вторых: и от снарядов-то «Доры» и «Карла» толку не было даже при попадании! Вот свидетельство, вот в книжке воспоминаний написано: огромная нора вглубь земли диаметром в диаметр суперснаряда, и круглая пещерка внизу: туда и ушла вся сила разрыва. Ну чудо, а не офицер разведки! Такой тип разрыва называется «камуфлет» — когда снаряд, особенно с фугасным взрывателем, замедленным, по крутой навесной траектории входит глубоко в мягкий или зыбкий грунт, гасящий разрыв. Это может быть и с семидесятипятимиллиметровой гаубицей при большом угле возвышения, если снаряд попал в мягкий луг или торфяник, скажем. Для «Доры», долбящей трехтонными фугасами железобетонный укрепрайон, попадание в мягкую землю — все равно промах, и незачем выбрасывать наверх вагон земли. А вот при попадании в укрепленную и заглубленную в землю преграду — хана бункеру с трехметровым бетонным колпаком, спрятанному на пять метров под землю. И знает это Суворов отлично — просто удержаться не может, чтоб свою линию не гнуть.

— Жаль, что подобные передергивания заставляют людей вдумчивых сомневаться вообще во всем, что Суворов написал.

— С точки зрения серьезных военных историков Суворов вообще оперирует какими-то произвольными домыслами. Достоверных, задокументированных и проверенных фактов у него нет, вот и фантазирует по собственному усмотрению.

— Ах, с точки зрения военных историков? А кто такие эти советские военные историки? Наемные чиновники, которые за зарплату приводят историю в соответствие полученному приказу и идеологической установке. Как прикажете — напишем, так точно! Что нас было меньше, и техника была хуже. Или что нас было меньше, но техника была лучше, но вероломное нападение застало нас врасплох. Или что немецкие потери были больше. Или равные с нашими. Или наши больше в три раза. Те же люди — писали то одно, то другое, и за все получали звания и премии. Дармоеды и демагоги!..

— М-да, вышло уже несколько толстых книг, опровергающих Суворова, но интерес к ним исчез мгновенно, а Суворова читать продолжают. Книжонки опроверженцев-то вообще дешевые.

— У Суворова можно опровергнуть многое. Подтасовщик, фантазер, спорщик, нонконформист, называйте как угодно...

Но главное — остается, и оно неопровержимо! Оппоненты стараются самые неопровержимые места у Суворова обходить, умалчивать.

Ответьте: зачем в июне 41-го мы разминировали пограничные мосты?! Если сами готовились к наступлению — логично, ясно, правильно. Но никакого, ни одного другого объяснения просто нет!!!

Зачем перед войной стали ликвидировать задолго созданные партизанские базы в своих лесах?! Армию увеличиваем — а возможность партизанского движения уничтожаем. Это подготовка к чему?!

Почему было в достатке карт чужой территории — но не было карт на территорию собственную? Это предусматривает оборонительную войну?!

Почему заранее готовили и тиражировали военные плакаты, разговорники, даже песни?! Так к чему готовились? К войне? Но к обороне были не готовы? А к чему? Ага...

— Сталин справедливо полагал, что Гитлер не самоубийца, ввязываться в войну на два фронта — явное поражение. А вот Англии было куда как выгодно столкнуть Германию с СССР, и пусть истощают друг друга. Как тут верить предупреждениям Черчилля, лица крайне заинтересованного? А Гитлер рассудил, что напасть первым — единственный шанс, меньшее из зол, если Союз ударит первым — конец — быстрый и неминуемый. Все логично.

— Бросьте. Образец суворовской клюквы — «Аквариум». Книга для тех, кто ничего не знает об армии и СССР. Для западных дурачков и любителей горяченького. «В случае опасности старший группы обязан первым делом шифровальщика убить, а блокнот уничтожить». Такую информацию от всех и надолго не засекретишь. И тогда в случае опасности первым делом шифровальщик будет убивать старшего группы.

— Да. Это не документ. Это армейская романтика. Но из нее многие и о многом узнали впервые. Ведь даже аббревиатуры ГРУ раньше не слышали!

— И все-таки, и тем не менее. Суворов первый и единственный сделал удачную и всеобъемную попытку понять и объяснить, что же и почему произошло к 22-му июня 41-го года. Ни одна другая теория критики не выдерживает. Его — объясняет все. Если это неправда — почему никто другой не говорит правды, которая хоть походила бы на правду? Прикиньте все сами: конечно, так оно и было, ребята. Просто нам долго морочили головы, загаживали мозги.

А что касается его мономании — все лыка вязать в одну строку — это уже психология. Это типично для всех людей, разработавших и пустивших в мир новую и сильную идею. Идея захватывает их, и все предметы они уже видят в ее свете. Весь мир их постоянно интересует прежде всего под углом зрения их сверхценной идеи. Все, что возможно, они трактуют в ее пользу и поддержку. Тут перегибы неизбежны. И Дарвин, и Маркс, и Фрейд — все этим страдали.

Это нормально. Перегибы потом отыщут и поправят последователи и изучатели. Зато насчет главного этим частым неводом будет выловлено все, что только можно. Вот вместе с рыбешкой и мусор загребается.

— Наливай по последней за перебежчика Резуна. Предателей было много, а великая нешкурная идея нашлась пока, вроде, только у одного. Мужик не так слабо заплатил за свою славу и бабки.

СЕМЕНОВ И ШТИРЛИЦ

1

«Пинь-пинь-тарарах!» — высвистывал дед.

Это написано на первой странице «Семнадцати мгновений весны». Штирлиц вспоминает, как его дед приманивал синиц.

Звукоподражание — отдельный и сложный предмет. Передача его на письме специфична. Синичий посвист передается таким образом только еще в одном произведении русской литературы. Это «Голубая чашка» Гайдара.

Отсыл к романтико-патриотическому рассказу можно считать сознательным или бессознательным — но трудно списать на случайное совпадение. Романтик и патриот Юлиан Семенов двигался по той же дороге.

Второе совпадение уменьшает возможность случайности. «Балки солнечного света»,— пишет Семенов в другом месте. Этот редкий оборот также встречается у предшественников, и также только в одном месте. В «Бегущей по волнам» Александре Грина. Чистый приподнятый романтизм.

Романтическая, литературная условность книги о разведчике и войне заявлена сразу. Посвященному указывается на многослойность и многозначность текста. Непосвященный проскальзывает незамеченные намеки без помех, они не мешают существованию и восприятию лицевого уровня.

В первой же фразе «боевика» в саду поет соловей. Соловьев в литературе мириады, и символика их общеизучена. Желающий может вспомнить и тех, которые «соловьи, не тревожьте солдат» — когда-то песню помнили все.

Книга не так проста и однозначна, как может показаться массовому читателю. Фабулой дело не ограничивается.

2

«По-настоящему» она начинается с десятой страницы фразой: «Штирлиц убил Клауса выстрелом в висок». Штирлиц не тот, за кого мы его вначале принимали. Повествование расслаивается. Все интереснее, сложнее и богаче, чем мы было подумали.

«Семнадцать мгновений» написаны в 1968 году. А четырьмя годами ранее вышел роман Стругацких «Трудно быть богом»: к 68-му году Стругацкие были уже знамениты. И начинается эта фантастика по-настоящему, неожиданно и многослойно, с 9-й страницы первой главы: «Ну, мертвая! — сказал он по-русски». На некой планете со своими делами некий герой дон Румата оказывается русским — в этом все дело.

Семенов вряд ли мог не читать Стругацких. Совпадение приемов можно счесть бессознательным, «не специальным». Но материал сам говорит за себя: соответствующий подход диктует соответствующие приемы. У одних философско-приключенческая фантастика — и у другого то же самое.

90-е годы показали нам, что такое «чистый боевик», автор которого обычно малограмотен, а философских аллюзий не обнаружишь даже посредством буровой установки. В «Семнадцати мгновениях» кассета смысловых пластов смещена и развернута, как карточная колода смещает ровный край, являя возможность развернуться в веер.

3

В советской традиции методом изображения фашиста был шарж. Фашист был мерзок, глуп, труслив, жесток и нечистоплотен. Человеческие черты у плоского персонажа отсутствовали. Показ его был «пятиминуткой ненависти».

В 1965-м году вышел неожиданный по методу фильм Ромма «Обыкновенный фашизм». Кипящие слюни сменились печальной интеллигентной издевкой. «Они» больше не были ужасными и агрессивными, и только. В их человеческих слабостях и глупостях, часто смешных, проглянули человеческие черты.

Те, кто постарше и поумнее, в чертах чужого и поверженного тоталитаризма увидели черты собственного, живого и господствующего. Парады, монументы, единомыслие и оболванивание; милитаристское мышление и беспрекословная вера во всемирное превосходство своей идеи. И наверху, и в основании пирамиды — обыкновенные люди. Вот просто прониклись такой идеологией и так устроили свое общество.

«Семнадцать мгновений» восходят к этому прогремевшему фильму. И идут дальше.

И бонзы III Рейха, и его рядовые обитатели предстают нормальными людьми со своей трудной и невеселой жизнью. Да все они — скорее положительные герои, чем отрицательные. Они умны и трудолюбивы, они устают и еле сводят концы с концами, они несчастливы в семейной жизни и страдают от неблагодарности и зависти окружающих по работе. Они человечны, отзывчивы, любят родину и выполняют свой долг в невыносимо трудных условиях. Тональность книги — сочувствующая, понимающая, а не обличающая.

Правда, они устроили Мировую Войну и пролили моря крови. Но это остается за скобками, это просто жизнь такая, работа такая. А сейчас они стоят на краю гибели — оставаясь мужественными и стойкими.

Это взгляд изнутри — глазами и сердцем человека, который сросся со шкурой одного из них. Это естественно и честно, это правда.

(Когда германский посол в Японии Отт приехал в тюрьму к своему арестованному другу Зорге — помочь, выручить, выяснить, что обвинения — неправда, и услышал, что тот действительно работал на СССР — они не перестали быть приятелями и видеть друг в друге людей. Просто — работа такая...)

Книга Семенова стала вехой и ступенью в русской (советской) литературе о Войне. И более, чем он сам планировал и предполагал.

Русские восприняли и ощутили невольную ли, вытекающую ли из авторского подхода к материалу, симпатию к немцам III Рейха.

4

А потом был сериал, заслонивший книгу. И Штирлиц-Тихонов вошел в каждый дом и поселился в каждой голове. И стал фольклорным героем.

Что еще примечательнее — вторым любимым героем советского народа стал гестапо-Мюллер. Папа Мюллер в исполнении Броневого, звездный час артиста. Умен, тонок, ироничен — железный кулак в бархатной перчатке. Ах с любовью сыгран!

Эстетика СС в советском кинематографе была доведена до совершенства. Подогнанная лучшими портными форма, хорошие фигуры и профессиональная пластика актеров, жестокая непреклонность и стоицизм солдата. Таким героям хотелось подражать.

Внутренне изнуренный и осатаневший от тотальной советской лжи и всеохватного приказного патриотизма, советский зритель симпатизировал обер-эсэсманам. Во-вторых, известные и хорошие актеры играли интересных и незаурядных людей. А во-первых — из чувства протеста. Любовь к бригадефюрерам была актом свободы выбора. (В глубине души мы всегда уважали III Рейх, потому что сила — любая — всегда внушает уважение; и солдаты они были хорошие, и воровства в своей стране не было, и порядок и исполнительность на высоте — это у нас передавали десятилетия изустно.)

Женщины лучше мужчин знают, что негодяй привлекательнее положительного героя. И если режиссера не прессует цензура — отрицательный герой перспективнее положительного, актеру есть где развернуться. Он свободен в полном диапазоне — негодяю не возбраняется быть в чем-то храбрым и благородным, его образ полнее и богаче. Актеры в сериале «оттянулись по полной», сыграв в полную силу.

А еще, а еще... о... В симпатии к сильному, стройному, храброму «кинофашисту» мы измещаем подсознательный страх оказаться его жертвой и для того ненадолго и «понарошке» отождествляем себя с ним. И это «кинозрительское» отождествление ненадолго и тоже как бы «понарошке» «освобождает нас от химеры, именуемой совестью», и подсознание выпускает в клапана излишки агрессивной энергии. И «белокурая бестия» вылезает наружу и расправляет затекшие члены.

Нам не так, собственно, важно, что Штирлиц — наш разведчик. Этим лишь залегендирована и легитимизирована его положительность. Хватит и того, что он — герой, который борется один против всех за что-то хорошее (в сериале размыто, за что именно он борется, в общем — «за нашу победу!»).

Если быть абсолютно откровенным и не заботиться о последствиях своих слов — телесериал «Семнадцать мгновений весны» идеологически вреден. В том плане, что вселяет симпатии к фигурам и отношениям германского национал-социализма. И здесь ловишь себя на вздохе, что честная рецензия иногда похожа на донос...

Феномен Мюллера-Броневого никак не был осмыслен критикой. Любовь к гестапо!!! А мы имеем героя скорее положительного, нежели отрицательного, с огромным обаянием и диапазоном разнообразных поступков. Остроумен, находчив, циничен, тонок.

И. И. И. «Враг моего врага — мой друг». Война-то за тридцать лет (прошедших до выхода фильма) несколько стерлась и подзабылась, а от советизма зритель уже озверел и над официальными идеалами издевался. Мюллер был отчасти выражением этой издевки — род вошедшего в моду и обиход черного юмора. Чудный гестаповец, ха-ха-ха!

...На деле — смотрите фотографии и кинохроники — они были куда непривлекательнее, грубее, приземленнее. Этот мир — создан писателем и сценаристом Юлианом Семеновым. И создан не про них — про нас. Нормальные люди в нормальных отношениях нормальной жизни. Плюс романтика «про войну и про разведку». Плюс на отвлеченном материале «не здесь и не сейчас». А то, что они — эсэсовцы, дополнительно щекочет.

5

И романтическая пожизненная любовь и верность. И сын, избравший ту же дорогу.

6

И густо данные реалистические детали военного Берлина, дух обыденной жизни чужой, неизвестной, враждебной страны.

7

А лексика! А терминология! Новые поколения уже не оценят этих «ветеранов партии», «товарищей по партии», «арийского и еврейского путей в науке», этих сцен игрового покаяния провинившегося младшего начальника перед осуждающим и прощающим старшим. В эпоху эзопова языка «Семнадцать мгновений» местами проблескивали, как зеркало, с беспощадной честностью показывающее читателю его собственное государство, партию, историю.

...Не то вопль души, не то фига в кармане. Шедевр эпохи рабства. Продажа мастером своего таланта, но и проданный талант остается таковым. Хотя бы частично, хотя бы в молодости.

8

Зачем Штирлиц читает себе Пастернака и собирается цитировать, и пишет, переводя на французский? Что за культурологические эксцессы профессионального офицера разведки? Зачем поминает то Гоголя, то Достоевского, а то Шолом-Алейхема?

Да не Штирлиц их поминает — Семенов поминает. Образование девать некуда. Культура пропадает. Он же не Василий Ардаматский, не Вадим Кожевников, он из другой корзинки и другого калибра.

При чем здесь Марика Рокк и Глен Миллер? Только штрихи времени?

Э нет. Действие посажено в культурную среду. В густой культурный контекст, вне которого нет ни истории, ни литературы. Книжки «про войну и про разведку» прекрасно без всего этого обходятся. А здесь — сознательное стремление укоренить книгу в культурную почву.

9

Эпизодические характеры книги — именно характеры. Плоских служебных персонажей, проходных теней здесь нет. И девятнадцатилетняя черноволосая саксонка с синими глазами, и туберкулезный прилежный шуцман, и грубый Готлиб — не просто даны скупым чистым резцом, но «прогреты»: каждый не похож на других, имеет то самое «лица необщее выражение». Знал Семенов школы Мериме и Чехова.

10

И он умел писать. Со словом там было все в порядке.

Он никогда не проходил по ведомству «большой литературы», «литературы вообще». Этикетка на лоб, бирка на большой палец ноги: ограничение по жанру. Детективщик, «автор военной темы», «книг про советских разведчиков» и тому подобная диспетчеризация. Обычное дело.

Но время и читатель — тоже неплохие критики.

Книга начинается со звука и воздуха. «Воздух был студеным, голубоватым, и, хотя тона кругом были весенние, февральские, осторожные, снег еще лежал плотный и без той внутренней, робкой синевы, которая всегда предшествует ночному таянию». Вторая фраза. Это не бунинская школа?

А вот конец. Вы не помните, герой какого знаменитого романа XX века лежит перед последним боем на лесной земле, ощущая усыпавшую ее хвою? Его звали Роберт Джордан.

«Он вошел в хвойный лес и сел на землю. Здесь пробивалась робкая ярко-зеленая первая травка. Штирлиц осторожно погладил землю рукой. Он долго сидел на земле и гладил ее руками.»

...Вот несколько слов о большом писателе Юлиане Семенове, которые я так и не собрался сказать при его жизни. Ладно. Хорошая книга и так живет...

ГРАФОМАН ЖЮЛЬ ВЕРН

В зрелом возрасте я обзавелся многотомником Жюля Верна и радостно решил, что проблема чтения на ночь дочке решена. Заодно и сам перечитаю захватывающие с детства приключения: имею честный повод. Наконец-то вечерне-читательский ритуал обрел привлекательность и для другой стороны. Процедура укладывания в кровать прошла без скрипа и даже оживленно. Я уселся на пуфик и раскрыл «Таинственный остров». Поехали!

Через несколько страниц у меня глаза полезли на лоб. И не мог понять, в чем дело.

Вечернее чтение ребенку в постели имеет свою специфику. Читаешь страницу — а сам думаешь о своем. Дочитал — и вдруг забыл: я эту страницу только перелистнул или уже закончил?

Через две недели я чувствовал себя в положении обжоры, подписавшего пожизненный контракт на ужины тортами из крашеных опилок. Жюль Верн оказался абсолютно несъедобен и уж тем более не поддавался перевариванию.

Я стал жульничать, выдавая «сокращенные варианты» и меняя книги. Он писал не просто плохо — он писал чудовищно плохо! Он был графоман! Да он вообще представления не имел о том, как надо писать!

Все его сюжеты шиты белыми и гнилыми нитками, они фальшивы, как морковный заяц, и натужны, как улыбка висельника. Это вообще не сюжеты: это просто последовательность в изложении материала географии. Или гидрологии, или ботаники, короче — для среднего школьного возраста современной автору Франции. Серия ведь так и называлась: «Необыкновенные путешествия». Естественно-познавательная литература для подростков. Учебник, натянутый на условно-беллетристический каркас.

Разочарование уязвило меня. Еще один кумир пал. С четырнадцати лет я хранил нежные воспоминания о великом Жюле Верне — и вот держу в руках этот тухлый бред, выпучиваю глаза и зажимаю ноздри.

Перечитайте «20 000 лье под водой»! И скажите: с чего это капитан Немо ездит туда-сюда по мировому океану на своей подлодке? «В понедельник мы взяли курс на север». Зачем, почему, в связи с чем? Что он там оставил, что ищет, чего хочет? «Двенадцатого числа „Наутилус“ изменил курс: теперь мы держали на юг, к тропикам». Эсминца на вас нет с глубинными бомбами! Ну бесцельные же, бессмысленные действия, которые автор даже не удосужился хоть как-то мотивировать!

А «Таинственный остров»?! «Проснувшись рано утром в понедельник, колонисты решили обследовать восточную часть острова». Это два года спустя они проснулись и решили. Ну никакой же психологической или сюжетной мотивировки, подготовки, обоснования. Это какой-то скрытый барон Мюнхгаузен: «Проснувшись однажды утром, я решил покорить Эверест». Что, чего, почему?! А вот так. Люблю совершать подвиги, ездить туда-сюда, обследовать то-се.

Это все равно что в детективе начать так: «Однажды в понедельник утром бухгалтер Смит решил перестать ходить на работу, а лучше раскрыть какое-нибудь интересное преступление». Мы имеем дело минимум с одним шизофреником — либо Смитом, либо его автором.

То есть. Жюль Верн не удосуживается осведомить читателя, зачем или почему герои совершают те или иные действия. Жюля Верна это не заботит. Хватит и общего посыла романа: попали вот на такую подлодку или вот на такой остров. А дальше герои превращаются в фигуры условные, служебные. Они нужны для того, чтобы поведать о флоре и фауне, океанских течениях и горных ветрах, полеводстве и металлургии, жизни индейцев и жизни термитов. Автор был популяризатором, научпопником! Издательство «Знание» по нему плакало!

Но: как учебник это слабовато, давно и безнадежно устарело и никакой научно-познавательной ценности давно ни для кого не представляет. И вообще длинноты описаний юный читатель тут же пропускает, не развлекают его пути миграции морского окуня. А как художественные книги — ну глуховой же примитив!

Троица героев месяцами сидит в «Наутилусе» — а населен сей кораблик лишь капитаном и неопределенным количеством призраков. Есть помощник: как выглядит? как зовут? чем отличается? что делает? А так: иногда вдруг появляется и что-то мелкое делает, помогая кораблю. Матросы: сколько? каковы? имена? черты? привычки? намек на портрет? А на хрена! Хватит и Немо! Лодка плывет, рассказы звучат, пейзажи меняются,— все остальное дается по совершенному минимуму.

Господа. Ну любой же сносный беллетрист должен владеть минимумом приемов, позволяющих оживить изображаемую картинку. Ну дай матросу имя, ну придумай ему хоть прыщ на носу, ну пусть один вечно жует сухарь, а у другого штаны с вечной латкой не того оттенка, а третий писклив, а четвертый добро улыбается, а у помощника кривая рука или стеклянный глаз, и он молчалив как рыба, но всегда на страже всего, и т.п. Если Жюль Верн не умел этого делать — он вообще никакой не писатель, а графоман. Если умел, но пренебрегал, гоня по два толстых романа в год — он просто халтурщик, утомленный строчкогонством. Где и в каких условиях жила команда «Наутилуса», чем и как питалась, на каких койках спала? Я ничего не вижу, ничего не знаю!!!

А как разговаривают жюльверновские златоусты! Где не штамп — там лекция. «А как делается древесный уголь, мистер Смит?» — шар-рах! — лекция на час про изготовление древесного угля. Это, может, и познавательно, я лично такие вещи люблю, но в литературном контексте — бредово же смотрится.

Лексика бедна, эпитеты банальны, психологией не пахнет.

Я был потрясен. У меня украли великого и любимого писателя. И плюнули на это место. И растерли. О, зачем я стал слишком грамотным, зачем столько горя от ума!..

И этим приносящим горе умом я начал попытки соображать. Как же так?! Графоман-то графоман, а полтора века на коне, и книги на всех языках, и масса экранизаций, и герои превратились в мифы, и плывет атомный бомбовоз «Наутилус» под музыку группы «Наутилус», и так далее. Предположим, все идиоты. Но только гений может попасть в унисон планете идиотов. Э?

Да Паганель стал уже именем нарицательным. Капитан Немо — устойчивая мифо-фигура. Как бы ужасно ни бумагомарал Жюль Верн, он преуспел едва ли не в главном: писатель создал свой мир и миф. И мы знаем, мы помним, мы используем и цитируем!

Истинная фантастика: с точностью до километров, килограммов и часов Жюль Верн предсказал первый полет на Луну: место старта и приводнения, длительность и количество членов экипажа, размер и вес корабля, время полета! От винта. И остались в истории — той, которая вписана в наше представление «обо всем вообще» — чудо-подлодка, и кругосветка детей капитана Гранта, и много чего еще. А вот слабости письма, натяжки и наивы — в истории не остались.

Напрашивается простой вывод. У истинного бестселлера — свои законы. Они отличаются от законов «просто высокой литературы».

Несравненная ценность Жюль Верна — в «генеральной выдумке» романа. Техническое изобретение. Маршрут путешествия. Робинзонада технического века. И т.д.

Жюль Верн укореняется в воображении и памяти читателя исключительностью, новизной, необыкновенностью, единичностью главной задумки книги. Эта задумка — суть и соль, без нее книга сразу теряет ценность и превращается в заурядное барахло. Она принципиально не вычленяется из всех прочих пластов книги, книга и пишется ради нее.

Проделаем опыт. Прибавим глубины психологизма. Пропишем стиль. Наляжем на реалистичность мировоззрения, снизим наивный романтизм. Что получим? Уильяма Голдинга или Робера Мерля. Хорошие книги! Лучше жюльверновских написаны. Написаны лучше — а книги хуже. Глубина проникновения в жизнь — увеличилась. А создание новых, неповторимых, не существовавших доселе миров почти и исчезло...

Никакой стилист, нулевой психолог, неряшливый сюжетчик, неумелый пейзажист и бездарный бытописатель — великий Жюль Верн сумел сделать главное: создать новые области нашего духовного мира, устойчивые области коллективного социопсихологического пространства, именуемого иначе культурным.

А если бы он «писал лучше»? Стал ли бы «равным Шекспиру»? Отвечаю за свои слова: нет. Когда серьезный писатель берется за детектив — получается «Преступление и наказание». Фабульная нагрузка резко уменьшается, акцент смещается на иные глубины, вечные и общечеловеческие. Уже перестает волновать сам «Наутилус», речь заходит об извечном человеческом одиночестве, борьбе каждого против всех, трагедии революционера. Сплошной экзистенциализм.

Соотношение всех элементов великой книги находится в жестком единстве. Нарушение равновесия (пусть неосознаваемого, неощутимого) — ведет к некоторому внутреннему разрушению книги. Вроде делаешь лучше — а эффект почему-то обратный. Написано лучше — а волнует меньше, воображение поражает меньше.

Элементарно. В гоночном автомобиле все подчинено скорости. Прибавь комфорта в кабине, подними и увеличь кресло, поставь фары — а машина станет хуже.

«Усовершенствование» романов Жюля Верна уменьшит нагрузку на «главную задумку», суть и ценность этих романов. Литературный уровень Жюля Верна — необходимый минимум «литературной плавучести» книги. Верн прост, ясен, однозначен, общедоступен — при этом достаточно динамичен, романтичен, позитивен, жизнеутверждающ. Да он гений жанра, фактически им самим и созданного: приключения с необыкновенным начальным доворотом и общеинформационными подробностями, поданными под нетривиальным углом.

...Больше я Жюля Верна не перечитываю. Достаточно того, что я читал его в детстве и запомнил главное в нем на всю жизнь. В отличие от массы книг, написанных лучше, которые быстро забываются и выходят из живого обращения в памяти, истлевая и исчезая в дальних сундучках мозга.

Хорошая книга и хорошо написанная книга — вещи иногда разные.

Главное — это креативное начало. Создание чего-то качественно нового. Взлом по вертикали. (Я чувствую свое абсолютное моральное право на этот вывод. Не знаю, положил ли кто-либо в свое время столько труда, сколько я, чтобы учить себя писать хорошо.)

Первейшее качество таланта — креативность. Мощь созидателя и мастерство шлифовщика и отделочника могут не совпадать: бывает.

Мы забываем блестящих и живем в мирах, созданных мощными.

КИПЛИНГ

К рубежу XX века Киплинг был самым знаменитым и самым высокооплачиваемым поэтом и писателем в мире. Одно его слово стоило шиллинг, и это слово знал весь цивилизованный мир и повторяла вся Англия. Это общеизвестно: железный стих, мужество и сила, «несите бремя белых», «я был с вами рядом под огненным градом, я с вами прошел через радость и боль», «бард империализма».

Редьярд Киплинг умер в 1936 году, пережив свою славу, сведенный с Олимпа, едва ли не полузабытый. В родной английской литературе он стал числиться в основном как автор детской «Книги джунглей»: из всех рожденных Первым Поэтом Империи героев оставили жить в читателях одного Маугли.

Мир изменился. Изменилось читательское восприятие и оценки. Прозрели? Поумнели? В чем дело?

Ты раскрываешь томик баллад Киплинга: чеканный рубленый ритм, экспрессия и жесткость, невероятный энергетический заряд, стоическая несгибаемость под любыми ударами судьбы, суровое приятие борьбы и жизни. Это что — вышло из моды? Похоже — да!

Взлет и пик Киплинга пришлись на пик славы и могущества Великой Британской Империи — конец викторианской эпохи. Солнце не заходило над пятой частью земной тверди, осененной «Юнион Джеком». Были — фарисейство, ханжество, тяжкий труд рабочих масс, великодержавный шовинизм, жестокость. А еще были — самоотверженность «винтиков и строителей империи», бесстрашие и вера в себя колонизаторов «далеких и диких стран», благородство как признак приличного воспитания, ледяное презрение аристократов к смерти — и гордость каждого своей великой страной.

Слава Киплинга стала закатываться перед Первой Мировой войной. А накануне Второй Мировой — Великобритания вплотную приблизилась к своему крушению. Еще десять лет — и гегемония в мире перешла к США и СССР. Еще десять лет — и не осталось ни азиатских, ни африканских владений, фактически отпали Австралия и Канада, империя раскрошилась, была вытеснена, сдала позиции и ушла сама под давлением истории. Великая Британия Киплинга перестала существовать.

Хоп! Внимание? Величие Киплинга соответствовало величию Британии. Закат Киплинга соответствовал закату Британии. Понимаете?

Поэзия Киплинга не изменилась. Изменился, исчез, рассеялся в пространстве суровый, лидерский, жадный и агрессивный, превыше всего ставящий победу и мужество — британский дух.

Они любили и ценили Киплинга, когда были владыками мира. Они перестали его любить и ценить — когда подопустилась энергия нации, изготовилась катиться с горы машина государства.

Раньше, чем упадок наступает снаружи, в окружающем мире,— он наступает внутри, в мыслях и нервах людей. Внешние события нуждаются во внешнем толчке, реальный процесс долог и инерционен. А внутренняя готовность к ним, их обуславливающая — еще до набравших инерцию внешних толчков являет себя через изменения этических и эстетических представлений, через изменения мироотношения и ревизию жизненных ценностей.

Англичане перестали быть великим народом раньше, чем рухнула Великая империя. Иначе и не может быть: внешнее величие рушится только как следствие исчезновения внутреннего величия людей, составляющих народ в целом.

Англичане перестали быть великим народом раньше, чем вступили в Первую Мировую войну. В литературе следствием ее явились Д. Г. Лоуренс и Ричард Олдингтон: уничтожение ханжеской и великодержавной викторианской морали. Но эти двое, как и другие, ее не уничтожали — они лишь констатировали ее падение. А без констатации — оно произошло еще до Первой Мировой, где-то у рубежа 1910 года, немного лет спустя после англо-бурских войн.

Еще ничего не было понятно. Еще ничего не было заметно. Еще гремел имперский пир. Но оскомина похмелья уже предощущалась во рту, хотя глаза еще не умели сложить в слова огненные знаки на стенах.

Социалистические идеи овладевали интеллектуалами. Не вяли цветы на могиле Маркса в Лондоне. Женщины шли на курсы, а хотели — всюду. Свободы и равенства, счастье — каждому! Либеральная идея вышла, как джинн из бутылки, и этот призрачный джинн на глазах твердел, как пенобетон.

Караул устал. Винтики империи подняли головы из гнезд и захотели крутиться сами по себе. Свободной любви, никаких пут, личное счастье выше и ценнее государственных абстракций. Наелись заморскими экспедициями, двенадцатичасовым рабочим днем и рядами могил на всех окраинах света. Нет: никаких бунтов и переворотов в разумно и прочно устроенной Англии делать не пытались. Но отношение ко многим устоям миропорядка — сменилось.

Поэтому перестал быть нужным Киплинг. Его граненый и сверкающий отточенной сталью, как штык колониального пехотинца, талант больше не был желаем. Не был приятен. Не звучал в унисон новым чаяниям. Не возбуждал сердца биться сильнее — к борьбе, преодолению лишений и препятствий, самоутверждению в своей непобедимости, смерти во имя своих целей и взглядов и во имя величия Родины.

Киплинг не стал хуже. И не стал другим. Другим стал читатель. Он перестал быть — по праву сильного и мужественного, по праву труда и крови — владыкой Великой Империи. Его энергия снизилась, и услужливый ум обустраивал новое внутреннее состояние новыми симпатиями и антипатиями: в том числе новыми литературными вкусами.

От смены потребительской оценки Киплинг не стал менее великим. Оценка часто характеризует оценщика более, чем оцениваемого. Менее великим стал его народ.

Закат славы Киплинга — отражал и предвосхищал закат Великобритании, ее духа — и как следствие ее роли и места в мире.

Англичане перестали любить Киплинга, когда перестали быть теми великими, которых любил он — о которых и для которых он писал, которыми восхищался, которых уважал и был плотью от их плоти. Но тогда этого не поняли ни они, ни он. Происходящее с тобой сейчас — обычно не поддается отчету.

Потом, потом — старик понял это, понял это! Горечь молчаливого угасания была долгой.

Я иду по Лондону, этому одному из уже нескольких Новых Римов эпохи заката нашей цивилизации, полному иных народов и иных храмов, и шаги встраиваются в ритм строк вековой давности: «У северной двери хозяйка живет, у нее богатый дом. Кормит и поит она бродяг и в море их шлет потом. Иные тонут, где глубоко, иные в виду земли, и приходит весть — и она других посылает на корабли. Покуда есть у нее свой дом и место у камелька — она гонит сынов на мокрый луг, и жатва их горька. Шла рядом с конями легенда, рассказ о лишениях злых, отцы покорили равнины, а мы унаследуем их, мы сердцем своим в колыбели, в стране, где потратили труд, надежду, и веру, и гордость мы в землю вложили тут! Наполните ваши стаканы и пейте со мной скорей за четыре новых народа, за отмели дальних морей, за самый последний, на карте еще не отмеченный риф — и гордость врагов оцените, свою до конца оценив! За кровли на крышах железных, звенящих от наших шагов, за крик неподкованных мулов, за едкую гарь очагов, за риск умереть от жажды и риск в реке утонуть, за странников юга, прошедших в мильоны акров путь! За яркий очаг народа, за грозный его океан, за тихую славу аббатства (без этого нет англичан), за вечный помол столетий, за прибыль твою и мою, за ссудные банки наши, за флот наш торговый — пью! Когда ж страданий наших приблизится конец — твой тяжкий труд разрушит лентяй или глупец. И платить — то честь наша! — будем дань мы тысячу лет морям. Так и было, когда „Золотая лань" раскололась пополам, и когда на рифах, слезя глаза, кипел прибой голубой. Коль кровь — цена владычеству, то мы уплатили с лихвой! Я ел ваш хлеб и ел вашу соль, я пил вашу воду и пил вино, я был с вами рядом под огненным градом, я с вами прошел через радость и боль.»

ШЕДЕВР ДОКТОРА
КОНАН ДОЙЛЯ

Не удалось избавиться сэру Артуру от недоевшего сыщика. Умертвлял — и оживлял: читатели выли, издатели стонали — хотим-хотим!

И не считал его «литературой», и выше ставил свой исторический роман «Белый отряд», и мечтал остаться в истории серьезным писателем, хорошим стилистом,— «просто писателем», а не автором детективов. Не вышло.

Такое случается. Создал шедевр не там, где мечтал. И в раздражении отрекался — это так, поделка. А шедевр — вот. И убивался, что никто этого не видит. О потребительская чернь! Да что вы там нашли такого — ну, преступления раскрываются, но это же не литература, язык прост до примитивизма, характеры откровенно примитивны, чувства ясны, психология неглубока, все построено на одном нехитром приеме: есть преступление, ну, и оно раскрывается работой логики и вниманием к деталям. Сколько можно клевать на одно и то же, это же неинтересно, наконец!

Интересно.

Более того. Много, много более. Все сочинения о Шерлоке Холмсе отличаются редкой чертой настоящей литературы: даже зная уже почти наизусть, их все равно тянет порой перечитывать. Давно раскрыты все преступления — а читать хочется.

Наденем очки автора, сядем за его стол и взглянем на его книги его глазами. Приложим линейку «настоящей литературы» (см. три абзаца выше). Но если вторую сотню лет читают, и экранизируют, переиздают и переводят, и музей Холмса на Бейкер-стрит 221-б,— может, линейка неправильная?

Сто лет пишут детективы бесчисленные подражатели, достигая порой самостоятельности и даже славы — а второго Холмса нет и не предвидится. И уже не читают Байрона, и полузабыт Теккерей, и редко кто откроет Диккенса — а Холмс, высокий, тощий и жилистый, в облаке табачного дыма, с лупой в руке и реже револьвером в кармане, и скрипка, и морфий, и женоненавистничество с единственным исключением, и т.д. известно всем — живет в любви народной.

Не всегда знаешь, где ждет тебя феномен истинной удачи.

Если бы Конан Дойль потратил все силы жизни на создание идеальных произведений о сыщике — он бы не написал лучше того, что есть. Рассматриваем и судим произведение по его собственным законам — внутренним, жанровым, законам самоорганизации материала (подобно законам синергетики), по тем законам, которые результатом своего действия имеют высочайший эффект литературной (и шире — вообще культурной) живучести и читаемости. И получаем забавное.

Шерлок Холмс — истинный литературный шедевр. Совершенство.

1. Тайна, которую раскрывают.

2. По личной склонности и свободному согласию, а не из служебного долга.

3. Живой быт подан скупыми точными штрихами.

4. Лаконичность! Ныне, век спустя, писатель растягивает сюжет любого такого рассказа на роман — для коммерции: льет воду, размешивая в ней лишнюю белиберду из «жизни вообще».

5. Простой точный язык. С элементами «рымантического штиля».

6. Расклад героев. И вот это тут главное, и этому невозможно подражать, потому что сразу получится откровенное эпигонство:

А). Холмс предельно привлекателен. Высок, худ, при этом на самом деле очень силен, чего внешне не видно. Флегма, ледяное спокойствие — и протуберанцы скрытого темперамента. Никогда не теряет самообладания. Абсолютный одиночка — при этом абсолютный лидер в любых контактах. Контролирует любую ситуацию. То есть: несколько замаскированный супермен. Суперменство балансируется некоторой чудаковатостью. Достоинства — балансируются такими недостатками, как склонность к наркомании, хандре вне дела, приступами ненапыщенной и даже простодушной хвастливости. Эрудиция в своем деле — и доходящее до смешного невежество в некоторых общеизвестных областях. Язвителен, ироничен, иногда валяет дурака — и всегда оказывается прав, выставляя дураком оппонента: эдакое сократовское начало. Блестящий стрелок. При этом изящное и даже неожиданное стороннее увлечение: меломан. Жизнь и людей знает, понимает, «видит насквозь» — оттенок печального многомудрого цинизма. При этом женщин побаивается, не знает, не понимает, чуждается — при своей явной привлекательности (о ней прямо не говорится ни слова, образ не переслащен, это очень важно!). Герой с горчинкой, со щербинкой. По-парфюмерски: духи горьковатые, чуть пряные, неброские, но очень стойкие, аромат очень явственный, но неназойливый, абсолютно индивидуальный и сугубо мужской. Цепок, последователен, беспощаден в деле — но справедлив и благороден превыше всего и без рекламы, невольных и по сути правых преступников отпускает. Проницателен и умен дьявольски. И вообще «характер твердый, нордический».

Черт возьми. Да создать такой образ — это уже акт литературного гения. Конан Дойль сработал так, что все прочие сыщики Холмсу в подметки не годятся!

Б). Так и этого мало! Введение Ватсона — вот гениальная удача! Сугубо положителен, честен, простодушен, верен — вторая половина по сути единого героя!

Его служебная роль неоценима. Он оттеняет все достоинства Холмса — одновременно комментируя их, критикуя или расхваливая, оценивая, пытаясь постичь и понимая не сразу. Его наличие сразу дает возможность и мотивирует любые замедления и ускорения повествования и действия. Он пропускает одно — которое всплывет потом и бросит новый свет на все происшедшее,— и обращает углубленное внимание на другое, в угоду автору.

И едва ли не главное — это он рассказывает все истории, не будучи писателем: оправдан любой ходульный оборот, любой разговорный «рымантизм» оказывается уместным — а чистому, простому и точному литературному стилю это тоже не противоречит.

Наличие Ватсона автоматически позволяет давать экспозицию каждой вещи, настроение зачина.

Его сугубая британская нормальность подчеркивает анормальности Холмса — они предстают как под увеличительным стеклом, в которое смотрит глаз «обычного человека».

Наличие «промежуточного и действующего рассказчика» создает рассказ в рассказе, на порядок обогащая произведение. Взгляд автора, принципиально дистанцированного от него рассказчика и самого героя, сменяя друг друга и то сливаясь, но вновь разъединяясь, дают сложную трехплановую композицию.

И все это сложилось без мучительных поисков, проб и конструирований, а «само собой» у нашего доктора.

Ну, а про «радость узнавания знакомых персонажей», «получение ожидаемого» и прочее — литературоведы уже более или менее написали.

Не стоило вам гневить Господа нашего, мистер Конан Дойль, и пытаться принизить собственное детище. Иногда шедевр долго не просматривается самим автором в своем творении, так незатрудненно родившемся.

ТРИ МУШКЕТЕРА

Вряд ли мы уже когда-нибудь узнаем, какова была доля личного авторства Дюма в прославленнейшем из романов XIX века, а какова доля соавторства кого-либо из его многочисленных помощников и негров. Но любой может перечитать «Трех мушкетеров» внимательно с любого места — и убедиться, что эта книга Дюма не такая, как все остальные из-под его пера.

Она легче читается — а по толщине принадлежит к обер-размерным кирпичам. Она интереснее — а сюжет свинчен отнюдь не наилучшим образом и в узлах просто рассыпчат. Чтение ее доставляет большее удовольствие — а между тем мы не знаем даже из нее, какого цвета были плащи у мушкетеров, и сколько человек было в их роте, и в чем, собственно, заключалась их служба — кроме фланирования у дворца и мельком упомянутого хождения в караул.

Зато — зато — она насквозь иронична и легка, легка! Приподнятый романтизм подан с улыбкой скептика и мудреца, откровенно развлекающегося условностью собственного текста. Автор парит над героями и дружески под-

293

мигивает читателю: мол, мы-то с тобой понимаем, что все это романтика. Жестокий мелодраматизм ситуаций и фраз сплошь и рядом граничит с самопародией, юмор брызжет (так и хочется сказать: «как шампанское!»).

«Увидев эти яства, мэтр Кокнар закусил губу. Увидев эти яства, Портос понял, что остался без обеда». «Разучилась пить молодежь, — с сожалением заметил Атос. — А ведь этот еще из лучших». «Посмотрите только на эту лошадь, Арамис! — О, какая ужасная кляча, — сказал Арамис». «Четыреста семьдесят пять ливров! — сказал д'Артаньян, считавший, как Архимед (цифра изрядно ошибочна)».

Авторский посыл радости, веселья и шутки всегда передается читателю — даже если последний не отдает себе в этом отчета.

Но речь-то в книге идет о вечных и бесспорных ценностях: дружбе, любви, чести, верности, храбрости, благородстве. И авторская неназойливая улыбка только оттеняет их; пространство между автором и его героями придает им объема.

Вот в этом воздухе, этом добром и улыбчивом пространстве авторского взгляда между ним самим и его героями — суть, ключ и секрет необыкновенной привлекательности романа.

А поскольку умный, толстый, жизнелюбивый Александр Дюма был хороший писатель — он искренне сопереживает героям, любит их и жаром собственной души делает живыми. Недаром, недаром он плакал над собственной книгой в последний месяц своей жизни. Не всегда, совсем не всегда он относится к своим героям с иронией. (Так ироничный человек, вечно прикрывающийся шуткой, иногда отбрасывает охранительные условности своих выражений — и обнажается любовь пронзительной искренности и силы. Кого люблю — над тем посмеиваюсь.)

(Рискну сказать, что «Три мушкетера» не чужды того ключа, который почти век спустя стало можно бы назвать «чаплинским».)

Вот это ироническое отношение к описываемому, отнюдь не отменяющее, но оттеняющее мелодраматизм происходящего — ни в одном другом романе Дюма не встречается. Отсутствует напрочь. Местами они даже удручающе серьезны, и сегодня начинают попахивать длиннотой и скукой.

Эта эстетическая неодномерность, неоднозначность, объемность «Трех мушкетеров» практически не отмечается читателем — но поднимает удивительную энергетику, светлую энергетику книги — живой и славной уже более полутора веков.

ЧЕРНЫЙ ПРИНЦ
ПОЛИТИЧЕСКОЙ НЕКРОФИЛИИ

Один знаменитый журналист начал статью о другом знаменитом журналисте так: «Передо мной стоит почти невыполнимая задача — написать о г-не Н., ни разу не употребив слова „гнида“». Ударный зачин долго смаковали.

Итак, фамилия Кара-Мурза дословно переводится на русский именно как «Черный Принц». Ни в коем случае не желая задевать всех носителей этой достойной фамилии, следует конкретизировать ее носителя по имени — Сергей. А в частности заслуживает бесспорного внимания его книга «Советская цивилизация. От Великой Победы до наших дней».

Мы имеем характернейший образец перехода политических убеждений в шизофрению и обратно. Лично мне не доводилось еще держать в руках ни одной книги, где ложью была бы каждая страница. Но ложь как злонамеренность и ложь как психопатология здесь чаще всего не поддаются разграничению.

Товарищ С. Кара-Мурза — профессиональный советский контрпропагандист. Коренной москвич, окончил химфак МГУ, в начале 70-х уже работал за границей — то есть принадлежал к весьма тонкому слою проверенных, «выездных»; что такое было для большинства населения увидевший заграниц москвич с университетским образованием? — сливки, элита, человек из другого мира. Чем отрабатывал товарищ Кара-Мурза доверие, которое оказывали ему партийные органы, утверждая кандидатуру для поездок? Участием в международных дискуссиях на разнообразных симпозиумах и съездах, где он умело отстаивал преимущества советского образа жизни.

«Он же не истины ищет, а победы в споре»,— отозвался о нем родственник, когда Сережа был еще школьником. (стр. 65). Задатки пошли в рост — и карамурзовское представление о жизни короче и яснее всего можно выразить словами коммуниста Шельги из «Гиперболоида инженера Гарина»: «Все, что способствует установлению советской власти на Земле — хорошо. Все, что ей препятствует,— плохо».

Посыл семисотшестидесятистраничной книги прост и доходчив (правда, сотню страниц автор посвятил собственной биографии): раз сейчас большинству населения трудно и плохо — значит, раньше было лучше, было хорошо, правильно было, и разрушительный антисоветизм — это в лучшем случае глупость, бездумность, шизофрения, а в худшем — диверсия, злонамеренность, идеологическая война против всего хорошего. А если и было в СССР чего не так — где ж без недостатков? — так это недодумки, недоучеты, недогляды, ошибочки, но основа-то была верная, гуманная, плодотворная.

Точка зрения понятная, хорошо известная, незачем и останавливаться на такой книге — если бы не блестящая, виртуозная, несравненная система доказательств, от которых отвисает челюсть и разрывается в мозгу ткань действительности. С. Кара-Мурза выступает как знаток и аналитик жизни как советской, так и зарубежной, и вот эта описываемая им жизнь относится к действительности примерно так, как жизнь студента МГУ к жизни солдата стройбата или уровень благ советского научного сотрудника в столице к уровню благ воронежского колхозника.

В семь утра надо было занимать очередь на талончик к врачу? Зато бесплатно. А вы знаете, рисует Кара-Мурза, что на Западе, к примеру в Испании или бедных кварталах США, полно беззубых, и они негодуют в ответ на вопросы о беззубости — дорого! Так-то. Можно подумать, автору неизвестно, что стоило отъехать сотню километров от Москвы — и по пальцам считать зубы во ртах колхозников, к пятидесяти годам превратившихся в стариков.

А вы знаете, что согласно статистике советские люди мясца-то ели поболе американцев? Пожалуйста — вот цифры. Из Москвы сумки везли? Это недостатки системы распределения. Можно подумать, автор не знает, что можно взять цифирку из той колонки, где количество реализованной своему населению мясной продукции — а можно из той, где мясокомбинаты принимали скот живым весом согласно отчетам о выполнении планов. При этом одни норовят, уходя от налогов, свои цифирки преуменьшить — а другие, уходя от взысканий и желая премий, свои цифирки вздувают, в фарш доливают водички, а сосиски делают из казеина с краской.

А вы знаете, что положительный аспект очередей — это усиление чувства солидарности в народе?

«То, что государство изымало для общих нужд, оно в советское время тратило эффективно, то есть с лихвой возвращало рабочим в виде благ» (стр. 481). Это Союз тратил эффективно? Забыли костюмчики массового пошива в магазинах,— или перешивай, или ходи пугалом? Забыли гниющее на Целине зерно, гниющий в леспромхозах лес,— а десятки тысяч танков, ржавеющих в полковых парках, забыли? «С лихвой»? А откуда лихва-то — с чего она, родимая, лихва-то возникала, ее кто вырабатывал? «В виде благ»? А забыли, как по школам тетрадки раздавали — не было тетрадок? Как в «благословенные застойные» семидесятые вдруг исчезали как жанр масло, чай, мыло, колготки, сигареты — друг другу в подарок возили?

Или Кара-Мурза честно не понимает сути дефицита, или намеренно обманывает — выбирайте, что вам больше нравится. Дефицит означает: вам платят условными талонами из хозяйской лавки, а купить вы на них можете лишь столько, сколько хозяин для вас предуготовил, остальными талонами можете подтереться. Условно-денежная масса и товарно-потребительская масса — это две разные величины: ты имеешь право купить — но правом сыт не будешь, благ-то все равно тебе нет, хоть ты деньгами чердак оклей. Да: бензин есть — но сначала принеси справочку о прописке, да справочку с работы, да покланяйся, чтоб тебя поставили на машину в очередь, а в нее не всех ставят, да подожди пяток-десяток лет — и тогда за деньги, которые ты будешь зарабатывать три года, не тратя из зарплаты ни копейки ни на что, тебе разрешат купить автомобиль; а уже потом заливай дешевый бензин. А то Кара-Мурза этого не знает! Правда, устроившись работать за границу, можешь купить автомобиль за «серты» — сертификаты, чеки Внешторгбанка — через год. Но наш контрпропагандист серты имел, а население — нет.

Все надо было «доставать». А «доставать» означает: кроме того труда, который ты потратил на получение денег, ты должен потратить дополнительный труд: на «сувениры» и разные формы подношений, на заведение и поддержание связей, на езду к черту на кулички и стояние в очередях — вот тогда, с этим дополнительным трудом, ты что-то заимеешь. Так что все цены были нереальны, а реальный размер вложенного в приобретенную вещь труда был гораздо больше.

«Почему рабочие решили, что появление, кроме государства, еще и частных хозяев их заводов обернется прибавкой к зарплате,— загадка века. Никакой логики в этом найти невозможно, как ни ищи»,— вздыхает автор. Счас найдем. Первое. Производительность труда в развитых капстранах (у наших врагов) была в несколько раз выше, чем в СССР. Второе. А размер отчуждаемой работодателем прибавочной стоимости — в несколько раз ниже. Ясно ли? Тот вырабатывал на сто долларов и получал восемьдесят — наш вырабатывал на двадцать и получал пять. Теперь ясно? У них работник сам определял, на какие блага пустить свои восемьдесят. А у нас чиновник определял, каких тебе благ отсыпать за твои взятые пятнадцать. А поскольку частный хозяин всегда организует производство рациональнее, чем государство с тотальной плановой системой, то логично предположить, что и выработка поднимется у частника — и работяге он отсыплет побольше.

Тут-то и вышла накладочка. Либерально-демократическая идея внакладку на тоталитарную экономику дала нам ту разруху, которую мы имеем. Но если из-под власти одних бандитов мы попали под власть других бандитов — не надо строить теорию, что первые бандиты были не бандиты, а отцы родные. Экономически мы, простые люди, переползли из одной кучи дерьма в другую, еще хуже (на сегодняшний день). Из кучи дерьма другая куча вечно кажется патокой. Вот о патоке, из которой мы выползли, Кара-Мурза и рассказывает кондитерские истории. Мол, это жидкое и сильно воняет, а то, прошлое, кушать можно было, и неплохо шло.

Были в советском строе хорошие черты? Были, да еще какие! Все сыты, в завтрашнем дне уверены, народы друг друга не резали, бандюков вообще не видно-не слышно было, в космос летали, школы приличные, образование и медицина всеобщие и бесплатные, фундаментальная наука развивается. А плохие? Тоже были, и тоже еще какие! Всеобщая государственная ложь и фальшь, своего мнения иметь не моги, без прописки работать не моги, за границу ездить не моги, квартиры купить вот так просто не моги: живи как все и сопи в две дырки, и все за тебя решает Партия, карьеристы проклятые, маразматики ожиревшие, и все тебе господа, и любая продавщица унизить готова, и ничегошеньки от тебя не зависит, и чувствуешь ты себя не человеком со своей волей, а пешкой ничтожной, и не будет тебе никаких вариантов другой жизни: обнищать не дадут, разбогатеть не дадут, уехать не дадут, свое дело по своему уму наладить не дадут, и т.д.

А по Кара-Мурзе — глупый народ зажрался и пошел на поводу у врагов. Читайте — завидуйте:

«Советское жизнеустройство сложилось под воздействием конкретных природных и исторических обстоятельств. (А другие — без воздействия конкретных и природных? Наукообразность этой абсолютно пустой фразы призвана показать умную научность авторских выводов.— *М. В.*) Исходя из этих обстоятельств поколения, создавшие советский строй, определили главный критерий выбора — *сокращение страданий*. (Прав был Геббельс — ложь должна быть безмерной. Это расстрельные подвалы, жутчайшие и беспрецедентные в истории колымские лагеря, самая кровавая в истории страны война, превращение крестьянина в бесправного крепостного колхозной системы это называется критерием сокращения страданий? Совести же у вас нет, товарищ Кара-Мурза... *М. В.*) На этом пути советский строй добился признанных всем миром успехов, в СССР были устранены главные источники массовых страданий и страхов — бедность, безработица, бездомность, голод, преступное, политическое и межнациональное насилие, а также массовая гибель в войне с более сильным противником. (Ну? Наши зажиточные жили беднее их безработных и социальщиков, но для нас это не бедность, бедность — это в Африке. А как из общаг гнали девчонок-лимитчиц, вернувшихся из роддома с ребенком — зимой да на улицу, этого никогда не слыхали? А как три семьи по трое жили в трехкомнатной хрущобе — и этого не знали? Это — работающие, не бедные, значит. Да негры в Гарлеме так не жили! Это у нас не было политического насилия? А где оно тогда было — у Бокассы, который ел жареных подданных? Класс! Это мы массово не гибли в войне? А кто тогда, если не мы?! Ах, это было не с более сильным, а с более слабым противником — с Германией. Это не считается. Правда, мы положили в шесть раз больше своих людей, чем она, слабая, в войне с нами.— *М. В.*) Ради этого были понесены большие жертвы, но уже с 60-х годов возникло стабильное и нарастающее благополучие. (То есть предыдущие полвека советской власти — моря крови и ужас — это было не стабильно, а вот пятнадцать лет нарастающего благополучия — это стабильно, а потом опять семь лет — нестабильно. Понимаете? Когда долго и плохо — это не есть стабильность плохого, но когда коротко и неплохо — это есть стабильность хорошего. И только было мирно и счастливо зажили — и тут война!.. тьфу, оговорился — враги напали с перестройкой. Браво! — *М. В.*)».

Почему возможно появление таких книг? Потому что народ ограблен безмерно и бесстыдно, и нет удержу грабителям, и нет управы на них, и некому жаловаться, и обнищавшему большинству лучше уж жилось при советской власти. Только чтоб не арестовывали по ночам безвинных массами, не тратили всех возможных денег на вооружение, колбаски подбросили, на заграницу взглянуть дали. А так строй был неплохим.

Но. Но. На сплошной лжи ничего хорошего создать нельзя. Тем более — политического и экономического строя. Книга Кара-Мурзы — прекрасное свидетельство тому, на какой основе хотели бы неосоветчики реставрировать свой строй. Если они так врут, будучи в оппозиции и пользуясь свободой слова — можете представить, как они будут снова врать и что строить на своей лжи, придя к власти, где никакой свободы слова предусмотрено не было.

ПЕРПЕНДИКУЛЯР ЗИНОВЬЕВ

Многим бизнесменам в сущности безразлично, чем наполнять свой бизнес. Чем выгоднее. Он может работать с нефтью, автомобилями, зерном, водкой, недвижимостью, канцтоварами и биг-маками. Суть одна: он делает деньги, сводя бизнес с прибылью. А товар, с которым он работает — лишь произвольный наполнитель клеток бизнес-структуры, в которой и суть.

Аналогичным образом обстоит дело со многими оппозиционерами. Хотя сначала следует разграничить две их разновидности.

Первая — это «позитивная оппозиция». Ее главное отличие — она хочет прийти к власти сама. Она знает (думает, что знает, а еще вернее — заявляет, что знает), что именно и как надо сделать иначе. Если она просто рвется к власти (что чаще) — то зорко критикует все недостатки власти: меняются недостатки — меняются и объекты критики. Если она имеет твердые взгляды на то, как надо все устроить (что реже),— то при частичных совпадениях своих взглядов со взглядами власти она может идти на союз с властью, блокироваться или даже сливаться с ней, если власть меняет курс в направлении, которое оппозиции предоставляется верным.

Вторая — это «негативная оппозиция». Ей, как хорошему бизнесмену, все равно, чем «наполнять» свою оппозиционность. Ибо оппозиционность как таковая и составляет суть ее натуры. Недостатки найдутся всегда и у любой власти, как у любой медали две стороны. «Негативный оппозиционер» всегда хочет «как лучше», а в жизни всегда «как всегда». Поскольку власть как-никак правит, или с тем или иным успехом делает вид, что правит,— большинство существующих недостатков происходят, по мнению «негативного оппозиционера», от некомпетентности и шкурности власти. Такую власть надобно: а) вывести на чистую воду; б) сменить.

«Негативная оппозиция» подобна Евгению Онегину. Она еще не знает, чего хочет, но уже знает, чего не хочет. Назвать это голым критиканством? Нет; не совсем. Негативная оппозиция и хотела бы быть конструктивной, просто у нее не получается. Элемент отрицания и разрушения принципиально преобладает у нее над элементом созидания. Сначала набить злодею морду — а уже потом все будет хорошо. Как — хорошо? А вот как в другом дворе, у них мир и много игрушек. А что в другом дворе бузит свой оппозиционер это неважно, он дурачок, не стоит внимания.

Правильная модель мира по негативному оппозиционеру — всегда условна, приблизительна и идеальна: любой идеал условен, в том и его преимущество, что он противопоставлен любой реальности.

Любой человек — переделыватель мира. Отличие именно негативного оппозиционера в том, что его амплуа, социопсихологическая специализация, так сказать,— разрушитель старого и разгребатель мусора на стройплощадке.

Таких ребят любое государство давит. Потому что разрушить и разгрести всегда проще и легче, чем построить. Много вас таких реформаторов. Но и без таких в мире ничего бы не менялось. Наступает исторический этап — и негативисты на белом коне, запряженном в бульдозер, сносят обветшавшие постройки и тюрьмы. Тогда они счастливы.

Самое интересное начинается потом. Негативист не хочет слезать с белого коня и требует прицепить бульдозер: что бы еще снести?! Ведь все равно, черт возьми, идеала не получилось — просто одни гадости сменились другими.

Гадость и не-гадость всегда совмещены в жизни, и пропорция меняется редко и ненадолго. Вот профессия негативиста — всегда бороться с гадостью. Это благородно и праведно. Хотя иногда глупо и нелогично.

Поэтому следует понимать, что взгляды «негативного оппозиционера» могут легко меняться с изменением реальности. Времена меняются — оппозиционность остается. Где ж нет недостатков?.. Даже в Горнем мире нарушаются права свободной личности: выпить нечего, секс запрещен, права на труд не существует, и Бога, собственно, никто демократическим путем в начальники не избирал.

Психология — это какая-никакая, а все-таки наука. Есть люди с разными более или менее типичными особенностями психики. Эти особенности можно было бы рискнуть назвать отклонениями от нормы, но психологи давно пришли к выводу, что эту самую «психическую норму» установить в конкретных рамках не очень-то возможно: широки рамочки получаются. Ничто значительное людьми со «средней нормальной психикой» в мире не сделано. Все выдающиеся отличались — повышенной психоэнергетикой, параноидальной приверженностью своей «сверхценной идее», жаждой власти, гиперсексуальностью, повышенной конфликтностью и разнообразным «реформаторским зудом» во всех мыслимых областях.

Итого. Истинный, несгибаемый, непримиримый «негативный оппозиционер» — это не политическая позиция, это психологический тип. Политика здесь — лишь следствие психологии.

Всегда были мученики и святые. И среди них — такие, кто отказывался от любых путей к спасению, желая именно пострадать. Безоглядно и безбоязненно шли на крест и костер. Умирали, но не гнулись.

Таким образом. Вот, скажем, сидит перед телекамерой Новодворская — истинный борец с тоталитаризмом, пряма и бесстрашна, прошла тюрьмы и голодовки. Фиг ее согнешь. И блузка на ней — американский флаг.

И отрицает она все, что было в СССР — кроме правозащитного движения. И не уважать ее характер и биографию невозможно, и честность ее вне подозрений.

И вопрос возникает сам собой: родись и живи она в Америке — сидела ли бы она в ящике, демонстрируя американский флаг, и отдала ли бы всю жизнь борьбе за сохранение американской демократии? Взгляды-то были бы те же, да? — только вот человек был бы другой. Или наоборот: а не сидела ли бы она в майке с Че Геварой под портретом Троцкого? И ходила на демонстрации антиглобалистов? И собирала деньги на ультралевые организации?

Человек может сменить свои взгляды в зависимости от условий жизни. Но никогда не может изменить свою натуру. Натура Новодворской — оппозиционер, революционер, борец, мученик, человек идеи. Сытная и свободная американская жизнь — для такого человека это в Америке не идея.

Идеей не может быть то, что уже есть! По определению! Идея — это всегда то, чего надо добиться, к чему надо идти.

«Негативный оппозиционер» — всегда и прежде всего человек идеи, борец за идею, отрицатель существующего порядка вещей, улучшатель имеющегося, призыватель к идеалу. А поскольку идеала в жизни нет, а в его достижимость верить необходимо — за идеал принимается разное из того, что не у нас и не здесь. У них. Там. Кое-что.

И теперь мы говорим: здравствуйте, профессор Зиновьев. Вот вы по профессии философ. Как вы можете с философской точки зрения объяснить кульбит вашей политической позиции? Вы прозрели на старости лет? Ваше антисоветское прошлое было ошибкой? Или что?

В самые глуховые годы читали мы (ночами на кухнях, как водится) провезенные «оттуда» книги Зиновьева и ржали над издевкой: обрыдла нам фальшивая насквозь и бесчеловечная сов. власть, и отдыхало сердце на полных злой иронии обличениях диссидента и эмигранта. Долой тюрьму народов!

Рухнула тюрьма. Вернулся эмигрант. И стал поливать все, что делается сейчас, ставя в пример то, что делалось раньше.

Простите, вы не кушали сегодня случайно на завтрак белены, вежливо осведомился Малыш Льяно.

Если ты внес посильную лепту в свержение СССР, и ужаснулся тому, что из этого вышло, — то как минимум покайся, отмежуйся, головой побейся и пеплом развеянной империи эту голову посыпь. Ведь это же ты сам сделал то, что мы сейчас все имеем!

Вот Кара-Мурза-старший. Штатный советский контрпропагандист. Он был за СССР — он остался за СССР. Факты передергивает с ловкостью заправского каталы — настоящий профессионал. Вы думаете, у нас жрать было нечего, очереди в магазинах? Да по Кара-Мурзе мы сжирали больше американцев! А из какой колонки цифры взяты — это понятно только сведущим. И нет претензий к Кара-Мурзе. Он тогда из своих взглядов делал бизнес — и сейчас делает. А вернее: тогда делал взгляды из бизнеса — и сейчас верен себе. Последовательность внушает уважение.

Зиновьев внушает раздражение. Хотя лучше чувствовать жалость к чужому умственному увечью. А как ему не быть у советского профессора философии? Умственно вредная, даже калечащая работа.

Попав в заячью стаю, такой оппозиционер будет горячо обличать зайцев за трусость. А перейдя в волчью — гневно клеймить волков за кровожадность.

Ну нету у нас другого глобуса для таких оппозиционеров!

Господин профессор. Деструктивную лепту вы уже внесли. СССР развалился. Сейчас продолжает разваливаться Россия. У вас конструктивных предложений нет? Или вы способны только разваливать имеющееся?

За что я люблю некоторых либеральных интеллигентов — они никогда ни за что не отвечают. Никогда ни в чем не виноваты. Всегда правы. Всегда за все хорошее. Все несогласные с ними — плохие.

Первейший долг приличного человека, если он полагает себя «думающим» (я уж не говорю «мыслящим») — это умственная добросовестность.

Но когда речь идет о человеке, который поливает все подряд независимо от политической обстановки, а со сменой обстановки делает разворот на сто восемьдесят градусов быстрее морского бомбардировщика, догоняющего корабль в маневре, и продолжает поливать точно так же, но уже другое,— надо говорить не об умственной добросовестности, а умственной несостоятельности.

Если в подъезде есть скандалист — ему все равно, с кем скандалить.

Ренегатство никогда не внушало почтения. Черт возьми, я уважаю старость, подумал Портос, но не в жареном и не в пареном виде.

Случай с Зиновьевым — классический пример «оппозиции»: неважно, против чего я оппозиционер, я в принципе оппозиционер. Характер с возрастом не меняется, а мозговые нейроны отмирают, из чего следует определенная интеллектуальная, не скажем деградация, скажем эволюция.

Люди. Старайтесь по возможности не быть идиотами. Если кто не понимает — ну, бывает, так запомните: нет на свете ничего чисто белого и ничего чисто черного, крапинки везде, пятна, полосочки. Только две разновидности людей могут полагать иначе — советские профессоры философии и неврастеники.

ПАРШИВЕЦ ПАРШЕВ

— Паршев, конечно, не паршивец. Просто трудно удержаться от такого сочетания. Хотя, с другой стороны...

— Среди стонов «Никто ничего не читает!..» человек написал бестселлер! Да — «Почему Россия не Америка»?

— Смешнее другое. В книге — один факт, одна мысль и четыреста страниц. Поистине по-ленински: «чтоб словам было тесно, а мыслям просторно». Ну, в нашей литературе от мысли до мысли случается и больше, чем четыреста страниц.

— Не злословьте. Зато какова мысль.

— Какова?

— Проста. В России холоднее, чем в развитых странах, а особенно чем в странах третьего мира. Поэтому в общем на единицу продукции приходится тратить больше энергоносителей. Обогревать цеха и дома рабочих. Поэтому себестоимость единицы продукции заведомо выше. Поэтому она неконкурентоспособна. Поэтому капитал перетекает из России туда, где энергозатраты ниже и производство, стало быть, рентабельнее. Все.

— Нет. Не все. Есть вывод. Вывод: поэтому российский рынок необходимо изолировать, как было в СССР. Производить и потреблять внутри себя. Иначе конкуренция с Западом продолжит разорять нас дотла. Вот теперь — все.

— Это просто, изящно и убедительно. Но. Почему производятся паршивые автомобили, хотя при тех же затратах можно делать хорошие? Почему в урожайные годы гноится зерно, хотя с теми же затратами его можно сохранить? Затраты на хороший и плохой костюм на одной и той же фабрике одинаковы. Почему не ставят регулирующие краны на батареи парового отопления и жгут мазут зря, когда тепло,— чтоб его не хватало, когда холодно?

— Паршев — панэкономист. Неомарксист. По нему — так цивилизация должна была подняться не в прохладной дождливой Европе, а в теплой Африке, Индии, Малайзии.

— Он намеренно обходит нехитрый момент. В цивилизованном мире перенасыщенность рынка и жесточайшая конкуренция. Наш капитал перетекает туда не потому, что там прибыль выше. А потому, что надо спрятать от государства ворованное — и не дать государству, в свою очередь, еще раз обворовать себя. Возможная прибыль предпринимателя в России сегодня много выше, чем на Западе, деньги «быстрее», многие производства могут подпрыгивать с нуля. Но риски слишком велики, гарантий нет, чиновники и бандиты обгладывают чище саранчи.

— Это, значит, чтобы перестели воровать — превратить страну в тюрьму, и тогда в тюрьме установится порядок и поднимется благосостояние? Это мы проходили. Рухнет следующий СССР, только и всего.

ГЕНЕРАЛ ТРОШЕВ: РЕЦЕНЗИЯ ДЛЯ ГЛАВНОКОМАНДУЮЩЕГО

Трошев принадлежит к той генерации советско-российских генералов, на лицо которых не налазит каска. Родословная ее прослеживается до телефонного разговора Жукова с Толбухиным (согласно мемуарам первого): «А чего ты дышишь тяжело? Болен? — Никак нет, товарищ маршал, здоров. Позавтракал». Хотя интернациональная составляющая улавливается уже в дневниках Фридриха Великого: «Голодной армии для поднятия духа очень полезно видеть сытого короля».

Однако отбросим имидж: генерал не манекенщица, бегать и отжиматься должны солдатушки-бравы ребятушки. Вот книга, хит Московской книжной ярмарки: «Моя война. Окопный дневник чеченского генерала». Клянусь, я перепутал случайно, правильно: «Чеченский дневник окопного генерала».

Генералы книг не пишут. Я знал из всех одного, который написал свои мемуары сам: начальник инженерных войск Ленинградского фронта Бычевский. Для прочих есть наемные журналисты. Автор трошевской книги мне известен, но из этических соображений называть его не могу. Ответственность за книгу несет тот, чья фамилия стоит на обложке. Он «юридический автор». Ему угождал литсоздатель, расспрашивал и согласовывал.

Не будем задерживаться на блохах и общеизвестных случаях. Вот 122 мм гаубица именуется Д-30. На самом деле ее марка М-30, а Д-30 — это созданная на треть века позже 130 мм пушка. (Стр. 26—27)

Но вот статистика, оживляющая в воображении сводные цифры с Великой Отечественной. Перед первым штурмом Грозного дудаевские боевики имели на вооружении до 25 танков (стр. 26). А вот сколько из них федеральные войска поразили: уничтожено — более 40, захвачено — 15. Итого 55 из 25 возможных (стр. 44). Истребители танков выполнили план на 220%. Из 30 БМП и БТР уничтожили более 110, и так далее (стр. те же).

«...Грозный зимой 95-го года мы взяли, не имея преимущества в живой силе и превосходства в технике...» (стр. 45).— «...случалось, общевойсковые командиры, не задумываясь, вызывали огонь целого артиллерийского дивизиона по пулеметчику-одиночке или по двум-трем окапывающимся боевикам.» (стр. 51) Как вам стыковка этих двух цитат? Комментарии нужны?

А вот чудный пример российского армейского хамства, которое давно не замечается офицерами и является нормой: вышестоящий генерал Куликов нашему генералу-автору «тыкает», а тот ему в ответ, естественно, почтительно «выкает». (Стр. 56.) А чего не потыкать, не баре, чай, не аристократы. Я начальник — ты дурак, вы начальник — я дурак. Возможно, военным этот абзац будет непонятен. Чувство собственного достоинства отбивают с детства и ампутируют в военных училищах. Но когда чувство собственного достоинства атрофируется у генералов — победа еще возможна, но светлое будущее страны — никогда. Ну нельзя тыкать офицерам и генералам, никому этого нельзя вплоть до президента, неужели неясно?! Вот с этого дедовщина и начинается, ты меня понял, генерал?

Рассмотрим подробнее только один эпизод, трагический, известный недавно всем и памятный навсегда многим. 6-я рота 104-го гвардейского парашютно-десантного полка 76-й псковской дивизии ВДВ, высота 776,0 близ Улус-Керта, 29 февраля — 1 марта 2000-го года. (Стр. 323—332.)

«Однако мы не могли тогда предположить, что противник рискнет пробиваться на восток крупными силами. Банды соединились». То есть? Автор расписывается в своей несостоятельности как военачальника. Еще Наполеон вбивал (после Фридриха!): идти врозь — бить вместе. Еще Клаузевиц канонизировал: быть сильнее врага в нужный момент в нужном месте. Мы имели в Чечне 50 000 бойцов против вечных 2000—5000 боевиков — были сильнее в 10—20 раз? И тот же Наполеон, и Клаузевиц, и опыт всех войн: никогда не делай того, что ждет от тебя противник. Итог: около 1500 боевиков против 87 десантников. Тем самым диспозиция выявляет, что Басаев и Хаттаб просто умели воевать лучше Трошева.

«Нужно было в считанные часы совершить пятнадцатикилометровый марш-бросок... по скользким зимним тропам, с полной боевой выкладкой. Да плюс ко всему тяжелое снаряжение для нового базового лагеря — палатки и печки-буржуйки... Стоило кому-либо поскользнуться на крутом склоне — срабатывал „принцип домино“ падало уже несколько человек». А вертолетами доставить людей было нельзя — воздушная разведка не обнаружила в старом горном лесу ни одной подходящей для десантирования площадки.

Не первый год идет война в горах, но обуть людей в горные ботинки с альпийскими триконями огромная страна, разумеется, не может: это по-нашему. Десантировать личный состав с зависших вертолетов по тросам — тоже нельзя, не показные учения, и так дотопают: на всех не напасешься наших лучших в мире вертолетов с «вертолетчиками, которые творят чудеса». И спустить им, дошедшим до места налегке, лагерное имущество и тяжелое вооружение сверху — тоже нельзя. 50 кг на горб — и вперед в горы.

В полдень 29 февраля пятерка разведчиков обнаружила у подножья высоты Исты-Корд, куда и направлялась рота, передовой дозор боевиков — 20 человек. И забросала его гранатами. И обнаружила себя.

Если б они знали, на какую группу напоролись, они бы себя, конечно, обнаруживать не стали. А вернулись бы к роте и срочно заняли оборону. Но роту-то посылали с расчетом уничтожать мелкие банды по отдельности. Десантники платили за просчет командования.

Рота двинулась на выручку группе, отрывающейся от преследования. «Но силы во встречном бою оказались слишком неравными. ...пришлось с ранеными на плечах возвращаться на высоту 776,0».

Окопаться не успели — а ты подолби-ка гору в феврале. «Начался жесточайший минометный обстрел». Рота перекрывала чеченской группировке ход на равнину — заперла. И было ясно, что врагов до черта.

Так это же успех! Войска вошли, наконец, в соприкосновение с крупной группировкой вечно неуловимого врага — и блокировали ее в горах силами одной роты! Уничтожать надо — у нас ведь сил в 20 раз больше.

Где мобильный резерв? Где усиленный батальон при заправленных вертолетах? Где подвижная артгруппа при тех же транспортах вертолетах? Где десантные группы, которые перекроют группировке пути к отходу? Где установки залпового огня и вертолеты огневого сопровождения с кассетами РСов?

Да ничего подобного даже предусмотрено не было. Все было — и все неизвестно где. Растянуто и разбросано там и сям. Все продолжают ждать врага везде — понемножку. Так они понимают военное искусство.

(Вот так в 42-м году умевший воевать Манштейн громил наши превосходящие части, растянутые по всему Крыму, и меньшими силами устроил оборонявшимся кровавую баню, заняв полуостров. Это в наших военных академиях не преподают?)

«Видя потери и понимая весь трагизм ситуации, командующий группировкой ВДВ, чтобы спасти своих окруженных бойцов, отдает приказ парашютно-десантной роте направиться в район боя... Билась рота отчаянно, но прорваться к высоте 776,0 смогла только утром 2 марта». То есть командующий федеральной группировкой в Чечне все еще не понимал, что происходит. Десантура должна была сама выручать своих. Кинуть еще сотню бойцов против полутора тысяч — и ждать успеха?

«Прорваться» — это сказано для красного словца. 1-я рота смогла достичь высоты тогда, когда боевики ушли и бой был кончен — это явствует из текста, ни слова о том, что десантники «выбили» боевиков, «погнали», «заставили отойти» — там нет.

«Поэтому основную нагрузку по огневой поддержке окруженных взвалили на свои плечи „пушкари".» Что значит «взвалили на свои плечи», что за дешевая литературщина?! Приказали стрелять — стреляли. Издали, из тыла, вне огневого воздействия противника, будучи сами в безопасности.

Речь идет, это подчеркнуто в тексте, о полковой артиллерии 104-го десантного полка. Вообще такому полку полагается артдивизион. И в нем: батарея самоходок, батарея тяжелых минометов и батарея противотанковых. Это может варьироваться, но самоходки и следы минных разрывов упоминаются — минимум две огневые батареи в полку были и по цели работали. Дюжина стволов. Может, у них еще что было, а может, и нет.

Вот как живописует автор артподдержку:

«1200 (!) снарядов высыпали артиллеристы 104-го полка в район высоты 776,0 с полудня 29 февраля до раннего утра 1 марта. За одну ночь — 900 снарядов! Краска на стволах орудий обгорела, откатники треснули и потекли. Образно говоря, пушки сломались, а окруженные десантники — нет».

Этот пассаж рассчитан на штатских дурачков, ничего не понимающих в военном деле. (Для справки — 700 снарядов приходилось во 2-й Мировой войне на один сбитый ими самолет.) 1200 выпущенных снарядов мы делим на *минимум* дюжину, как упомянули, стволов. Это 100 снарядов на ствол. 45—75 снарядов составляют так называемый «б/к» — боекомплект. Итого — два б/к на ствол, возможно меньше, но не больше. А рассчитывается живучесть орудий таким образом, чтобы 1 б/к мог быть выпущен беглым огнем без всякой потери орудием своих боевых качеств. А во 2-ю Мировую на артподготовку перед наступлением выдавали, если снаряды были, до 3,5 б/к. И если у кого треснул откатник, командир орудия шел под трибунал за порчу матчасти. Треснуть он может в единственном случае: если в него тормозную жидкость или стеол-М не долили, а за этим специально номер расчета следит и докладывает после выстрела: «Откат нормальный!». Так что нам пытаются втюхать романтическую туфту для идиотов: «Краска на стволах обгорела»! Что ж — обгорела: это дело обычное, после стрельб подкрашивают. Сто снарядов на ствол мы делим на двадцать часов стрельбы и получаем пять снарядов в час. «За одну ночь — 900 снарядов!» Делим на 12 стволов и на 12 часов — 6—7 снарядов в час, выстрел в десять минут — при практической скорострельности штатной системы «Нона» выстрел в минуту, никак не реже.

Так что ни о каком «ураганном огне» речи быть не может. Нормальная огневая поддержка весьма ограниченным количеством орудий. Этим вся помощь роте и ограничивалась.

«Когда мы уже побывали на высоте, то изумились: многолетние буки были подстрижены снарядами и минами, словно трава сенокосилкой.» Все артиллеристы знают: при работе по лесу эффективность огня резко снижается, радиус поражения осколками сокращается до линии прямой видимости, а она в лесу невелика: деревья принимают огонь на себя и защищают людей.

И все это происходило в десятке километров от наших основных позиций — двое суток.

Артогонь прекратился «ранним утром 1 марта». А 1-я рота «прорвалась» на высоту утром 2-го марта. А что делалось эти сутки? А они нужны для того, чтобы рота в выкладке, осторожно, прощупывая пространство дозорами, прошла по горам это расстояние, только и всего.

И после этого цифра: «Из четырехсот хаттабовцев, нашедших свою смерть в бою за эту высоту...» — вызывает известное сомнение. Может, четыреста, а может, двести. Знаем мы, как считают потери врага.

Так что было? Одна рота ложится костьми и сдерживает врага. Другая рота пытается ее поддержать. А артиллерия их десантного полка работает по врагу, укрытому в лесу, посильно уничтожая его живую силу. И, похоже, врагу не прорваться. Так все отлично! И остальные части могут ждать возможного врага во всех остальных местах. Вот вам весь ход мыслей командования федеральной группировки.

И вот этого генерала, в очередной раз упустившего врага и практически сведшего своим бездействием на нет подвиг полегшей в бою роты, нам пытаются представить героем. Полагается на войне быть героям из числа старших командиров, а других героев, значит, нет.

Как управлял своими войсками при этом бое генерал Трошев? А никак. Что предпринял? А ничего. Какую пользу для своих войск сумел извлечь из стойкости десантников? А никакую. Что получилось у них — то и получилось. Молодцы. Слава павшим героям.

Он еще придет в политику. Он еще вам навоюет.

Содержание

КАК ВЫ МНЕ НАДОЕЛИ

ПИР ДУХА

ЧЕРНИЛА И БЕЛИЛА

ФЕНОМЕН ВЕЛЛЕРА
ЭЛИТАРНАЯ ЛИТЕРАТУРА — МАССОВЫМИ ТИРАЖАМИ

Творчество Михаила Веллера отличается исключительным разнообразием — стилистическим, тематическим и жанровым. Книги знаменитого писателя представляют все виды современной прозы и не похожи одна на другую ничем, кроме увлекательности и блеска.

«Хочу быть дворником» и **«Разбиватель сердец»** — сборники изящных и жестких, изобретательно и неожиданно построенных рассказов, принесших автору первую славу у знатоков короткой прозы. Еще в 80-е они явились новым словом в новеллистике.

«Все о жизни» и продолжение этой книги **«Кассандра»** — последняя в XX веке и первая в русской культуре законченная философская система, оригинально, всеобъемлюще и неопровержимо объясняющая мир и нашу жизнь — простым и чистым языком.

«Легенды Невского проспекта» — национальный бестселлер, прославленный иронией и непревзойденной легкостью. Стилизация под советский фольклор настолько мастерская, что вымышленные новеллы становятся нашей историей.

«Б. Вавилонская» — пророческий роман XX века о злоключениях и гибели Москвы в экологических катастрофах.

«Самовар» — самый жестокий и пронзительный роман последних десятилетий — о безруких и безногих инвалидах войны, переделывавщих наш мир силой своей объединенной мысли.

«Великий последний шанс» — хит, потрясший политический истэблишмент беспощадностью анализа действительности.

6 МИЛЛИОНОВ ЭКЗЕМПЛЯРОВ
20 ПЕРЕИЗДАНИЙ В ГОД

Литературно-художественное издание

Веллер Михаил
**Не ножик
Не Сережи
Не Довлатова**

Компьютерный дизайн и верстка:
Шумилин С.В.

Общероссийский классификатор продукции
ОК-005-93, том 2; 953000 — книги, брошюры

Санитарно-эпидемиологическое заключение
№ 77.99.02.953.Д.001056.03.05 от 10.03.05 г.

ООО «Издательство АСТ»
170000, Россия, г. Тверь, пр. Чайковского, д. 27/32
Наши электронные адреса:
WWW.AST.RU E-mail: astpub@aha.ru

ООО Издательство «АСТ Москва»
129085, г. Москва, Звездный б-р, д. 21, стр. 1

Отпечатано с готовых диапозитивов
в типографии ОАО «Издательство «Самарский Дом печати».
443080, г. Самара, пр. К. Маркса, 201.
Качество печати соответствует качеству предоставленных диапозитивов.